Albert Ben...

Avec la collaboration de Serge Rivest

L'EXÉCUTION

Le combat d'un médecin contre
le harcèlement moral et institutionnel

LES ÉDITIONS DE
L'HOMME

Une société de Québecor Média

*À toutes les victimes de harcèlement moral et institutionnel
qui souffrent en silence sans comprendre ce qui leur arrive,
pour qu'elles sachent qu'elles ne sont pas seules; et à toutes celles
et à tous ceux qui assistent, impuissants, à ce phénomène
dévastateur, pour qu'ils cessent d'être des complices du système et
que ce livre leur donne le courage nécessaire pour le dénoncer.*

Avant-propos

Mercredi 7 décembre 2016, dans une salle de réunion anonyme de l'Hôtel 10, rue Sherbrooke, à Montréal. Je comparais devant le conseil de discipline du Collège des médecins du Québec pour recevoir ma sentence.

Trois mois plus tôt, jour pour jour, le 7 septembre, ce même conseil de discipline me déclarait coupable. Coupable de quoi, au juste ? De négligence ? Non. D'exercice illégal de la médecine ? Non plus. D'inconduite sexuelle ? Encore moins.

Le conseil de discipline du Collège des médecins m'a reconnu coupable d'entrave à une enquête du syndic. Pourquoi ? Parce que la clinique médicale dont je suis actionnaire a refusé de remettre à la Régie de l'assurance maladie du Québec (RAMQ) et ensuite au Collège des médecins un document de nature commerciale qui ne m'appartient pas personnellement et qui ne relève ni des services assurés par la RAMQ ni de la pratique de la médecine.

Environ un an plus tôt, le 28 octobre 2015, j'avais fait l'objet d'une radiation immédiate provisoire par le conseil de discipline pour les mêmes motifs, sans aucune plainte active de patient et avec un dossier disciplinaire vierge.

Je retrouve dans la salle d'audience un environnement et des personnages familiers. Trop familiers, à vrai dire… À commencer par le syndic adjoint du Collège, le Dr Louis Prévost, un éternel sourire en coin collé au visage.

À la table centrale, Me Caroline Champagne, présidente du conseil de discipline, qui avait présidé mon «procès», flanquée de la D^{re} Vania Jimenez et du Dr Pierre Marsolais, membres du conseil de discipline, tous deux d'une discrétion telle que tout au long de l'audience je me suis demandé s'ils étaient là pour autre chose que d'endosser sans sourciller les prétentions du syndic.

Il y a aussi dans la salle le procureur du syndic, Me Anthony Battah, ainsi que mon avocat, Me Robert-Jean Chénier, l'un des plus grands spécialistes québécois du droit médical – un homme rigoureux, méticuleux et dévoué.

Je me retrouve donc devant ce tribunal absolument fantoche dans la mesure où le syndic du Collège des médecins – et de tous les autres ordres professionnels du Québec, d'ailleurs – n'a de comptes à rendre à personne. Quand il prend à un syndic l'envie de tailler en pièces un membre de son ordre professionnel, il peut devenir un véritable rouleau compresseur qui écrase tout sur son passage. Il peut causer énormément de dommages avant qu'on parvienne à l'arrêter – dans les rares cas où on réussit à le faire.

Quand je me suis présenté à cette audience, mon sort était donc en réalité scellé d'avance.

Pour les férus de littérature, je me sentais comme Joseph K., le héros du *Procès* de Kafka, condamné sans même savoir de quoi on l'accuse.

Je me souviendrai toujours de cette audience, de son atmosphère oppressante, de l'absurdité des méfaits dont on m'avait déclaré coupable, de mon sentiment d'impuissance face à un accusateur omnipotent, de ma sensation de révolte face à l'injustice quand le syndic adjoint a réclamé ma radiation permanente. Il fallait sans doute s'y attendre, mais je n'en étais pas moins anéanti.

Je ne peux m'empêcher de penser que si j'avais eu des relations sexuelles avec une patiente, je m'en serais sans doute tiré – comme beaucoup de mes collègues médecins – avec une radiation temporaire de quelques mois. Une petite tape sur les doigts, quoi !

La veille de cette audience, le 6 décembre, j'apprenais avec consternation que le Dr Alain Sirard s'était enlevé la vie le jour même dans son bureau de l'Hôpital Sainte-Justine. Depuis plus de trois ans et demi, il subissait aussi le harcèlement institutionnel du Collège des médecins (et d'autres institutions) pour avoir fait son devoir. Il se trouve que le syndic qui enquêtait sur son cas était celui-là même qui s'acharne sur moi depuis tant d'années, et que c'est aussi mon avocat, Me Chénier, qui le représentait. Je suis donc assez bien au fait du dossier du Dr Sirard, qui est quand même plus complexe que le mien et sur lequel – par respect pour les vies qui ont été détruites dans le sillage de son suicide – je ne désire pas élaborer outre mesure.

Mais ce que le Dr Sirard et moi partageons avec beaucoup d'autres professionnels au Québec (et sûrement ailleurs), c'est le fait d'avoir été victime de harcèlement moral et institutionnel, une notion relativement nouvelle, mais dont les conséquences peuvent être dévastatrices. Généralement pratiqué par un ou des individus au nom d'une ou de plusieurs organisations, le harcèlement institutionnel vise à humilier et à détruire une personne, tant sur le plan personnel que professionnel, tout en valorisant le harceleur ou l'institution qu'il représente.

N'empêche. Il arrive que des collègues ou des amis qui racontent mon histoire à des connaissances s'entendent fréquemment répondre : « Oui, mais ton docteur, il a quand même dû faire quelque chose de répréhensible. On ne perd pas son droit de pratique comme ça. »

Il n'y a pas de fumée sans feu, comme on dit. Cela fait précisément partie de la stratégie du harceleur institutionnel : porter des coups massifs et répétés qui, au bout du compte, détruiront la réputation de sa victime.

Mais pourquoi s'en est-on pris à moi précisément ? Après plus de huit ans de batailles, les choses me paraissent maintenant beaucoup plus claires que lorsque les premiers coups de poignard m'ont été portés. Au-delà du médecin, c'est au propriétaire d'une des plus importantes cliniques médicales du Québec qu'on s'est attaqué.

De larges pans du système de santé québécois – le ministère de la Santé, la Régie de l'assurance maladie, le Collège des médecins, avec la complaisance des différents ministres qui se sont succédé – ont déclaré la guerre aux cliniques privées et semi-privées. Ils ont eu recours à toutes les ressources de la démagogie pour présenter les médecins-entrepreneurs comme des profiteurs qui exploitent leurs patients et ne cherchent qu'à s'enrichir. Par la suite, deux de leurs plus puissantes institutions se sont liguées pour me harceler, m'intimider et ruiner ma réputation au moyen d'un simulacre de procès à la soviétique.

J'ai décidé de me battre et de ne pas me laisser écraser par des adversaires redoutables et sans merci. C'est justement parce que beaucoup trop de personnes souffrent de harcèlement institutionnel et de harcèlement moral, en silence, isolées et sans aide, que j'ai décidé d'écrire ce livre.

J'ai une histoire à raconter. Une histoire d'horreur. Une histoire personnelle, bien sûr, mais qui – comme je viens de l'évoquer – dépasse à bien des égards les limites de ma propre personne. Outre le harcèlement institutionnel et moral que vous verrez se déployer dans ces pages, ce livre porte aussi largement sur un système de santé malade d'une bureaucratie incompétente, malhonnête et sans âme. Un système malade également d'un ordre professionnel qui a dévié de son mandat de protection du public pour livrer un combat idéologique, en recourant pour ce faire à l'abus et au mensonge.

CHAPITRE 1

La fausse nouvelle

L'affaire commence le vendredi 30 juillet 2010.

Le jour s'était levé sous un ciel sans nuages et après une canicule prolongée, la température était redevenue supportable dans la région de Montréal. Il faisait à peine 15 degrés à 7 heures du matin quand le groupe d'une quinzaine d'amis dont je faisais partie avait entrepris de parcourir à vélo les quelque 200 kilomètres qui nous séparaient de la petite ville de Stowe, au Vermont, au cœur des Green Mountains, où ma femme et moi possédons une maison de campagne.

Pour mes amis et moi, cette randonnée annuelle est, depuis plusieurs années, l'un des clous de la saison estivale. Et en particulier pour moi, l'événement revêtait une signification d'autant plus importante que j'avais raté, pour des raisons de santé, celui de l'année précédente. Je voyais donc cette journée de plein air comme une espèce de renaissance. J'étais vraiment heureux d'être là.

Nous étions d'abord descendus jusqu'à L'Île-des-Sœurs, pour passer ensuite sur la rive sud du fleuve par l'estacade du pont Champlain et rouler vers l'ouest jusqu'au port de Sainte-Catherine et, de là, jusqu'à Saint-Jean-sur-Richelieu pour traverser la frontière qui sépare le Québec du Vermont.

Rouler à vélo, c'est se donner la chance de voir les choses bien différemment qu'en voiture, à 100 kilomètres/heure, les vitres fermées à respirer de l'air conditionné. Les paysages présentent une perspective différente, ne serait-ce que parce qu'on roule moins rapidement. On a le temps de s'attarder aux détails, de mesurer les aspérités du terrain, de humer les odeurs, de sentir le vent fouetter notre visage et surtout d'admirer la beauté qui nous entoure. On éprouve le sentiment d'une adéquation parfaite avec l'environnement, d'en être une partie intégrante. En un mot, tout simplement, on a l'impression d'être en vie.

Même si nous roulions relativement vite parce que le trajet était quand même assez long, il ne s'agissait pas à proprement parler d'une course, mais plutôt d'un effort soutenu de la part de tous les participants. Tout le monde s'entraidait, chaque groupe prenant à tour de rôle la tête du peloton afin de permettre aux autres de réduire l'effort en étant tirés par le reste des cyclistes.

Nous avions fait quelques pauses très brèves afin de remplir nos gourdes et de manger un morceau. Arrivé à la frontière, chacun d'entre nous, comme il se doit, s'était arrêté au poste de douanes de Saint-Armand-Philipsburg, pour se plier aux formalités habituelles et répondre aux questions d'usage. Lorsque vint mon tour (j'étais peut-être le dixième ou onzième de mon groupe à défiler), j'ai tendu mon passeport au douanier, et celui-ci m'a demandé de but en blanc:

«Are you carrying any weapons[1]?»

J'avais pour tout vêtement un cuissard et un chandail qui collaient à ma peau. Je me demande bien où j'aurais pu dissimuler une arme. Comment répondre à une telle question? Je n'osai pas éclater de rire, de peur d'être tombé sur un fonctionnaire ombrageux qui m'aurait fait payer le prix de mon insolence. J'ai simplement répondu, aussi sérieusement que possible, que je n'avais pas d'arme sur moi.

Et nous avons ainsi poursuivi notre route en territoire américain, là où le terrain devient beaucoup plus vallonné et de plus en plus montagneux à mesure que nous avançons. Les paysages sont magnifiques, la verdure à couper le souffle. On se remplit les poumons de l'air des montagnes et il faut dire aussi que les efforts sont beaucoup plus soutenus, le trajet se terminant par la montée très abrupte du

---

1. «Est-ce que vous transportez une arme?»

Smugglers Notch, un col entre les monts Mansfield et Spruce, qui aboutit au cœur de Stowe.

•••

Arrivés à Stowe, vers 14 h 30, nous étions rentrés chacun dans nos quartiers, en convenant de nous retrouver en soirée chez l'un des nôtres pour un souper et une fête entre amis, nos épouses devant nous rejoindre après leur journée de travail.

Je me suis donc rendu à mon chalet pour déposer mon vélo, prendre une douche et me reposer un peu en attendant ma femme. Après quoi, je suis sorti sur le balcon attenant à notre chambre à coucher, un lieu empreint d'une grande sérénité, offrant une vue imprenable sur les montagnes environnantes. Quand nous voulons nous détendre, c'est là que nous nous installons, à regarder le paysage en silence, sans penser à rien.

J'étais fatigué, bien sûr – vidé, même – mais vraiment fier de ce que j'avais accompli : 200 kilomètres à vélo dans un temps relativement court, soit à peu près six heures et demie. Sans être nécessairement un exploit, c'était une performance honorable dans les circonstances. Car un an plus tôt, à pareille date, je m'étais senti absolument incapable d'entreprendre et de compléter un tel trajet et, considérant le diagnostic que je venais alors de recevoir, je ne pensais pas qu'un jour je pourrais à nouveau participer avec mes amis à une telle randonnée.

Bref, j'étais serein et heureux. Puis mon esprit s'est mis à vagabonder et je me suis pris à mesurer, à l'approche de la cinquantaine, la chance que j'avais eue jusqu'alors dans la vie : une conjointe fantastique, intelligente et forte ; un mariage dont l'harmonie ne s'est jamais démentie ; trois beaux enfants qui faisaient notre fierté. Sur le plan professionnel, j'avais créé en 1988 une entreprise florissante, une clinique médicale d'avant-garde qui, 22 ans plus tard, était toujours en pleine croissance et demeurait un modèle dans le milieu québécois de la santé. Nous venions de parfaire, à peine deux ans auparavant, l'informatisation complète de la clinique – désormais entièrement « sans papier » – alors que l'ensemble du système de santé québécois en était encore à l'âge de pierre à cet égard. Nous venions aussi de réaliser des investissements considérables dans le développement de notre clinique d'imagerie et de radiologie, avec des équipements sophistiqués et à la fine pointe de la technologie, dont des appareils de résonance magnétique et de tomodensitométrie (CT scan). Nous offrions constamment de meilleurs services à nos patients de façon intelligente et efficace. J'avais toutes les raisons du monde d'être bien dans ma peau.

Je nageais donc dans cet état euphorique, aussi zen qu'on peut l'être, lorsque la sonnerie du téléphone me tira de ma rêverie. C'était ma femme – qui est comptable et responsable des finances de notre centre médical – qui voulait s'assurer que tout s'était bien passé et que j'étais arrivé sain et sauf. Mais je trouvais quand même qu'il y avait quelque chose de bizarre dans sa voix, comme une angoisse qu'elle n'était pas certaine de vouloir me confier. Je lui ai dit :

— Est-ce que ça va ?

— Pas tout à fait.

— Qu'est-ce qui se passe ?

— On a fait la une de *La Presse*.

— Comment ça, la une de *La Presse* ? De quoi tu parles ?

— Un article à notre sujet est paru ce matin, mais je l'ai su seulement plus tard dans la journée.

— Mais ça devait être un bon article ?

— Non, pas vraiment. Il est écrit qu'apparemment, Physimed exploite ses patients en exigeant d'eux 340 $ pour avoir les services d'un médecin de famille.

— Mais, c'est pas possible ! D'où ils peuvent sortir une chose pareille ?

— Écoute, je suis en route pour Stowe. J'ai le journal avec moi. Je te ferai lire l'article quand je serai là.

D'un coup, j'étais passé d'un état de quasi-béatitude à une angoisse profonde. Je me disais : « Mais qu'est-ce que c'est que cette histoire ? Qui essaie de nous faire du tort ? » Car le peu que je savais de l'article démontrait déjà clairement qu'il était plein de faussetés. J'avais très hâte de le lire, mais comme à Stowe on est entourés de montagnes, la connexion Internet laissait beaucoup à désirer à cette époque pourtant pas si lointaine, et il m'était donc impossible de le lire dans son intégralité.

J'avais demandé à ma femme quelle avait été la réaction des gens à la clinique. Ils avaient plutôt pris le tout à la blague, me confiat-elle, trouvant absolument ridicule qu'on ait pu écrire un tel tissu de faussetés. C'est aussi ce que je pensais jusqu'à un certain point. Mais du même souffle, je m'inquiétais sérieusement des conséquences.

J'étais là à tourner en rond, sans véritable moyen de communication avec l'extérieur, à attendre ma femme afin de pouvoir lire l'article. Je n'en pouvais plus. J'ai appelé mon associé Gilles Racine.

— Gilles, qu'est-ce qui se passe?

— Écoute, Albert. Ça n'a pas de bon sens. Je n'ai pas voulu t'appeler pour ne pas te déranger, mais c'est un article absolument farfelu. On ne comprend pas comment la journaliste a pu écrire une chose pareille.

Et il me lit l'article au complet, lequel est écrit par une journaliste du nom d'Anabelle Nicoud, qui n'est même pas spécialisée dans le domaine de la santé, mais plutôt dans celui des arts et spectacles. Sous le titre «Un médecin de famille… pour 340 $», elle écrit notamment qu'en raison de la pénurie de médecins de famille qui sévit au Québec, Physimed profite de la situation en imposant à ses patients des frais exorbitants pour en avoir un, alors que chacun sait qu'un médecin affilié à la Régie de l'assurance maladie du Québec (RAMQ) – comme l'étaient alors et le sont toujours tous ceux qui pratiquent chez Physimed – n'a pas le droit de facturer à la fois la Régie et son patient pour le même service, une pratique à laquelle, d'ailleurs, notre clinique ne s'est jamais livrée. À cet égard, il faut aussi souligner que Physimed était accréditée par le ministère de la Santé à titre de «clinique réseau», ce qui signifie notamment que les patients qui s'y présentent ont accès sans frais aux services d'un médecin, qu'ils soient inscrits ou non auprès d'un médecin de famille à notre clinique. S'il avait fallu que nous dressions une barrière – financière ou autre – à l'accessibilité, il y a longtemps que nous aurions été dénoncés, et notre accréditation n'aurait pas été renouvelée.

À l'époque, j'occupais, entre autres postes, celui de chef adjoint du Département régional de médecine générale (DRMG) de

Montréal, qui conseillait l'Agence de la santé et des services sociaux de Montréal sur l'organisation des soins de santé dans notre ville. À ce titre, je côtoyais à peu près tous les gens qui comptaient dans le milieu de la santé montréalais et québécois. Et pendant que Gilles me parlait, je ne pouvais m'empêcher de me dire : « Mon Dieu ! Tous ces gens qui citent Physimed comme une clinique modèle, qu'est-ce qu'ils vont penser de moi ? De nous ? »

Car la journaliste n'avait pas seulement écrit une fausseté ; elle lui avait aussi donné un vernis supplémentaire de vérité en recueillant les commentaires de la RAMQ, du Collège des médecins, du président de la Fédération des médecins omnipraticiens du Québec (FMOQ), le Dr Louis Godin, et du cabinet du ministre de la Santé. Il y avait même un commentaire de la présidente de Médecins québécois pour le régime public (MQRP), Marie-Claude Goulet, une organisation alors naissante qui milite en faveur de la gratuité complète dans l'ensemble du système de santé québécois et qui a déclaré la guerre aux cliniques médicales privées et semi-privées.

Comme la plupart des cliniques médicales du Québec, Physimed est précisément une clinique semi-privée, où les consultations avec les médecins sont couvertes par le régime public d'assurance maladie, mais où plusieurs services ne le sont pas, dont les tests de résonance magnétique et de laboratoire, ainsi que les consultations avec des psychologues ou physiothérapeutes, par exemple.

Or, la somme de 340 $ évoquée par la journaliste dans son article n'avait rien à voir avec l'accès à un médecin. Il s'agissait simplement et uniquement des frais reliés aux tests de laboratoire qu'elle aurait eu le loisir de subir gratuitement dans un établissement hospitalier ou un CLSC – comme le précisent toujours nos réceptionnistes lors de la prise de rendez-vous –, mais qu'elle avait choisi en toute connaissance de cause de subir chez Physimed, moyennant certains coûts.

L'impact de cet article dévastateur a commencé à prendre des proportions inquiétantes dès sa parution. Mon associé venait en effet de m'expliquer qu'il en avait été question à l'émission de radio matinale de Paul Arcand au 98,5 FM, la plus écoutée à Montréal. Et comme pour ajouter une couche d'angoisse à une situation déjà préoccupante, il m'annonce tout à coup :

— Albert, il faut que je te laisse. Des journalistes et des caméramans viennent de débarquer à la clinique.

Je suis resté pendant de longues minutes à fixer le téléphone muet dans ma main, à 200 kilomètres de l'action, envahi par un sentiment croissant d'impuissance et un évident début de panique.

Finalement, Gilles me rappelle. Il a réussi à faire sortir les journalistes et caméramans de la clinique en leur demandant de respecter la confidentialité à laquelle ont droit nos patients. Les journalistes de la télé se sont alors installés à l'extérieur, où ils ont interviewé quelques-uns d'entre eux. Au bout du compte, je demande à mon associé :

— Écoute, veux-tu que je revienne à Montréal maintenant ?

— Non, ce n'est pas nécessaire. On est vendredi. Il n'y a rien qu'on puisse faire maintenant ni durant le week-end.

Quand ma femme est arrivée à Stowe en début de soirée, nous n'avions ni l'un ni l'autre le cœur à la fête. Vers 20 h 30, je reçois un appel des amis qui nous attendaient. Je réponds que nous sommes sur le point de les rejoindre. Quand nous sommes arrivés une heure plus tard, il n'y avait plus personne. Nous avons fait demi-tour et sommes rentrés au chalet.

Au bout du compte, ce qui devait être un week-end de plaisir s'avéra être deux journées interminables de malaise, d'inquiétude et d'angoisse. Deux journées au cours desquelles je tournais en rond, à relire sans arrêt l'article et à ressasser constamment dans mon esprit les mêmes questions : « Pourquoi avoir écrit une chose pareille ? Quels en sont les motifs ? »

Je n'avais qu'une seule envie : rentrer au plus vite à Montréal afin de prendre la véritable mesure de la situation.

●●●

De retour à la clinique le lundi matin, la première chose que je voulais savoir était si cette journaliste avait écrit son article à partir de ouï-dire ou si elle s'était elle-même présentée à la clinique en tant que patiente. Après une brève recherche dans le système informatique de la clinique, j'ai constaté qu'elle avait effectivement rencontré un de nos médecins en consultation. Celui-ci lui avait prescrit des tests de laboratoire dont le coût s'élevait à 340 $, un montant qu'elle avait payé à notre clinique sans se plaindre. Donc en un sens, c'était pire que ce que j'avais cru d'emblée. Car cela voulait dire qu'elle savait pertinemment que la somme qu'elle avait versée couvrait uniquement des frais de laboratoire et ne représentait en aucun cas le prix à payer pour les services d'un médecin de famille. Elle devait aussi savoir – car elle l'évoquait dans son article – que la RAMQ avait enquêté en 2007 sur une clinique médicale de notre territoire qui exigeait de ses patients des frais pour des analyses de laboratoire et en avait conclu que cette pratique ne contrevenait pas à la loi. Néanmoins, nulle part dans son article ne mentionne-t-elle qu'elle a payé 340 $ pour des services de laboratoire pour lesquels elle a reçu une facture détaillée. J'étais complètement abasourdi !

Autour de moi, bien des gens ne s'inquiétaient pas outre mesure, estimant qu'à l'évidence, cet article était tellement farfelu qu'il ne valait pas la peine d'en faire un plat. Mais il fallait quand même gérer cette situation. Et comme nous n'avions absolument rien à nous reprocher, j'ai rapidement pris le parti de la transparence. Disons les choses telles qu'elles sont.

J'entrepris donc d'écrire une lettre au ministre de la Santé, au secrétaire général du Collège des médecins, au président de l'Agence de santé et des services sociaux de Montréal et au président de la FMOQ pour dénoncer les faussetés contenues dans l'article et redresser les faits. Je décidai également d'écrire à celui qui était alors l'éditorialiste en chef de *La Presse*, André Pratte, pour lui demander de faire paraître dans la section « Opinions » du journal le texte que j'avais envoyé au ministre, un texte qui du reste n'a jamais paru et pour lequel je n'ai même pas reçu un accusé de réception.

J'appelle aussi le président de la FMOQ, le Dr Louis Godin, pour lui faire part de mon étonnement devant le fait qu'il soit cité dans l'article de Mme Nicoud, semblant ainsi ajouter foi aux faussetés qu'elle y avait écrites. Il me répond alors qu'il est désolé, qu'il ne savait pas qu'il s'agissait de notre clinique, dont la réputation est sans tache, et qu'il a été piégé par la journaliste :

«Elle m'a appelé pour me demander ce que je pensais d'une clinique qui exige 340 $ d'un patient pour obtenir les services d'un médecin de famille affilié au régime public de santé. Je n'avais pas le choix de lui dire que ça n'avait pas de bon sens. Elle ne m'a jamais dit qu'elle avait payé cette somme pour des analyses de laboratoire. Autrement, j'aurais tenu un tout autre discours.»

Une autre chose qui m'avait tarabusté en consultant le dossier administratif de la journaliste-patiente était le fait qu'elle habitait dans l'est de la ville et travaillait dans l'est du centre-ville de Montréal, assez loin de chez Physimed dont les locaux sont situés à Saint-Laurent, dans l'ouest de l'île. D'habitude, les patients qui consultent notre clinique habitent ou travaillent autour de nos installations. Pourquoi s'être imposé ces difficultés alors qu'il existait plein de cliniques médicales dans son voisinage? Qui avait envoyé cette personne-là précisément chez Physimed? Qui avait à ce point intérêt à colporter des faussetés à notre sujet en première page des journaux?

Tout cela sentait mauvais. Et même si le caractère carrément frivole de l'article donnait à penser à certains que la tempête médiatique allait se calmer rapidement, je n'en étais pas si sûr. Je me sentais vulnérable. Depuis mes toutes jeunes années, j'ai toujours suivi mon instinct, qui m'a rarement fait défaut. Quelque chose me disait que ça ne s'arrêterait pas là.

Mon instinct ne me trompait pas.

CHAPITRE 2

Une vocation logique

D'aussi longtemps que je me souvienne, j'ai toujours voulu être médecin. Sans vouloir aucunement les dénigrer, je n'ai jamais été comme certains jeunes qui, jusqu'à un stade relativement avancé de leurs études, ont de la difficulté à choisir une carrière. Dans mon esprit, ma voie était toute tracée d'avance, avant même que j'atteigne l'adolescence. Je n'ai jamais vraiment cherché à expliquer l'origine de cette vocation précoce ; sans doute le fait que j'ai toujours pris beaucoup de plaisir à aider mes semblables et que je me suis intéressé très tôt aux sciences et à la biologie. Mais je crois aussi pouvoir la retracer au moment où, encore jeune, j'ai été saisi par un accès soudain de piété qui fut, à vrai dire, de courte durée, mais m'a marqué profondément.

Je suis né en 1961 à Casablanca, au Maroc, où j'ai grandi dans un milieu francophone et fréquenté les écoles de la Mission française. Je suis issu d'une famille juive où par ailleurs la religion ne tenait pas une très grande place. Mes parents n'étaient pas très pieux et ne nous ont jamais, mes frères et moi, incités à une pratique rigoureuse de la religion. Mais tout à coup, vers l'âge de 11 ans, j'ai eu une sorte de révélation qui m'a poussé, durant quelques années, à fréquenter la synagogue, à suivre nos traditions, à tenter de comprendre les desseins de Dieu et à essayer de faire le bien autour de moi. Avec des camarades pour la plupart beaucoup plus âgés que moi, nous passions le Shabbat à visiter des personnes âgées et à les conduire dans de toutes petites synagogues qui peinaient à atteindre le *minian*, c'est-à-dire le quorum de 10 personnes nécessaire à la récitation des prières importantes lors des offices religieux.

À cette époque – nous étions au début des années 1970 – la communauté juive marocaine connaissait un exode considérable. Après avoir compté presque 400 000 personnes, il n'en restait plus à ce moment que quelques milliers. Beaucoup de Juifs marocains – principalement des jeunes – qui ne voyaient pas d'avenir pour eux dans un pays musulman où ils étaient de moins en moins acceptés choisissaient d'émigrer, notamment vers la France, Israël et le Canada, comme mes parents allaient d'ailleurs le faire quelques années plus tard. C'est dire que bien des personnes âgées, incapables de faire le trajet vers une nouvelle terre d'accueil, étaient forcées de demeurer au pays et se retrouvaient dans ce qu'on appelait là-bas des maisons de vieillards – assez délabrées, il faut le dire – alitées côte à côte à raison d'une quinzaine dans des pièces faisant chacune à peine 1000 pieds carrés et n'ayant accès qu'à une salle de bain commune. Certaines d'entre elles étaient aveugles ou sourdes, beaucoup étaient incapables de marcher, et les soins d'hygiène qui leur étaient offerts étaient à peine minimaux. Et surtout, ces personnes étaient terriblement seules. Personne ne venait jamais les visiter.

Lorsqu'on entrait dans ces pièces, on était pris à la gorge par une odeur difficile à décrire, que je ne saurais autrement nommer que comme celle de l'abandon et de la mort. Mais le simple fait de s'asseoir à côté de ces personnes, de leur tenir la main, de leur parler rachetait amplement ce désagrément par la seule expression de leurs visages reconnaissants qui s'illuminaient. Ensuite, nous les amenions à la synagogue et récitions les prières avec eux.

C'était pour moi des moments extrêmement gratifiants qui, répétés tous les samedis pendant deux ans et demi – jusqu'à ce que mes parents eux-mêmes émigrent à Montréal –, m'ont appris à valoriser l'acte de donner et d'aider sans attente de retour.

Donc, à mes yeux, la vocation – si j'ose l'exprimer ainsi – de médecin s'appuie à la fois sur un penchant naturel et une curiosité insatiable pour les sciences de la vie, une forte capacité de travail et d'apprentissage dans un monde où il faut constamment se recycler et surtout une compassion naturelle pour les malheurs de ses frères humains.

•••

Je suis arrivé avec ma famille à Montréal en juillet 1975, un an avant l'inauguration des Jeux olympiques, alors que la ville entière vibrait d'enthousiasme pour l'événement.

J'ai été tout de suite séduit par la beauté de cette ville, par son architecture magnifique et par la gentillesse et la chaleur des gens qui l'habitent. Je me suis bien adapté et très vite je me suis senti chez moi.

Après avoir complété mes études secondaires, j'ai fait mon cégep au collège Jean-de-Brébeuf pour ensuite être accepté en médecine à l'Université McGill, qui était alors et demeure encore aujourd'hui l'une des plus prestigieuses universités canadiennes, particulièrement renommée pour son école de médecine. J'y ai vécu des années de travail intense au cours desquelles j'ai connu mes premières expériences de médecin.

Je crois que j'ai perdu ma virginité – si je peux ainsi m'exprimer – alors qu'au début de mes études de médecine, avant même d'avoir entamé un stage en milieu hospitalier, je m'étais porté volontaire pour travailler, chaque vendredi soir, à l'urgence de l'Hôpital Général de Montréal. Ce soir-là, alors que les ambulances ne cessaient d'arriver, nous avions accueilli une femme victime d'un accident de voiture. Sa ceinture de sécurité n'était pas bouclée et au moment de l'impact, elle avait bien sûr été éjectée de son auto tête première à travers le pare-brise. Elle respirait à peine quand elle avait été amenée par les ambulanciers, dans un état vraiment lamentable, le visage tuméfié, déformé et ensanglanté, avec un œil exorbité, de multiples lacérations et fractures et risquant de mourir au bout de son sang. Dans le feu de l'action, le chef d'équipe me charge de communiquer avec sa famille afin d'obtenir son groupe sanguin et de savoir si elle souffrait d'allergies. Au bout du fil, son conjoint était dans un tel état de choc que j'ai eu beaucoup de difficulté à le calmer. Je suis resté à l'hôpital jusqu'à trois heures du matin, tendu et vidé, mais ayant acquis dès lors la certitude que j'avais fait le bon choix en optant pour la médecine.

Mais les cas ne revêtaient pas toujours le même caractère d'urgence. Un jour, alors que j'étais d'office à l'urgence de l'Hôpital Royal Victoria, le chef d'équipe me demande d'aller évaluer l'état d'une patiente qui se plaignait d'intenses douleurs abdominales. J'entre dans la chambre et, d'entrée de jeu, je suis frappé par son allure étrange, ses cheveux teints en blond et son épais maquillage.

— J'ai des douleurs terribles au bas de l'abdomen, me dit-elle d'emblée. Mes crampes menstruelles me tuent. Je suis certaine que ce sont les ovaires.

— Seriez-vous enceinte?

— Je n'en suis pas sûre.

— Je vais vous examiner, lui dis-je.

Je soulève alors la couverture et lorsque mon regard se pose sur ses organes génitaux, j'ai sous les yeux un pénis et deux testicules qui me paraissent en parfait état de marche. J'étais face à un cas évident d'illusion transsexuelle, qui relevait clairement de la psychiatrie et non de la gynécologie.

À cette époque, la salle d'urgence de l'Hôpital Royal Victoria ressemblait à une zone de guerre. Un peu partout, les murs étaient percés de trous de taille variable, le mobilier était dans un état avancé de délabrement et aucune des chaises de la salle d'attente n'était assortie. Sans parler des traces de moisissures qui suintaient un peu partout. «T'en fais pas, Albert», m'avait dit un jour un chef d'équipe. «Ça ne vaut pas le coup de rénover notre salle d'urgence, car nous allons bientôt déménager dans un hôpital tout neuf.»

Nous étions alors en 1983 et le Centre universitaire de santé McGill a finalement ouvert officiellement ses portes en juin 2015.

●●●

À l'origine, je me dirigeais vers la chirurgie orthopédique, une spécialité qui correspondait bien à mon profil de sportif. J'avais d'ailleurs effectué notamment un stage optionnel à San Antonio, au Texas, sous la supervision du Dr Charles Rockwood, une sommité mondiale dans ce domaine.

J'ai donc entrepris avec beaucoup d'enthousiasme ma résidence en orthopédie, un programme de cinq ans extrêmement exigeant, tant sur le plan physique qu'intellectuel. Mais j'y ai rapidement perdu mes illusions, aussi bien à l'égard des méthodes d'apprentissage que de la tâche elle-même. À cette époque, bien avant l'utilisation à grande échelle de l'informatique et des réseaux de communication, les résidents étaient considérés et traités avant tout comme de la main-d'œuvre bon marché affectée principalement à toutes sortes de tâches accessoires : courir les étages à récupérer des résultats de radiologie ou de laboratoire, à rapporter des cartes de patients, à transporter des patients de ou vers la salle d'opération, etc. Nous étions davantage des garçons de courses que des médecins. En fait, à peine la moitié de notre temps était véritablement consacré à la médecine.

Le régime d'affectation était aussi très difficile, même pour des jeunes gens comme moi, au milieu de la vingtaine. Nous étions de garde une nuit sur deux, sept jours par semaine, pendant six mois consécutifs. Concrètement, cela signifiait que j'entrais à l'hôpital un lundi matin à 5 h 45, qu'à 18 h je prenais mon quart de nuit, qu'à 6 h le mardi matin je reprenais mon quart de jour et que je rentrais finalement chez moi à 18 h. Et le même régime recommençait le lendemain matin, 7 jours sur 7, même les fins de semaine. En clair, cela faisait des périodes de 36 heures consécutives d'éveil suivies de périodes de repos de 12 heures. Dans ces conditions, on est forcé de développer toutes sortes de techniques pour se maintenir éveillé. Mais même si le corps finit par s'habituer, on est guetté à tout instant par le sommeil. À cette époque, une de mes collègues s'était endormie au volant sur l'autoroute Décarie après son quart de travail et avait embouti un muret de béton. Elle avait passé 6 mois sur un lit d'hôpital, devant subir des chirurgies multiples, encore chanceuse de ne pas y avoir laissé sa vie.

Il m'est arrivé un jour, environ trois mois après le début de ma résidence, de m'endormir carrément en salle d'opération. C'est l'un des pires souvenirs de ma carrière de médecin. Il restait une vingtaine de minutes avant de pouvoir procéder à un pontage coronarien et dans ces conditions, il est important, pour ne pas contaminer le patient, que les tabliers stériles que portent les membres de l'équipe de chirurgie n'entrent en contact avec aucun corps étranger. Il faut donc demeurer debout, les jambes écartées et également rester les bras écartés et maintenus à la hauteur de la poitrine à un pied de distance l'un de l'autre. Je n'avais pas dormi depuis plus d'une trentaine d'heures. Tout à coup, j'aperçois du coin de l'œil un tabouret de métal particulièrement invitant. Je me suis assis dessus, tout en gardant mes bras écartés, tout en luttant farouchement contre le sommeil qui me gagnait. Quand je me suis endormi, mes bras ont glissé le long de mon corps et mes mains ont touché le tabouret. Je n'étais plus stérile. C'est un cri de mort du chirurgien en chef qui m'a réveillé : « Albert, qu'est-ce que t'essaies de faire ? Contaminer le patient ? Sors d'ici, espèce d'imbécile ! Mais où s'en va le monde ? Ces résidents d'aujourd'hui n'ont pas d'endurance et pas de couilles ! »

Je n'avais jamais été aussi humilié de ma vie. Un peu plus tard, je cognais à la porte de son bureau dans l'espoir de m'expliquer.

— Si c'est de la sympathie que tu cherches, tu es à la mauvaise adresse, me dit-il d'emblée.

Puis il me demande :

— Tu sais ce que veut dire le mot « résident » ? Ça veut dire que tu « résides » à l'hôpital. Dans mon temps, on avait de la chance si on pouvait rentrer à la maison une fois tous les trois mois. Vous autres, c'est tous les deux jours. Vous vivez dans un véritable Club Med !

J'ai rapidement réalisé qu'il était inutile de poursuivre la conversation. Beaucoup de chirurgiens de cette génération étaient comme lui : très talentueux sur le plan technique, mais machos, irascibles, désagréables avec les infirmières, leurs subordonnés et même leurs patients, et complètement dépourvus d'empathie. Quand je suis sorti de son bureau, je me suis dit que jamais je ne voudrais ressembler à cet homme ni, surtout, pratiquer la médecine à sa manière.

À l'époque dont je parle, les jeunes chirurgiens orthopédiques disposaient dans un hôpital d'un privilège d'opération d'une demi-journée à une journée par semaine. Cela m'avait beaucoup étonné, car lors des quelques stages que j'avais effectués dans des hôpitaux américains, j'avais bien constaté que les chirurgiens orthopédiques là-bas pouvaient pratiquer autant d'opérations qu'il était nécessaire. Dans ces conditions, il n'était pas étonnant que les patients qui avaient besoin d'une chirurgie élective au Québec doivent attendre des mois, parfois même des années, avant qu'elle soit réalisée. Et je crois comprendre que cette situation n'a pas beaucoup changé depuis.

Toutefois, outre cette demi-journée ou journée par semaine, les chirurgiens avaient aussi le droit de procéder à des chirurgies lorsqu'ils étaient de garde la nuit en salle d'urgence. C'est ainsi que s'était développée à l'époque une pratique qui, bien qu'ingénieuse, me paraissait – et me paraît toujours – assez malsaine. Il leur arrivait donc de dire à un patient dont la situation revêtait un certain caractère d'urgence : « Écoute, la semaine prochaine je suis de garde à l'urgence entre telle heure et telle heure. Je vais t'appeler quand ce sera le moment et tu te présenteras à l'hôpital en prétendant que tu éprouves des douleurs insupportables. Je vais t'opérer à ce moment-là. »

Cette pratique donnait lieu à un autre phénomène tout aussi malsain, que j'appellerais le « vol de lits ». Il arrivait fréquemment, en effet, qu'il n'y ait pas de lits disponibles à l'étage de l'orthopédie. Et comme on ne peut pas opérer un patient sans avoir un lit pour le coucher après la chirurgie, il fallait en trouver un rapidement à un autre étage, avant même que ledit patient soit arrivé à l'hôpital. C'est dire qu'il y avait énormément de manipulation, de mensonges et de coups de coude pour s'approprier ces lits.

Ainsi, plutôt que d'être réalisées de façon bien planifiée et dans des conditions optimales, ces chirurgies orthopédiques étaient effectuées en pleine nuit, presque dans la clandestinité. C'était un véritable cirque qui me répugnait profondément. J'étais incapable de travailler dans des conditions semblables, même si j'étais bien conscient qu'autrement, ces patients auraient dû poireauter pendant des mois avant de subir leur chirurgie.

Un autre irritant qui s'ajoutait à ceux que je viens de mentionner : lorsque la réalisation des chirurgies avait pris du retard au cours de la journée, il n'était pas rare qu'une opération doive être annulée parce que des membres du personnel syndiqué jugeaient alors que cela les obligerait à travailler plus tard que le terme prévu de leur quart de travail. Les patients étaient prêts : ils étaient à jeun – souvent depuis la veille – avaient été rasés et préparés. Mais c'est la sacro-sainte convention collective qui prévalait.

J'ai fini par comprendre qu'être chirurgien au Québec signifiait être constamment à la merci du ministère de la Santé, de l'hôpital, de ses dirigeants et souvent de ses employés. C'est l'hôpital qui dicte vos privilèges d'opération, votre emploi du temps et votre conduite, peu importe les besoins de vos patients. Je savais, connaissant ma personnalité, que je ne pourrais pas tolérer longtemps de travailler dans un tel contexte.

À cette époque, après avoir complété un an de résidence, on était considéré d'office comme un médecin omnipraticien, communément appelé un médecin de famille. J'ai alors décidé d'abandonner ma spécialité en orthopédie et de réorienter ma carrière en tant que médecin de famille.

● ● ●

J'ai songé brièvement à quitter le Québec pour aller pratiquer la médecine aux États-Unis. Mais j'étais conscient par ailleurs que mes parents avaient fait beaucoup de sacrifices pour réunir la famille à Montréal et offrir à leurs enfants un avenir meilleur que ce qui les attendait au Maroc. Alors, l'idée s'est rapidement ancrée dans mon esprit que je n'allais pas quitter ma famille. Le Québec est grand et les débouchés ne manquent pas, me suis-je dit. J'ai confiance en mes moyens et je vais sûrement trouver quelque chose d'intéressant, de motivant et de stimulant à faire.

Mais tout débordant de confiance que j'étais, je savais d'autre part que même si j'avais le titre de médecin, il m'en restait encore beaucoup à apprendre avant de complètement maîtriser mon art. Et à mes yeux, pour en avoir fait brièvement l'expérience comme interne, je croyais que la meilleure façon d'apprendre la médecine demeurait le travail en salle d'urgence, là où on a à gérer rapidement les situations les plus diverses, qu'il s'agisse d'abcès, d'appendicite, de crise cardiaque, de fracture ou d'accident de voiture. Travailler en salle d'urgence, c'est vraiment aller au front.

Avant ce moment, je savais que les médecins au Québec étaient payés à l'acte, mais je n'avais jamais vraiment prêté attention aux paramètres de rémunération, et d'ailleurs, nous n'avions reçu aucune formation à ce sujet à l'école de médecine. J'ai donc dû me pencher sur la question pour réaliser rapidement que les omnipraticiens subissaient un plafonnement trimestriel de leurs revenus. C'est dire que pour chaque période de trois mois, s'ils dépassaient un certain niveau de revenu, ils ne recevaient que 25 % de leur rémunération normale, ce qui équivalait pratiquement à travailler pour rien, une fois l'impôt payé. Les patients ne décident pas du moment où ils vont tomber malades. Si par malheur cela leur arrivait au moment où vous venez d'atteindre votre plafond trimestriel, ou vous acceptez de les soigner quasiment bénévolement ou ils doivent se débrouiller pour trouver un autre médecin pour les soigner. Quel non-sens !

Par ailleurs, une pénalité salariale de 30 % (une mesure discriminatoire finalement abolie en 2002) était alors imposée aux jeunes médecins généralistes qui s'installaient dans les zones urbaines de Montréal, Québec ou Sherbrooke, par exemple, pendant leurs trois premières années de pratique, alors qu'une surprime leur était versée s'ils choisissaient d'œuvrer en région éloignée.

J'ai donc décidé d'aller travailler en région, soit en Abitibi, faisant la navette chaque semaine entre les hôpitaux de La Sarre, Val-d'Or et Rouyn. Je quittais Montréal par avion le dimanche après-midi pour prendre mon quart de travail de 18 h à minuit. Du lundi au jeudi, je travaillais de 8 h du matin à minuit, et le vendredi de 8 h à 17 h, reprenant l'avion en début de soirée vers Montréal.

Travailler comme médecin à l'urgence d'un hôpital en région éloignée, c'est être livré à soi-même, pour ainsi dire sans filet. Pas de cardiologue, pas de soins intensifs et très peu de spécialistes de garde à qui adresser les cas les plus urgents. On n'a pas le choix d'apprendre rapidement son métier.

Au cours de cette année en Abitibi, j'en ai vu vraiment de toutes les couleurs. Un cas en particulier me revient à l'esprit. Un jour, alors que je suis de garde à l'urgence de l'Hôpital de Val-d'Or, on me prévient qu'une patiente très mal en point est transportée d'urgence par hélicoptère d'une réserve indienne voisine. Quelques minutes plus tard, les ambulanciers l'amènent sur une civière, sanglée, intubée, le cou entouré d'un collier cervical et ses quatre membres fracturés retenus par des attelles. Son visage est tuméfié et sanguinolent. Elle n'a plus de cheveux et son cuir chevelu est brûlé au deuxième et au troisième degré. Elle souffre d'une fracture du crâne et de fractures multiples au visage. Une radiographie rapide montre qu'elle a aussi un poumon perforé et quelques côtes brisées. La pauvre femme a été victime d'un accès de rage de son mari, provoqué par une crise d'alcoolisme avancée. À la suite d'une dispute, il s'est mis à la frapper sur tout le corps à coup de batte de baseball. Et pour finir, il a mis le feu à sa chevelure.

En la voyant ainsi, je me souviens de m'être demandé spontanément comment un homme pouvait faire une chose pareille, à sa propre femme par surcroît. Mais ce n'était pas le moment de penser. Il fallait agir, et vite. Cette femme était en train de mourir. Je commence par lui injecter dans les veines suffisamment de fluides pour compenser la perte de sang et je lui installe ensuite un drain thoracique afin de permettre au poumon de se regonfler. Puis nous lui avons donné des médicaments destinés à contenir et réduire l'œdème cérébral. Enfin, nous avons stabilisé ses fractures. Après deux heures de travail intense, je l'ai fait transférer par avion-ambulance à un hôpital de Montréal.

L'expérience que m'a procurée ce séjour en Abitibi demeure inestimable à mes yeux. Elle m'a notamment permis de développer une sorte de flair quant au degré de gravité et d'urgence relié à l'état d'un patient. J'avais fini par détecter, presque au premier coup d'œil, si un patient était vraiment malade, si la situation exigeait des soins immédiats ou si le patient était en mesure d'attendre et de rentrer chez lui. Mais au bout d'un an, j'en avais assez et il n'était pas question pour moi de me fixer là-bas. En outre, j'avais à Montréal une fiancée dont j'étais très amoureux et que j'avais envie de voir beaucoup plus souvent.

Je suis donc revenu dans la métropole, où bien sûr la pénalité de 30 % sur les revenus des jeunes médecins était toujours en vigueur. Mais elle ne l'était pas en périphérie. J'ai donc réussi à obtenir un poste à l'urgence de l'Hôpital Charles-Le Moyne, à Longueuil, donc hors de Montréal. Mais s'il n'y avait pas de pénalité, le plafond trimestriel existait toujours et il suffisait de trois quarts de travail par semaine pour l'atteindre. Je venais de passer un an en Abitibi à travailler 16 heures par jour, et voilà que je me retrouvais dans la région de Montréal, à 26 ans, à temps partiel. J'avais vraiment le sentiment que les médecins les plus productifs étaient pénalisés par le système. Je me sentais frustré, à un aussi jeune âge, d'être semi-retraité. Certains de mes collègues, une fois qu'ils avaient atteint le plafond, complétaient leur semaine de travail en dehors du Québec, en Ontario, à Cornwall ou Hawkesbury, ou quelque autre ville pas trop éloignée de Montréal où le plafond ne s'appliquait pas. Mais pendant ce temps, les salles d'attente des hôpitaux québécois débordaient. Les patients attendaient des heures à n'en plus finir avant d'être vus. Ils étaient devenus des impatients. Il y avait plein de besoins, plein de gens à soigner et une foule de médecins jeunes et productifs, comme moi, prêts à livrer la marchandise. Mais le système érigeait constamment des barrières.

Pendant quelque temps, je suis retourné travailler les week-ends en Abitibi, où il n'y avait pas de plafond trimestriel. Mais j'étais sur le point de me marier et il n'était pas question pour moi de partir chaque fin de semaine là-bas pendant plusieurs mois. Je désirais non seulement vivre une vie de couple normale, mais je voulais aussi des enfants, être près d'eux, changer les couches, leur donner le biberon, m'occuper de leur éducation et participer pleinement à la vie de mon foyer.

Une autre chose commençait aussi à m'ennuyer, à savoir le suivi des patients. En urgence, le contact avec les patients est très superficiel. On constate leur état, on leur pose des questions, on les stabilise et on ne les revoit plus. Malgré toute l'empathie dont on peut faire preuve, il y a là une espèce de dépersonnalisation qui finit par vous miner. À l'Hôpital Charles-Le Moyne, j'avais un collègue beaucoup plus âgé que moi – une trentaine d'années d'expérience – complètement désabusé. Il ne voyait plus un patient dans sa dimension humaine ; il voyait un nez, un doigt, écoutait des poumons. Mais l'être humain lui échappait complètement. C'était un homme plaisant et sympathique, mais qui n'avait plus aucune passion pour son métier. Je ne voulais pas devenir comme lui, mais je savais par ailleurs que ce genre d'attitude me guettait si je n'y prenais pas garde.

Donc, j'étais prêt à continuer pendant quelques années si nécessaire, mais je savais qu'il allait falloir me réorienter un jour ou l'autre.

CHAPITRE 3

La médecine du travail

Avant d'envisager une réorientation de carrière dont je ne savais trop encore quelle forme elle allait prendre, j'ai continué pendant quelques mois à assurer la garde en salle d'urgence à Longueuil, à raison de trois quarts de travail par semaine, car j'étais limité par le plafond trimestriel.

Puis un jour, tout à fait par hasard, j'entends parler d'une clinique médicale montréalaise spécialisée en médecine du travail, un domaine qui – comme son nom l'indique – touche à la fois les aspects préventifs et cliniques de la santé en milieu de travail. Ce secteur ne m'était pas complètement étranger, en raison de mon séjour d'un an en Abitibi. Dans cette région du Québec, où les industries minières et forestières jouaient un rôle de premier plan dans l'activité économique et présentaient des risques particuliers pour les travailleurs, les entreprises les plus importantes employaient et rémunéraient directement des médecins et d'autres professionnels pour veiller à la santé et à la sécurité de leurs employés. De retour à Montréal, j'ai découvert que la plupart des grandes entreprises de la région métropolitaine faisaient de même.

À l'époque, la médecine du travail était une notion relativement nouvelle au Québec. Elle ne faisait même pas l'objet de cours spécifiques dans les facultés de médecine, contrairement à aujourd'hui. Mais même si a priori ce domaine d'activité suscitait de l'intérêt chez moi, je ne pouvais évidemment pas prétendre avoir de l'expérience en la matière. J'ai donc posé ma candidature et obtenu un rendez-vous avec la dirigeante de la clinique, une infirmière de formation qui avait un esprit d'entrepreneuriat assez poussé et proposait aux entreprises de combler certains de leurs besoins en matière médicale. Je n'ai pas fait mystère de mon manque de formation et d'expérience, mais elle n'en avait pas fait beaucoup de cas puisqu'en cela la plupart des médecins québécois étaient dans la même situation. Nous nous sommes bien entendus et elle m'a donc proposé un poste à la clinique deux jours par semaine, après que j'aurais reçu une brève formation de la part de son personnel. Cela me permettait de compléter ma semaine de travail sans pénalité, car la clinique était rémunérée par les entreprises qui recouraient à ses services et, à son tour, elle rémunérait ses médecins en dehors des cadres du système public de santé.

Mes premiers mandats à la clinique consistaient principalement à évaluer la condition médicale de candidats à un emploi chez nos entreprises clientes. Par la suite, on m'a confié d'autres tâches, dont celle de fournir des évaluations indépendantes sur la condition d'employés en congé de maladie prolongé. Il arrivait que cela se termine devant un tribunal où je devais défendre mon opinion face à des avocats parfois assez agressifs. Au bout de quelques mois, on m'a proposé de travailler à la section de la clinique consacrée aux bilans de santé des cadres de direction d'entreprises. Il s'agissait de leur faire passer divers examens médicaux au cours de la même visite, qu'il s'agisse d'analyses sanguines et urinaires, d'électrocardio-grammes ou de radiographies du thorax. Ces gens, qui avaient des horaires chargés, n'étaient pas satisfaits de notre système public de santé. Ils ne pouvaient pas se permettre d'attendre des heures et de courir à gauche et à droite pour subir des tests. Ils appréciaient ce service en plus de l'attention qu'on leur accordait, ce qui était loin d'être le cas pour une majorité des cabinets traditionnels de médecin.

À cette époque tout comme aujourd'hui, notre système de santé était affligé de la même lacune fondamentale : l'acte médical n'était pas valorisé. Peu importe qu'un médecin consacre 10 ou 30 minutes à un patient, qu'il l'accueille dans de beaux bureaux bien équipés ou dans un placard délabré, sa rémunération était la même. Autrement dit, la notion de service à la clientèle était entièrement évacuée. Bien des médecins n'avaient qu'une chose en tête : voir le plus de clients possible à l'heure, ce qui les incitait à privilégier les petits cas au détriment des situations plus complexes. C'était une médecine expéditive avec laquelle je n'étais pas du tout à l'aise. Je trouvais donc très intéressant et surtout très efficace pour le patient ce concept de clinique vouée à la médecine industrielle.

Au départ, mon intérêt pour la médecine du travail était plutôt financier parce qu'en évoluant hors du système de santé, il me permettait d'échapper à la semi-retraite que m'imposait la RAMQ avec le plafonnement trimestriel de mes revenus. Mais j'en suis venu rapidement à aimer cette façon de pratiquer la médecine, notamment parce qu'elle me donnait l'occasion de considérer les patients comme des clients et de prendre le temps de les traiter comme j'aurais souhaité l'être.

• • •

Quelques mois plus tard, Gilles Racine, le directeur du marketing de la clinique – un jeune homme fort sympathique avec qui je partageais la même passion pour la pratique du sport –, me demande si je serais disposé à occuper, au moins pour un temps, le poste de directeur médical d'une brasserie montréalaise, qui était alors l'une des plus importantes au Canada. L'entreprise souhaitait confier cette tâche en impartition à la clinique médicale où je travaillais. Mon manque d'expérience en la matière me faisait hésiter, mais on m'a rapidement fait comprendre qu'on me croyait tout à fait capable d'assumer un tel mandat. Il faut dire qu'au cours des mois précédents, j'avais acquis une certaine compréhension des aspects non seulement médicaux, mais aussi administratifs de la médecine du travail.

Quand je suis allé rencontrer en entrevue le président et le vice-président aux Ressources humaines de l'entreprise, en compagnie de mon directeur du marketing, je me souviens d'avoir été particulièrement impressionné par la taille de l'usine, où travaillaient quelque

1 200 employés, pour la plupart syndiqués. Malgré mon jeune âge et mon expérience limitée, l'entrevue s'est très bien déroulée et le responsable des ressources humaines m'a expliqué : « Notre précédent directeur médical était de la vieille école. Il est temps d'apporter du sang neuf et de nouvelles idées à notre équipe. »

L'organisation devait alors faire face à deux grands enjeux extrêmement coûteux. Le premier était l'absentéisme. Le nombre d'employés qui manquaient à l'appel chaque jour, apparemment pour des raisons médicales, était absolument ridicule et tout à fait hors de contrôle. L'un de mes mandats consistait donc à contribuer à une réduction substantielle de l'absentéisme dans l'entreprise. Dès lors, j'ai surveillé de près chaque cas, exigeant fréquemment de rencontrer certains employés afin de vérifier si leurs absences étaient motivées. J'ai alors découvert que plusieurs d'entre eux, même s'ils avaient un billet justificatif du médecin, n'avaient pas de raisons valables de ne pas se présenter au travail. J'ai également réalisé que certains de ces prétendus billets de médecin étaient plutôt de complaisance et parfois même contrefaits. Je commençais à mesurer l'impact de nos gestes comme médecins traitants dans la société.

Il s'est aussi avéré que d'autres travailleurs qui s'absentaient du travail à la brasserie profitaient de ces journées de « maladie » pour arrondir leurs fins de moi en réalisant des petits boulots ailleurs. Un autre employé qui disait souffrir de douleurs chroniques au dos avait été filmé sur vidéo en train de se bâtir un chalet dans le Nord, à soulever, pousser et tirer des objets lourds. J'étais proprement scandalisé par tant de malhonnêteté, en particulier de la part de certains travailleurs syndiqués qui avaient un emploi stable et rémunérateur, d'excellentes conditions de travail, un généreux régime de retraite et bien d'autres avantages, dont un bar ouvert durant les heures de travail.

Ce qui m'amène à aborder l'autre grand enjeu de santé qui se posait alors dans cette organisation, à savoir l'alcoolisme. En tout temps, peu importe celui des trois quarts de travail quotidiens auquel il était affecté, chaque employé n'avait qu'à se rendre à la cafétéria de l'usine pour obtenir une bière gratuitement. Il est difficile aujourd'hui de concevoir qu'un employeur – même une brasserie ou une distillerie – donne libre accès à la consommation d'alcool sur les lieux de travail. Mais à cette époque, au milieu des années 1980, les gens étaient sans doute moins sensibilisés à la question. Sauf que les faits étaient là et qu'on ne pouvait plus les ignorer. Au centre de santé de l'entreprise, je croisais régulièrement des gens dont l'haleine empestait l'alcool et plusieurs employés souffraient de maladies du foie – dont la cirrhose – consécutives à l'alcoolisme. Rien d'étonnant à cela, car il y avait une règle non écrite selon laquelle au cours d'un quart de travail de huit heures, un employé avait droit à sept bières, ce qui était déjà considérable. Mais plusieurs travailleurs dépassaient largement cette limite. Cette situation présentait non seulement de sérieux risques pour leur santé, mais aussi des dangers évidents pour leur sécurité et celle de leurs collègues sur les lieux mêmes du travail. Sans parler, bien sûr, des effets de la consommation d'alcool sur l'absentéisme.

Il fallait faire quelque chose, mais j'étais bien conscient par ailleurs qu'il s'agissait d'une situation délicate et que j'allais devoir faire face à un syndicat qui allait de toute évidence invoquer la sacro-sainte notion des «droits acquis». C'est exactement ce qui est arrivé, les dirigeants du syndicat menaçant même de ralentir la production ou même de déclencher la grève si les employés étaient privés de bière durant leur quart de travail. Évidemment, la haute direction de l'entreprise désirait éviter à tout prix une guerre avec le syndicat. Mais j'avais décidé de ne pas lâcher le morceau. Lors d'une réunion avec les cadres, je leur ai posé la question qui tue:

«Qu'arriverait-il si l'un de vos chauffeurs, en état d'ébriété, tuait un enfant en faisant ses livraisons au volant d'un camion affichant le logo de l'entreprise? Seriez-vous prêts à faire face aux journalistes, s'ils savaient que l'entreprise a servi de la bière à cet employé pendant son quart de travail?»

Cette éventualité leur avait donné à réfléchir. Elle les avait finalement convaincus de prendre le taureau par les cornes en appliquant une politique de tolérance zéro à l'égard de la consommation d'alcool pendant les heures de travail. Il faut dire aussi que la Société de l'assurance automobile du Québec avait entrepris, à l'époque, une campagne publicitaire assez marquante sous le thème «L'alcool au

volant, c'est criminel». Au bout du compte, la direction avait finalement conclu une entente avec le syndicat, en vertu de laquelle chaque
employé aurait droit à deux caisses de bière chaque semaine – à
consommer ailleurs que sur les lieux de travail – afin de compenser
la fermeture du bar ouvert à la cafétéria.

Cette démarche fut assortie d'une vaste campagne de sensibilisation à laquelle j'avais activement participé, avec affiches, kiosques
d'information et conférences de la part d'anciens alcooliques et de
conjoints de personnes alcooliques sur les conséquences de la
consommation excessive d'alcool. Nous avons également invité des
policiers à venir expliquer les répercussions de la consommation
d'alcool au volant sur le plan criminel.

Ce qui va de soi aujourd'hui n'était pas si évident à cette époque
et j'étais fier d'avoir persévéré pour faire valoir mon point de vue
pour le bien des employés et celui de la compagnie. Du même coup,
un autre aspect important de la médecine du travail se révélait à moi,
à savoir la capacité d'influencer les politiques et les pratiques quoti-
diennes d'une entreprise afin de mieux assurer la santé et la sécurité
de ses employés.

●●●

La période d'environ deux ans qui a suivi la fin de ma résidence en
orthopédie, en 1986, en fut une de profonde introspection quant à
l'orientation de ma carrière de médecin. J'essayais de déterminer la
pratique qui me conviendrait le mieux à long terme, un lieu dans le
vaste univers des soins de santé dans lequel je réaliserais mon plein
potentiel, où je me sentirais utile et épanoui, qui me ferait dire :
«C'est ici que je veux planter ma tente et faire une carrière. » Pour
trouver ma voie, j'ai ainsi tenté des expériences diverses : salle d'urgence et médecine du travail, bien sûr, mais aussi le travail en cabinet, en clinique sans rendez-vous et même en centre hospitalier de
soins de longue durée (CHSLD).

Chacune de ces expériences m'avait laissé plutôt insatisfait sur
le plan professionnel. Il manquait toujours quelque chose. En salle
d'urgence, c'était le suivi des patients, que je ne revoyais jamais
après qu'ils avaient quitté l'hôpital. Je n'avais donc, évidemment,

aucun moyen de connaître le résultat de mes interventions auprès d'eux.

Durant les quelques semaines où j'ai travaillé en cabinet, je me suis rarement autant ennuyé de ma vie, car je ne voyais pas souvent les patients quand ils en avaient vraiment besoin. Comme la plupart du temps les rendez-vous sont pris quelques semaines à l'avance, quand le patient est vraiment malade, il se rend à une clinique sans rendez-vous ou à la salle d'urgence d'un hôpital. Quand il se présente finalement au cabinet, il n'est plus malade et le médecin se limite à documenter son historique de santé, à renouveler des ordonnances et à prodiguer quelques conseils sur l'arrêt du tabac ou la perte de poids.

En clinique sans rendez-vous, on a essentiellement affaire à des cas sans réelle gravité : otites, amygdalites, rhumes, grippes. Lorsque l'affection est plus sérieuse, on envoie le patient à l'urgence d'un hôpital. On est fondamentalement un répartiteur.

Je simplifie peut-être ici, mais j'ai réalisé rapidement qu'autant en cabinet qu'en clinique sans rendez-vous, ce qui manquait avant tout à l'omnipraticien pour être véritablement utile à son patient, ce sont des outils qui lui auraient permis de confirmer rapidement ses impressions diagnostiques et de soigner les gens dans de meilleurs délais, offrant ainsi la capacité d'optimiser leur prise en charge. Il y a des limites à ce qu'on peut savoir à l'aide d'un stéthoscope ou d'un tensiomètre. Ni l'un ni l'autre ne vous donneront le taux de glycémie d'un patient, ni son taux de cholestérol ni la gravité d'une affection abdominale.

Considérant le peu de moyens dont disposaient les médecins à l'époque, l'établissement d'un bilan de santé suivi d'une prise en charge complète était – et demeure encore aujourd'hui, une trentaine d'années plus tard – une affaire qui peut s'étaler sur plusieurs mois. De la radiographie à la prise de sang en passant par l'analyse d'urine jusqu'au suivi éventuel par un spécialiste, le processus peut facilement s'éterniser. D'une date à l'autre, le patient poireaute quand il ne décide pas tout simplement d'abandonner en cours de route, découragé par l'attente. Si les outils diagnostiques étaient sur place, à l'intérieur même de la clinique – comme c'est le cas en salle d'urgence – il est évident que les patients seraient mieux soignés. Si de plus on avait facilement accès à des médecins spécialistes, on commencerait à parler d'un système de santé bien plus efficace. Cela était absolument clair dans mon esprit.

Ce qui m'avait frappé durant mon séjour à temps partiel à la clinique de médecine du travail, c'est précisément qu'on y retrouvait tous ces équipements techniques dont je parle pour établir rapidement d'excellents diagnostics : radiologie, prises de sang, spirométrie, électrocardiogramme, etc. Mais ironiquement, tous ces appareils ne servaient qu'à établir les bilans de santé de cadres ou d'employés de nos clients, qui n'étaient généralement pas symptomatiques et qui allaient ensuite se faire soigner ailleurs, dans le régime public, si une anomalie était diagnostiquée. Non seulement ces ressources étaient-elles largement sous-utilisées, mais elles ne menaient pas à une véritable prise en charge de la santé de ces gens. Je me disais que si la clinique élargissait sa vocation en acceptant de soigner ces patients dans le cadre du régime public de santé au lieu de les renvoyer dans le labyrinthe de notre système de santé – tout en maintenant ses activités en médecine du travail et de prévention –, elle répondrait à un besoin réel tout en utilisant ses ressources techniques à la hauteur de leur potentiel.

J'ai donc proposé à la propriétaire de la clinique d'investir avec elle dans la création d'une nouvelle division qui se consacrerait à la prise en charge de patients malades dans le cadre du régime public et profiterait des outils diagnostiques à sa disposition pour mieux les soigner, et plus rapidement. Je me chargerais d'en assurer la conception, la mise sur pied, l'organisation et le développement.

Je me suis rapidement rendu compte que l'idée ne l'intéressait absolument pas. D'une part, elle estimait que de faire affaire avec la RAMQ était une source inutile de complication et surtout que, financièrement parlant, le jeu n'en valait pas la chandelle. Par ailleurs, toute douée qu'elle était en matière d'entrepreneuriat, elle était aussi profondément individualiste et il n'était pas question pour elle de s'engager dans un partenariat, que ce soit avec moi ou qui que ce soit d'autre.

Sa vision d'entrepreneur dans le monde de la santé ne cadrait pas avec la mienne. J'étais évidemment déçu de son refus et j'ai aussitôt compris que je n'avais plus rien à faire dans cette clinique, que j'ai quittée aussitôt à l'hiver de 1988, sans avoir pour autant une solution de repli, sauf celle de poursuivre mes quarts de travail à la salle d'urgence de l'hôpital Charles-Le Moyne.

À ce moment, j'ai songé sérieusement à quitter la médecine, car j'étais incapable de faire ce pour quoi j'étais devenu médecin, c'est-à-dire aider les gens et leur être véritablement utile tout en ayant le sentiment de progresser et d'améliorer mon expertise. Mais il fallait bien que je gagne ma vie, d'autant plus que j'étais sur le point de me marier et que ma future femme et moi avions la ferme intention d'avoir rapidement des enfants. Je me suis dit alors que je pourrais continuer à la salle d'urgence – c'est-à-dire à temps partiel, compte tenu des limitations imposées par le ministère – et travailler le reste du temps dans un autre domaine, comme l'immobilier, pour lequel j'éprouvais un certain intérêt. Mais mon beau-père – un homme d'une grande sagesse auquel j'étais très attaché et qui est parti beaucoup trop tôt, à la fin de la cinquantaine, emporté par une leucémie – m'en avait dissuadé.

« Si tu fais une chose à temps partiel, m'avait-il dit, tu ne pourras jamais te développer. Tu vas te faire bouffer par ceux qui la font à temps plein et qui connaissent bien le milieu. Réfléchis plutôt à ce que tu peux faire avec l'expertise que tu possèdes. »

C'est ainsi qu'a commencé à germer dans mon esprit l'idée de bâtir un milieu de travail intéressant, valorisant et efficace, non seulement pour moi, mais surtout au bénéfice des patients, dans une perspective de valorisation de la profession médicale.

CHAPITRE 4

Physimed

À l'époque, les médecins de famille travaillaient plutôt en solo dans leur propre cabinet. En fait, dans les années 1970, les médecins de famille considéraient qu'ils avaient réussi lorsqu'ils avaient ouvert leur propre cabinet, c'est-à-dire un petit bureau avec une salle d'examen et une modeste réception adjacente à une petite salle d'attente comprenant quelques chaises. Plus tard, dans les années 1980, sont apparus des regroupements de médecins au sein d'une même clinique, ce qui est encore assez commun aujourd'hui. Cette pratique consistait essentiellement à partager les frais reliés à la location d'espaces de bureaux, l'achat de matériel et l'embauche de personnel. Dans ce modèle, chaque médecin est un travailleur autonome entièrement affilié à la RAMQ qui mène ses propres affaires indépendamment de ses collègues. Mais ces deux pratiques – cabinet en solo et regroupement de médecins – me semblaient très limitées et peu attrayantes, aussi bien pour le médecin que pour le patient.

Mon modèle à moi était tout à fait différent. Ce que je désirais bâtir, c'était une clinique qui serait axée avant tout sur les besoins des patients et la capacité de les soigner avec rapidité et efficacité. En fait, c'était bien sûr la vision et le projet d'un médecin entrepreneur, une notion largement méprisée dans le système de santé québécois actuel, mais qui a démontré son efficacité, comme en témoignent les quelques millions de patients qui fréquentent ce genre de cliniques chaque année.

Je me suis donc mis à jeter sur papier les grands principes qui allaient guider la clinique que je souhaitais créer.

Le premier de ces principes consistait à traiter les patients comme je souhaiterais moi-même l'être, c'est-à-dire avec courtoisie, diligence et professionnalisme, dans un environnement convivial et chaleureux et dans des délais raisonnables. Voilà la règle d'or de n'importe quelle entreprise dans n'importe quel domaine d'activité, et je ne vois pas pourquoi ce serait différent dans celui de la santé.

Deuxièmement, je souhaitais que la clinique que j'allais mettre sur pied soit un guichet unique où on trouverait sous un même toit un ensemble de services intégrés, c'est-à-dire non seulement ceux d'un médecin de famille, mais aussi l'accès à des médecins spécialistes, à des examens diagnostiques, à des soins infirmiers et à des professionnels de la santé dans des domaines complémentaires, qu'il s'agisse de psychologie, de diététique ou de physiothérapie. Il fallait éviter aux patients d'attendre à la salle d'urgence d'un hôpital pendant des heures ou de courir à gauche et à droite pendant des jours, des semaines et souvent des mois avant d'avoir un rendez-vous pour subir des tests ou pour consulter un spécialiste. En vertu de ce concept, chaque patient aurait un dossier unique partageable par tous les professionnels en place.

Troisièmement, je voulais que nos patients soient pris en charge quand ils étaient malades et quand ils étaient en santé. Autrement dit, quand ils avaient un problème, je ne voulais pas qu'ils aient à attendre des semaines avant de consulter un de nos médecins. Et du même souffle, je souhaitais que lorsqu'ils ne se sentaient pas bien, ils puissent savoir rapidement à quoi s'en tenir en ayant un accès immédiat à des outils diagnostiques à l'intérieur même de la clinique. De plus, contrairement à ce qui se passe dans les cliniques sans rendez-vous, je voulais qu'il y ait un suivi régulier de l'état de santé des patients, de manière à favoriser la prévention et la détection précoce des maladies, qui demeurent à mes yeux les fondements d'une pratique avisée de la médecine.

Quatrièmement, la clinique que je projetais de bâtir allait devoir être, au fur et à mesure de son évolution, à la fine pointe des connaissances, techniques et technologies disponibles. Il était déjà clair à cette époque – avant même l'arrivée d'Internet – que l'émergence de l'informatique dans toutes les sphères d'activité allait aussi accélérer considérablement la progression de la médecine dans les années à venir. Nous n'en étions plus à l'époque du bon Dr Welby. La médecine évoluait rapidement et il n'était pas question pour moi de laisser tranquillement passer la parade.

En cinquième lieu, j'avais l'intention de bâtir une clinique qui soignerait ses patients en vertu du régime public d'assurance maladie du Québec sans pour autant dépendre uniquement de la RAMQ pour générer des revenus, ce qui – compte tenu de ce qui était versé aux médecins par la RAMQ – aurait été de toute manière la faillite assurée. Pour mettre en œuvre un projet qui alliait l'accessibilité et la prise en charge des patients, l'intégration des services et le recours à des technologies de pointe, il était essentiel de pouvoir compter sur d'autres sources de revenus. Voilà pourquoi je voulais créer une division consacrée à la médecine du travail qui mènerait ses activités hors du régime public de santé, sans que nos médecins soient soumis à des quotas et à des plafonds. Non seulement cette division allait-elle nous permettre d'exiger des tarifs raisonnables de la part des entreprises, mais aussi de faire en sorte que les deux divisions puissent partager l'espace, les équipements et le personnel et ainsi d'amortir plus facilement nos coûts et de rentabiliser nos opérations.

Voilà les cinq principes de base qui ont guidé ma réflexion et qui demeurent encore aujourd'hui les pierres d'assise de la philosophie de Physimed. Je n'ai jamais été attiré par l'argent facile. Je me suis toujours dit que si nous travaillions fort, si nous déterminions bien les besoins de notre clientèle et que nous la desservions correctement, le reste allait suivre.

•••

Lors de mon bref passage à la clinique spécialisée en santé au travail, j'avais eu le temps d'établir des liens de sympathie avec deux jeunes cadres de l'entreprise, soit le directeur du marketing Gilles Racine et le gestionnaire de la médecine du travail Jacquelin Tremblay. Les deux entretenaient des relations assez difficiles avec la propriétaire de la clinique et quand nous nous sommes rencontrés autour d'un repas peu de temps après mon départ, j'ai rapidement réalisé qu'ils étaient déterminés à quitter leur emploi. Je les avais entretenus de mon projet et ils avaient tout de suite manifesté beaucoup d'enthousiasme, épousant tout à fait ma vision d'une clinique médicale vouée au traitement des patients doublée d'une division de médecine du travail au service des entreprises.

J'estimais que nos compétences respectives se complétaient bien. Alors que j'apportais au projet ma vision et mon expertise de médecin, Jacquelin possédait une solide expérience de gestion des différents aspects administratifs de la médecine du travail et les talents de Gilles en gestion, ventes et marketing étaient essentiels pour convaincre les entreprises de recourir à nos services.

Nous nous sommes rapidement mis au travail, car il ne manquait pas de pain sur la planche. Pour moi qui n'avais aucune connaissance particulière du monde des affaires, il s'agissait de ne pas m'éterniser sur la courbe d'apprentissage. J'ai dû rapidement me familiariser avec les notions élémentaires qui président à la création d'une entreprise : comment incorporer une compagnie, ouvrir des comptes commerciaux, obtenir une marge de crédit bancaire, établir un partenariat avec des associés, déterminer les rôles et responsabilités de chacun des partenaires, rédiger un plan d'affaires avec projection de revenus et de dépenses, trouver un site, conclure un bail avec un promoteur immobilier et concevoir l'aménagement de l'espace.

Il n'était pas évident pour trois jeunes hommes à la fin de la vingtaine, dépourvus de toute expérience des affaires, de se présenter à la banque pour solliciter un prêt et une marge de crédit commerciale. Il a fallu offrir en garantie tout ce que nous possédions, et nous étions pleinement conscients que si jamais notre projet échouait, nous en étions quittes non seulement pour perdre tous les actifs que nous avions accumulés jusqu'alors, chacun de son côté, mais aussi pour carrément déclarer faillite.

C'est le même genre de scepticisme – pour ne pas dire de méfiance – qui nous a accueillis quand nous nous sommes mis à la recherche d'un site auprès de plusieurs promoteurs immobiliers que nous avions contactés directement – c'est-à-dire sans courtier – pour éviter des frais de commission. Le fait que je sois médecin nous avait ouvert quelques portes, mais les rares personnes qui daignaient nous écouter nous avaient fait comprendre d'emblée que même s'ils acceptaient de signer un bail avec nous, il fallait nous attendre à payer le gros prix. D'autant plus que nous étions alors au cœur d'une bulle immobilière qui avait fait monter en flèche le coût des baux commerciaux.

Nous avions exploré une cinquantaine de projets immobiliers dans plusieurs secteurs de la ville, avant de porter notre attention sur un joli petit immeuble tout neuf, moderne et de faible élévation, à peine occupé, dans le secteur de Saint-Laurent, à la jonction d'une zone résidentielle et d'une zone industrielle. Pour toutes sortes de raisons, il répondait parfaitement à nos exigences. Situé sur la route Transcanadienne, la voie de desserte de l'autoroute métropolitaine, et à proximité d'autres grandes voies de circulation, il était facilement accessible, offrait une bonne visibilité et était entouré d'un vaste stationnement que nous voulions offrir gratuitement à nos clients et patients. La disposition de la bâtisse de deux étages permettait en outre de déployer la clinique – d'une superficie de 8 000 pieds carrés à l'époque – sur le rez-de-chaussée, ce qui était essentiel à notre projet pour des motifs d'accessibilité et d'intégration des services.

Par ailleurs, le choix de Saint-Laurent n'était pas dû au hasard. Cette ville – qui était à l'époque une municipalité de plein droit et est aujourd'hui un arrondissement de Montréal – était et est toujours un pôle industriel de première importance. Or le fait d'être physiquement proche des centaines d'entreprises de ce secteur allait être un atout de taille pour notre clinique naissante de santé au travail.

Le propriétaire de l'immeuble avait finalement accepté de financer la construction de la clinique, dont le coût allait être amorti à même le bail. C'est dire qu'en plus du loyer comme tel, il nous fallait verser une surprime mensuelle. En retenant notre souffle, nous avions signé une entente de 1,5 million de dollars, en y ajoutant les garanties que nous étions encore en mesure d'offrir et que la banque n'avait pas déjà exigées de nous.

Les risques étaient considérables, cela va de soi. Mais nous étions convaincus et passionnés. Je me disais : « Les besoins sont là. Les patients ont besoin de ça. Ça ne peut pas ne pas marcher. »

Il s'agissait maintenant d'élaborer les plans de la clinique, ce qui est beaucoup plus complexe que de dessiner ceux d'un cabinet d'avocats ou de comptables, dont les besoins sont assez traditionnels et qui accueillent un nombre limité de clients à la fois. Dans notre cas, il fallait tenir compte d'une foule de facteurs, en particulier le flux des patients, les spécificités des équipements médicaux, l'utilisation optimale de l'espace, la convivialité des lieux et la croissance future de la clinique. Comme nous ne pouvions pas nous permettre d'embaucher un architecte – d'autant plus que peu de gens connaissaient, à l'époque, les besoins réels du genre de clinique que nous souhaitions bâtir – je me suis mis moi-même à la tâche. J'avais développé durant ma jeunesse certaines aptitudes pour le dessin et j'ai donc entrepris de concevoir les plans au mieux de mes capacités, en collaboration avec une technicienne en aménagement intérieur, en tenant compte à la fois des critères évoqués plus haut et des limites que nous imposait un budget très restreint.

Ensuite, il fallait acquérir les équipements technologiques, bureautiques et médicaux qui allaient véritablement nous distinguer des autres cliniques : des fournitures médicales, un système téléphonique, des ordinateurs, télécopieurs, photocopieurs et imprimantes, un système d'archivage et, bien sûr, l'ensemble du mobilier. Pour chacun de ces éléments, nous avons rencontré trois ou quatre fournisseurs, négociant de façon très serrée, tentant de couper chaque cent en quatre. Évidemment, nous n'avions pas les moyens d'acheter d'un seul coup tous ces équipements, si bien que nous les avons acquis par entente de location-achat. Nous étions donc endettés jusqu'au cou.

Comme il était déjà clair, dès 1988, que l'informatisation était une tendance lourde qui n'allait que s'accentuer, nous avions décidé dès le départ que les dossiers de nos patients allaient être gérés de façon électronique plutôt que sur papier. Par acquit de conscience, je m'étais enquis auprès du Collège des médecins de son point de vue sur notre projet de dossier électronique. Les gens du Collège nous avaient répondu qu'ils acceptaient que nous procédions ainsi à la condition d'avoir en parallèle un système sur papier contenant exactement les mêmes renseignements parce que le Collège ne reconnaissait pas l'authenticité d'une signature électronique. J'ai fait valoir qu'il était déjà assez coûteux de gérer un seul système et qu'il n'était pas logique d'en avoir deux. Le Collège ne voulait rien entendre, même la logique la plus élémentaire. Nous avons donc été forcés d'abandonner notre projet. Le Collège a finalement reconnu les signatures électroniques presque 10 ans plus tard et nous avons dû consacrer un temps fou et des sommes considérables pour migrer d'un système sur papier à un dossier électronique. Est-il besoin de souligner qu'aujourd'hui encore, rares sont les établissements du système public de santé qui sont dotés d'un dossier électronique pour leurs patients?

•••

Cela est bien connu : les institutions – en particulier celles issues de la bureaucratie – ont des façons bien à elles d'appréhender la réalité et ce n'est pas toujours, loin de là, au profit des collectivités qu'elles sont censées servir. L'histoire que je m'apprête à raconter ici vous en donnera peut-être un aperçu.

La capacité d'offrir à nos patients et à nos entreprises clientes un accès rapide à des tests de radiologie était l'une des pierres d'assise de la clinique de services intégrés que nous projetions d'établir. Or, pour exploiter un appareil de radiologie au Québec, il faut détenir un permis délivré par le ministère de la Santé et des Services sociaux. Croyant qu'il s'agissait d'une simple formalité, j'avais communiqué avec le ministère pour me faire répondre aussitôt qu'un moratoire sur l'émission de nouveaux permis d'opération d'un appareil de radiologie était en cours depuis la dernière année. J'eus beau expliquer que nous étions sur le point d'ouvrir une nouvelle clinique médicale et que des services de radiologie étaient essentiels à nos opérations, autant parler à un mur. Je m'étais finalement enquis des motifs de ce moratoire et le fonctionnaire à l'autre bout du fil m'avait répondu que la raison en était que la population du Québec était la plus irradiée au Canada, sinon en Amérique du Nord, et qu'il fallait donc remédier à cette situation en limitant l'accès aux services de radiologie.

Je n'en croyais pas mes oreilles. Je n'avais jamais entendu parler d'une telle mesure. La seule option qui nous restait consistait, selon le fonctionnaire, à acheter un permis de radiologie existant et à demander ensuite un autre permis, de relocalisation, laquelle demande devant subir plusieurs niveaux d'approbation avant d'être enfin acceptée. Nous n'avions pas le choix : il nous fallait partir au plus vite à la chasse aux permis.

Ce fut une entreprise semée de multiples embûches. D'abord, la plupart des permis existants étaient déjà utilisés par des radiologistes. Deuxièmement, les rares permis non actifs disponibles l'étaient à des prix prohibitifs. (Un radiologiste nous en avait même demandé un million de dollars, pas moins, pour un morceau de papier !) Troisièmement, nous avons aussi découvert qu'il était difficile pour un omnipraticien d'obtenir un permis à son nom ; il était préférable de passer par un radiologiste et, encore là, ceux que nous avions contactés exigeaient des sommes exorbitantes juste pour utiliser leurs noms. Par contre, ce que nous avons aussi découvert, à notre grand étonnement, c'est que pour les dentistes, les vétérinaires et les chiropraticiens, l'obtention d'un permis était aussi simple que de mettre une lettre à la poste. Lorsque j'ai indiqué au vendeur d'appareils qui nous l'avait appris qu'un fonctionnaire du ministère de la Santé m'avait informé d'un moratoire sur l'émission de permis de radiologie, en raison de cette soi-disant irradiation excessive de la population du Québec, il s'était esclaffé en me disant : « Et vous l'avez cru ? »

La seule raison du soi-disant moratoire était que le coût des radiographies prescrites par les médecins était couvert par le régime public d'assurance maladie alors que celles exécutées à un bureau de dentiste ou de chiropraticien étaient payées directement par les patients. Le calcul du ministère était le suivant : si un médecin ne dispose pas d'un appareil de radiologie à portée de main, il hésitera à prescrire une radiographie à un patient en raison des délais occasionnés par la prise de rendez-vous à une clinique de radiologie, l'attente du rapport et le rappel du patient pour lui prescrire, le cas échéant, un traitement approprié. Et même dans le cas où il enverra son patient passer une radiographie, il arrivera fréquemment que, pour toutes sortes de raisons, le patient en question renonce à passer le test. Voilà donc un régime public qui prétendait se soucier de la santé des Québécois, mais distribuait des permis de radiologie à la carte et pénalisait directement des patients, des médecins et des cliniques médicales pour générer des économies. C'était un calcul d'épicier qui me scandalisait. Pourtant, il était clair à mes yeux – et c'est encore plus vrai aujourd'hui – que si le gouvernement voulait vraiment contrôler les coûts du système de santé, ce n'est pas en érigeant des barrières à l'accès des patients aux services qu'il devrait le faire, mais plutôt en réduisant ses structures bureaucratiques, en assainissant sa gestion et en mettant plus l'accent sur la prévention.

Quoi qu'il en soit, je n'étais pas chiropraticien et je ne pouvais donc pas obtenir un permis à ce titre. Mais ce que je pouvais faire, par ailleurs – à la suggestion du vendeur d'appareils de radiologie – c'était de trouver un chiropraticien pour exploiter le permis de radiologie à l'intérieur de notre clinique. Il suffisait d'en trouver un qui accepte de faire la demande, et le vendeur a bien voulu nous en recommander un. Par la suite, il ne nous restait plus qu'à conclure une entente avec un radiologiste qui lirait les films pour nous. Évidemment, ce n'était pas l'idéal. Car si nous pouvions exiger des tarifs raisonnables pour des radiographies de la part de nos entreprises clientes dans la division de médecine du travail – qui opérait hors du régime public – nous ne pouvions pas être remboursés ni facturer des frais à nos patients dans la division clinique, car les chiropraticiens ne peuvent pas réclamer de remboursement à la Régie pour des radiographies. C'est dire que nous devions absorber la totalité des frais de chaque radiographie effectuée dans cette division. En clair, cela voulait dire que notre division de santé au travail allait en quelque sorte subventionner notre division clinique.

Mais finalement, au bout de plusieurs longs mois d'intense préparation, nous étions maintenant presque prêts à ouvrir les portes de la clinique. Il ne restait plus qu'à embaucher du personnel : infirmières, techniciens, secrétaires, téléphonistes, réceptionnistes, etc. En tout, neuf personnes étaient là à l'ouverture des portes de Physimed, en plus des trois fondateurs. C'était beaucoup de bouches à nourrir, alors qu'aucun patient n'avait encore franchi le seuil de notre établissement, et ce, même si Gilles, Jacquelin et moi avions renoncé à toucher un salaire pendant une période de six mois ou même davantage, le temps que l'entreprise soit véritablement engagée sur ses rails. Pour ma part, je continuais heureusement à assurer mes trois quarts de travail par semaine à la salle d'urgence de l'hôpital Charles-Le Moyne, ce qui me permettait de subvenir à mes besoins et de m'acquitter de mes obligations financières. Cependant, cela allait devoir cesser sous peu.

Finalement, Physimed a ouvert ses portes en novembre 1988. C'était parti, et il n'y avait pas de plan B. Il fallait absolument que le plan A fonctionne !

Ça n'allait pas être une mince tâche.

CHAPITRE 5

Histoire de permis

Les premières semaines furent surtout consacrées à la formation de nos employés. Nous avions du temps pour le faire, puisque les patients ne se bousculaient pas au portillon, ce qui était bien normal pour une clinique qui en était à ses premiers pas.

De leur côté, mes associés déployaient des efforts de tous les instants afin d'offrir nos services aux entreprises du secteur. Lorsque venait le temps de conclure une entente et que je me présentais à nos nouveaux clients, je voyais tout de suite comme un mouvement de surprise et peut-être de recul chez certains d'entre eux. « Quoi, ce collégien est président de Physimed ? » lisais-je aussitôt dans leurs yeux. Je paraissais si jeune à cette époque qu'il était sans doute difficile pour eux de me prendre vraiment au sérieux, tout au moins au début. Je me souviens d'avoir confié à ma fiancée que je devrais peut-être me laisser pousser une moustache et mettre quelques touches de teinture grise dans mes cheveux afin de projeter une image plus mature.

Pour attirer une clientèle résidentielle, nous avions distribué des milliers de dépliants dans les foyers du quartier où nous étions installés. En assez peu de temps, un flux régulier de patients a commencé à fréquenter notre clinique, qui était ouverte sept jours par semaine. Nous avions convenu – et c'était bien normal – que je serais le seul médecin de l'établissement tant que le volume d'activité ne justifierait pas l'embauche de personnel supplémentaire. C'est dire qu'entre la consultation des patients, la formation du personnel, le développement des affaires et la gestion de la clinique, je travaillais facilement 80 heures par semaine. Mais le travail ne me faisait pas peur, d'autant plus qu'il s'agissait de bâtir dans les meilleurs délais une clientèle stable pour être en mesure de recruter d'autres médecins. Car aucun médecin n'accepterait de travailler à notre clinique s'il n'y avait pas une certaine garantie d'un nombre minimal de patients.

Entre-temps, au moins, notre division de médecine du travail accueillait de plus en plus de clients et générait des revenus qui n'étaient ni coupés ni plafonnés.

• • •

Mais si notre clientèle croissait de manière constante, ça ne voulait pas dire pour autant que nous avions atteint les objectifs intérimaires que nous nous étions fixés au départ ni que notre santé financière était au beau fixe. Bien au contraire. En fait, au bout de 18 mois d'activité, nous étions couverts de dettes, nos obligations financières mensuelles étaient incroyablement élevées, notre compte de banque était famélique et notre marge de crédit de 250 000 $ constamment poussée à la limite. Nous marchions sur un fil.

C'est d'ailleurs ce que les gens de la banque nous avaient rappelé, de façon assez abrupte, après une première année d'activité. Le directeur et notre gestionnaire de comptes avaient demandé à me rencontrer, en tant que président de Physimed, et je m'étais fait accompagner pour l'occasion par le comptable de l'entreprise, qui était mon beau-père. Ce fut le genre de réunion où vous avez l'impression que le col de votre chemise vous serre un peu plus le cou chaque minute. Je garderai jusqu'à la fin de mes jours un souvenir indélébile de ce qui fut, à mes yeux, une véritable séance de torture. Comment se faisait-il que nos revenus soient si inférieurs à nos prévisions ? Telle ou telle dépense était-elle vraiment justifiée ? Y avait-il moyen de mettre du personnel à pied ou de se délester de tel ou tel appareil ? J'expliquais la situation du mieux que je le pouvais, mais je n'avais pas l'impression de beaucoup émouvoir les gens assis en face de moi. Mais au bout du compte, la banque ne nous a pas coupé les vivres. Nous nous sommes finalement laissés sur la promesse de présenter le plus tôt possible à la banque un budget détaillé de l'année à venir.

Mais même si notre crédit était demeuré intact à l'issue de cette discussion, je me suis promis solennellement que jamais plus de ma vie je n'allais avoir une rencontre semblable avec un banquier. Nous allions nous débarrasser de cette ligne de crédit et vite.

Gilles, Jacquelin et moi, qui avions commencé à toucher des salaires quelques mois auparavant, avons donc décidé de les réduire substantiellement. De mon côté, en plus des nombreuses heures que je passais chaque semaine à la clinique – pénalisé et plafonné financièrement par la RAMQ – je me suis mis à chercher un travail complémentaire. Car la nécessité de rembourser rapidement cette marge de crédit me faisait l'effet d'une douloureuse épine au pied. Plusieurs centres hospitaliers de soins de longue durée (CHSLD) étaient désespérément à la recherche de médecins de garde pour officier la nuit, une tâche qui attirait évidemment peu de candidats. Il s'agissait d'effectuer la ronde des étages, de stabiliser des patients, de répondre à certaines urgences, de constater un décès.

J'ai facilement obtenu un poste dans quatre de ces hôpitaux, recevant 250 $ pour un quart de travail de 14 heures, soit de 17 h 30 à 7 h 30 le lendemain matin. Les week-ends, je recevais 1 000 $ pour être en poste du vendredi soir au lundi matin de façon continue. Pendant trois ans, j'ai travaillé dans ces établissements trois ou quatre nuits par semaine et trois fins de semaine par mois. À ce rythme, ils étaient presque devenus ma résidence principale. Il arrivait souvent que ma femme – nous nous étions mariés quelques mois auparavant – vienne m'y rejoindre dans la petite pièce qu'on m'assignait entre deux interventions. Nous mangions ensemble et parfois, lorsqu'il y avait des temps morts, nous regardions un film à la télé. De temps à autre, quand il y avait des choses urgentes à discuter, un problème à régler ou des décisions importantes à prendre, mes associés venaient aussi m'y rencontrer.

Ce ne fut pas un régime facile, car en plus je continuais de travailler à la clinique le jour. Mais j'étais jeune, vigoureux et doté d'une immense capacité de travail et surtout, j'étais motivé par un objectif bien précis : effacer l'ardoise que nous avions à la banque. Au bout d'environ un an et demi, ce fut chose faite. Assez rapidement, les gens de la banque avaient modifié du tout au tout leur attitude envers nous et nous couraient littéralement après pour nous prêter de l'argent, ce qui est bien la preuve, comme se plaît à le répéter un de mes frères, que les banquiers sont toujours là pour vous tendre un parapluie quand il fait soleil.

•••

J'ai expliqué au chapitre précédent les difficultés que Physimed avait rencontrées pour obtenir un permis de radiologie. Ce n'était que le début d'une longue saga qui a démontré, si besoin en est, à quel point, aux yeux de la RAMQ, le médecin n'est pas un professionnel de la santé qui soigne des patients au mieux de ses connaissances et des outils dont il dispose, mais avant tout un générateur de coûts devant lequel il faut dresser toutes sortes de barrières à la facturation. C'est en quelque sorte une forme de pensée magique bureaucratique selon laquelle si les médecins facturent moins la Régie, ce sera le signe que les gens sont plus en santé.

Depuis l'ouverture de la clinique en 1988, nos activités de radiologie se déroulaient sous le permis d'un chiropraticien. Tout se déroulait selon les règles de l'art et conformément aux meilleures pratiques de la médecine. Tous les films étaient effectués par des techniciens accrédités, tous les résultats étaient lus par un radiologiste et les interventions étaient facturées à nos entreprises clientes quand elles étaient effectuées en médecine du travail et nous en absorbions le coût lorsqu'elles étaient faites en clinique.

Mais le fait que nos activités de radiologie se déployaient sous le permis d'un chiropraticien était venu aux oreilles du ministère – sans aucun doute par la dénonciation d'un concurrent jaloux – dont un représentant avait débarqué inopinément dans les locaux de Physimed.

— Vous exploitez un permis de radiologie ? m'avait demandé l'agent.

— Oui.

— Je peux voir le permis ?

— Bien sûr.

Et je lui montre le permis.

— Mais c'est un permis de chiro, dit-il.

— Oui, et après?

— Mais vous faites de la médecine.

— On fait des radios. Tous les films sont lus par un radiologiste. C'est quoi, le problème?

— Mais vous ne pouvez pas faire ça!

— Je ne peux pas faire quoi? Qu'est-ce que je ne peux pas faire qu'un chiro peut faire?

Perplexe, il m'avait simplement dit, pour conclure:

— Vous devez arrêter d'exploiter ce permis tout de suite. On va réfléchir à la situation et on va vous revenir.

Nous avons donc cessé momentanément d'effectuer des radiographies dans notre clinique, pénalisant ainsi nos médecins et nos patients.

Quelques semaines à peine avant cette intervention du ministère, en 1992, j'avais eu à soigner la conjointe d'un homme d'affaires de la région de Joliette. C'était une connaissance de mon associé. Alors qu'il était en route vers l'aéroport Pierre-Elliott-Trudeau – alors appelé Montréal-Dorval – d'où il s'apprêtait à partir vers l'Europe en compagnie de sa conjointe, il avait appelé mon associé pour savoir si un médecin pourrait examiner celle-ci, grosse fumeuse, qui se plaignait de points thoraciques et de légères difficultés respiratoires, et voulait en avoir le cœur net avant de s'envoler. Comme Physimed est située à quelques minutes de l'aéroport, j'avais invité le couple à passer à la clinique.

Dans un tel cas, l'auscultation ne suffit pas pour savoir de quoi il retourne. J'avais donc prescrit une radiographie à la dame, en lui disant que nous allions regarder les résultats ensemble quelques minutes plus tard. Son cas était très grave: pneumothorax assez important avec perforation du poumon gauche, qui était en train de s'affaisser. Je lui avais fait comprendre aussitôt qu'il n'était pas question qu'elle prenne l'avion, que la pression atmosphérique – qui décuplait la pression exercée sur le cœur – la tuerait probablement dans l'état où elle se trouvait. Je l'avais envoyée directement à l'hôpital, où un drain thoracique lui avait été installé. Au bout du compte, elle avait bien récupéré et le couple avait été fort reconnaissant de mon intervention.

Ce bref épisode illustre à mes yeux – même si évidemment tous les cas sont loin d'être aussi graves et urgents – l'importance pour une clinique de services intégrés comme la nôtre de pouvoir offrir sur place des services de radiologie. Si on pouvait sauver des vies à l'occasion, cela valait la peine. Il fallait donc que nous puissions obtenir un permis dans les meilleurs délais.

Nous savions que l'homme d'affaires dont j'avais eu la conjointe en consultation peu auparavant était proche du parti au pouvoir et notamment de Marc-Yvan Côté, qui était alors ministre de la Santé. Nous avions communiqué avec lui et il avait accepté de nous aider en servant d'intermédiaire. Un rendez-vous avait été fixé à Québec, qui avait lieu dans un sous-sol d'église où le ministre assistait à un événement organisé pour le personnel de son cabinet. Il m'avait accordé quelques minutes à l'écart pour me dire :

«Je comprends votre situation. Je peux vous faire obtenir un permis de radiologie pour omnipraticien pour votre division de médecine du travail et vous facturerez les interventions à vos entreprises clientes. Mais s'il y a un moratoire, c'est pour limiter la facturation à la Régie. Donc, je veux que vous me donniez votre parole que vous ne facturerez pas la RAMQ pour les radiologies effectuées à votre division clinique, même si votre permis vous autorise en principe à le faire parce qu'il vient automatiquement avec un code de facturation à la RAMQ.»

J'ai donné ma parole au ministre et nous avons donc continué d'assumer les coûts des radiographies effectuées pour nos patients de la division clinique, mais cette fois avec un permis d'omnipraticien dont le libellé spécifiait qu'il ne s'appliquait qu'à notre division de médecine du travail. À l'époque, même si cette pratique nous faisait perdre de l'argent, c'était un moindre mal dans la mesure où c'est notre division de médecine du travail qui représentait alors le gros de nos activités et de nos revenus. Mais au cours des deux années qui ont suivi, notre division clinique a connu un essor phénoménal. Les patients appréciaient de plus en plus notre concept de guichet unique offert par Physimed et le bouche-à-oreille avait ensuite fait son œuvre. Nous avions dû embaucher plusieurs médecins à qui nous ne pouvions pas décemment dire de ne pas prescrire de radiographies. On ne peut quand même pas accepter de faire subir des radiographies à des gens en santé qui se présentent à notre division de médecine du travail et refuser ce service à des gens malades qui se présentent à notre clinique. Mais la réalité, c'est qu'en continuant d'assumer le coût de nos radiographies en milieu clinique, nous en étions venus à perdre plus de 150 000 $ annuellement, juste pour ce service. À l'époque, nous n'étions plus que deux associés pour supporter le fardeau, le troisième ayant quitté l'entreprise pour relever d'autres défis. La situation ne pouvait plus durer.

Nous faisons donc appel à nouveau à notre contact qui a accepté encore une fois de nous venir en aide. Je me suis rendu à Québec pour rencontrer le chef de cabinet du ministre de la Santé et lui expliquer que nous avons respecté notre engagement de ne pas facturer la Régie, mais que nous ne sommes plus en mesure de soutenir cette situation qui nous coûte de plus en cher, à mesure que l'achalandage de la clinique augmente. Je retourne à Montréal et, quelques jours plus tard, après avoir annoncé la nouvelle à notre personne-ressource, il me rappelle pour me dire qu'après en avoir discuté avec le ministre, Physimed est désormais autorisée à facturer la RAMQ pour les radiographies effectuées en milieu clinique. Il n'est même pas nécessaire de modifier le permis, puisqu'il est déjà assorti d'un code de facturation que nous n'aurons qu'à activer auprès de la RAMQ, qu'il allait d'ailleurs prévenir.

Nous avons donc commencé à facturer la Régie, qui nous versait régulièrement les montants dus pour les radiographies effectuées.

Au début de 1995, deux types assez costauds de la RAMQ débarquent à la clinique, un peu à la manière d'inspecteurs du FBI dans les films de série B. Ils me font demander en pleine salle d'attente et l'un d'eux m'informe, assez fort pour que tout le monde entende et sur un ton peu amène, qu'ils veulent me parler.

— Écoutez, leur dis-je, je suis en pleine consultation. Vous me donnez quelques minutes ?

— Non. Maintenant.

Je les conduis dans mon bureau, où ils me font savoir que la clinique facture illégalement des radiographies à la RAMQ et m'ordonnent de leur rembourser immédiatement plus de 200 000 $, en plus de cesser d'effectuer des radiographies. Sinon, je serai poursuivi au criminel. Je leur explique alors que j'ai un permis en bonne et due forme.

— Votre permis n'autorise que les radios en médecine du travail, pas pour les patients de votre clinique.

— Mais j'ai eu l'autorisation du ministre Côté il y a quelque temps déjà.

J'avais eu l'autorisation, c'est vrai. Mais, sans que je l'aie remarqué, le libellé du permis n'avait pas été modifié pour inclure les patients de la clinique. Et le problème, c'est que Marc-Yvan Côté n'était plus ministre. Il avait démissionné de son poste en janvier 1994 et le 12 septembre suivant, des élections générales avaient eu lieu, portant un autre parti au pouvoir à Québec. L'autorisation que j'évoquais n'avait donc été que verbale et, à l'époque, je m'étais satisfait de la parole du ministre. Il fallait absolument que je trouve le moyen de faire confirmer cette permission qu'il m'avait accordée. J'étais extrêmement angoissé par la perspective d'être poursuivi au criminel par la Régie et d'être passible d'une peine d'emprisonnement si je ne réussissais pas à prouver que le ministre avait approuvé la facturation.

Quelques jours plus tard, je parviens donc à joindre M. Côté au cabinet d'ingénieurs où il travaillait désormais. Quel soulagement de l'avoir au bout du fil ! Il dit bien se souvenir de moi et de l'objet de nos discussions. Je lui explique ensuite la situation où je me trouve, en précisant que j'ai besoin qu'il témoigne auprès de la RAMQ de l'autorisation qu'il m'avait donnée afin d'éviter de subir un procès au criminel. À ce moment, sa mémoire devient tout à coup défaillante.

— Écoutez, me dit-il. Je ne suis plus ministre. Je ne me souviens pas de tous les détails. Ça fait quelque temps. Je ne suis plus là et je n'ai plus accès à ces dossiers.

Devant sa valse-hésitation, j'interviens alors pour lui faire comprendre que les enjeux sont très importants pour moi puisque je pourrais être poursuivi et être passible d'emprisonnement ou tout au moins perdre mon droit de pratique alors que j'avais suivi ses consignes à la lettre. Ça n'a pas semblé l'émouvoir outre mesure.

— Essayez de joindre mon ancien chef de cabinet, dit-il. Je pense qu'il a encore des contacts au ministère de la Santé. Mais moi, je ne peux rien pour vous.

Et il raccroche. Je suis resté tout bête, les yeux fixés dans le vide.

Aussitôt après avoir reçu la visite des deux représentants de la RAMQ à la clinique, j'avais communiqué avec mon assurance médico-légale qui m'avait délégué d'office un avocat pour me conseiller et me représenter. Mais d'entrée de jeu, Me Richard Beaulieu, un avocat sympathique et fort compétent du cabinet McCarthy Tétrault, s'était montré très perplexe et m'avait fait comprendre que même s'il me croyait sur parole, il me serait très difficile de faire admettre mon innocence à un tribunal sans preuve ni témoignage. Et si l'insensibilité de l'ex-ministre était une indication, je n'allais pas avoir beaucoup plus de succès avec son ancien chef de cabinet.

J'ai réussi à dénicher le numéro de téléphone de celui-ci, mais avant de l'appeler, mon associé m'a suggéré d'enregistrer la conversation. C'était logique : au début, l'homme allait sans doute me reconnaître et se souvenir de nos discussions passées et se montrer tout à coup amnésique – exactement comme son ex-patron l'avait fait – lorsque je lui demanderais d'intervenir.

Comme de bien entendu, la conversation commence comme je l'avais prévu : l'ancien chef de cabinet se souvient très bien de moi et me relate même par le menu l'objet de son intervention passée. Il me confirme m'avoir donné l'autorisation de facturer la Régie, autorisation qu'il avait obtenue du ministre de la Santé d'alors. Puis quand je lui raconte ce qui m'arrive et lui demande d'aviser la Régie que j'avais effectivement obtenu du ministre une autorisation de facturer, le ton change complètement.

— Je ne peux pas faire ça, vous comprenez ? Je ne suis plus là, je n'ai plus les dossiers. Je ne peux pas me mêler de ça.

— Mais vous réalisez que je pourrais être poursuivi au criminel et être condamné à la prison ? Vous n'allez pas me laisser tomber !

— Je ne peux pas vous aider. Il faut que je vous quitte.

Puis il raccroche.

Je capotais : zéro empathie. Mais au moins, j'avais un enregistrement, que j'avais aussitôt fait écouter à Me Beaulieu, qui n'en revenait pas de l'indifférence de l'ex-politicien et de son ancien chef de cabinet à mon égard. Désormais, j'étais complètement crédible à ses yeux et il avait la certitude que j'avais ce qu'il fallait pour me défendre.

Mais comme il était spécialisé en responsabilité professionnelle, il ne s'estimait pas assez compétent pour poursuivre la route avec moi dans un procès criminel. Il m'avait donc recommandé Me Bruno Pateras, un grand criminaliste malheureusement décédé depuis. J'ai donc rencontré Me Pateras à qui j'ai raconté mon histoire et avec qui j'ai écouté à nouveau l'enregistrement de ma conversation avec le chef de cabinet. Il me demande ensuite si je crois possible d'obtenir un affidavit de la part de notre personne-ressource qui avait été mêlée de près aux discussions entre nous et le ministre.

Ça n'a posé aucun problème. Il a volontiers rédigé le document et après que la RAMQ l'a interrogé sur le contenu de son affidavit, elle a décidé de ne pas me poursuivre et de laisser les choses en l'état.

Mais que d'angoisses, et d'énergies et de ressources gaspillées !

CHAPITRE 6

Quand la concurrence s'en mêle

Peu importe le secteur d'activité dans lequel on évolue, le côté sombre de l'être humain finit toujours par se manifester, généralement au moment où on s'y attend le moins. Pour une entreprise œuvrant dans le domaine de la santé, cela prend souvent la forme d'une dénonciation d'un concurrent qui, même si elle finit par s'avérer non fondée, sollicite beaucoup d'énergies et de ressources pour se défendre, en plus de vous détourner pendant un bon moment de votre mission première, qui consiste à traiter et soigner des patients.

C'est une situation qui s'est présentée à quelques reprises, mais l'un des coups les plus bas par l'ampleur et la durée de ses conséquences s'est passé à la fin de l'automne de 2005, peu avant la période des Fêtes.

J'étais à Toulouse, en France, pour le mariage d'un de mes frères. Je fais partie d'une famille tissée très serrée, mais dont les membres sont dispersés en Amérique, en Europe et en Israël. Nous ne nous voyons pas tellement souvent, de sorte que lorsque tout le monde est là, les parents et les cinq frères, c'est un événement exceptionnel et jubilatoire. J'étais arrivé à Toulouse le mercredi, le mariage avait lieu le dimanche en soirée et je devais rentrer à Montréal le lendemain ou le surlendemain.

Le lendemain de mon arrivée, je reçois un appel de la coordonnatrice du service à la clientèle de Physimed, qui m'informe qu'une personne de la RAMQ désire procéder à une inspection de la clinique.

— Explique-lui que je suis en France, lui dis-je.

— Je le lui ai dit. Elle va rappeler.

La coordonnatrice me rappelle une heure ou deux plus tard.

— La dame dit qu'elle va commencer son inspection demain.

— Tu lui as dit que je n'étais pas là ?

— Oui, mais elle insiste.

Je décide donc d'appeler moi-même cette personne, une dame Fredette, qui prétend ne pas être au courant que je suis à l'extérieur du Québec.

— Je reviens la semaine prochaine, lui dis-je. Je serai heureux de vous rencontrer au moment qui vous conviendra.

— D'accord, la semaine prochaine.

— Puis-je savoir de quoi il s'agit ?

— Oh, une simple visite de routine.

— Très bien. À la semaine prochaine.

Quelques minutes plus tard, nouvel appel de la coordonnatrice du service à la clientèle.

— Elle a rappelé. Elle dit qu'elle sera ici demain matin à 8 h avec son équipe.

Tout cela ne sentait pas bon. J'appelle mon assurance médico-légale, qui affecte à mon dossier Me Richard Beaulieu, qui m'avait déjà défendu quelques années auparavant dans le dossier du permis de radiologie. Il appelle Mme Fredette et réussit à la convaincre de remettre à plus tard le début de son inspection. Mais lorsqu'il me rappelle, il m'informe que l'inspection de la Régie n'en serait pas une de routine. Mme Fredette désirait plutôt enquêter sur une dénonciation selon laquelle Physimed s'adonnerait à de la double facturation.

— Il y a eu une plainte comme quoi quand un médecin voit un patient chez Physimed, vous facturez non seulement l'entreprise, mais aussi la Régie pour le même examen, me dit l'avocat.

— Mais c'est ridicule, dis-je. Nous ne sommes pas assez fous pour faire une connerie pareille.

— Je comprends, mais ils doivent enquêter. Ne vous inquiétez pas.

C'était difficile de ne pas m'inquiéter. Mon inquiétude ne portait pas sur la légalité de nos opérations, mais sur la manière détournée dont la représentante de la RAMQ procédait et le caractère pressant de sa demande. J'étais donc assez préoccupé, au point que j'ai décidé de rentrer à Montréal le plus tôt possible. J'ai pris l'avion le dimanche, sans assister au mariage de mon frère, pour rencontrer Me Beaulieu dès le lundi afin de lui démontrer comment nous procédions et de nous préparer à la rencontre avec l'enquêtrice de la RAMQ.

Mme Fredette débarque chez Physimed le mardi ou mercredi suivant, accompagnée d'un médecin employé de la RAMQ. Ils monopolisent notre salle de conférence pendant trois jours, armés d'imprimantes, de télécopieurs et d'appareils de connexion. Puis ils entreprennent d'examiner de façon aléatoire une série de dossiers de patients, pour la très grande majorité des cadres d'entreprises clientes qui nous consultaient pour des bilans de santé avec prise en charge, ainsi qu'une foule de documents pertinents – nous avions des milliers de factures avec des entreprises –, de questionner des employés, de vérifier mille et une choses. Et, au bout du compte, Mme Fredette m'annonce :

— Il n'y a pas de double facturation.

— Je vous l'avais dit, ne puis-je m'empêcher de lui faire remarquer.

— Nous allons nous revoir au retour des Fêtes et nous allons produire un rapport qui le confirme. N'ayez aucune inquiétude.

Je pensais bien en avoir terminé avec la Régie. Mais la réalité, c'est qu'on n'en a jamais fini avec la Régie. Le simple fait de diriger une clinique médicale semi-privée fait peser sur vous tous les soupçons et fait de vous un coupable idéal : le méchant capitaliste qui s'enrichit sur le dos de ses malades.

●●●

Quelque temps après le retour du congé des Fêtes, Me Beaulieu communique avec moi pour m'informer que l'avocat de la RAMQ, Me Simcoe, désire nous rencontrer. Je suis convaincu qu'il s'agit d'une simple formalité pour clore l'enquête sur cette soi-disant double facturation. Mais une fois arrivé à la réunion, qui se déroule dans les bureaux de McCarthy Tétrault, à Montréal, j'en suis quitte pour une autre surprise.

— Je vous confirme qu'il n'y a pas eu de double facturation, mais d'après les dossiers que nous avons vus, affirme l'avocat de la RAMQ, il nous semble qu'entre 2003 et 2005, vous avez facturé la Régie pour des tests qui n'étaient pas médicalement requis.

— Mais voyons donc ! m'écriai-je. Qu'est-ce que ça veut dire « pas médicalement requis » ?

— La RAMQ ne paye que pour des tests nécessaires du point de vue médical.

— Quoi ? Vous croyez qu'en médecine, on prescrit des tests pour s'amuser ? Vous pensez que les patients aiment se faire piquer ? Qu'ils aiment passer des radiographies, des électrocardiogrammes ? Ça ne tient pas la route, ce que vous me dites là !

Les choses en restent là et nous convenons de nous revoir. Lorsque la rencontre suivante a lieu, quelques semaines plus tard, l'avocat est accompagné de Mme Fredette et le ton a vraiment changé. Le « il nous semble » a fait place à une affirmation claire et nette.

— Nous considérons que beaucoup de tests que vous avez faits dans votre clinique étaient non médicalement requis. D'après les renseignements et projections dont nous disposons, vous nous devez 1,2 million de dollars en remboursement.

Il ne s'agissait pas de négociation, mais d'une sorte d'injonction à payer sur-le-champ.

Mais comme pour me dorer la pilule, il m'annonce – croyant peut-être se montrer magnanime – que la Régie allait réclamer cette somme non pas à moi seul, mais la répartir entre divers médecins de la clinique : 50 000 $ à l'un, 70 000 à l'autre, 40 000 à un troisième et ainsi de suite, car la facturation de ces examens auprès de la Régie avait été effectuée par plusieurs médecins différents.

— Je ne vous comprends pas, dis-je. Vous avez épluché plein de dossiers de notre clinique à la suite d'une fausse dénonciation au sujet d'une soi-disant double facturation pour vous apercevoir rapidement que ce n'était pas le cas. Aujourd'hui, vous me réclamez comme ça, à l'improviste, 1,2 million de dollars que vous comptez réclamer à plusieurs médecins qui travaillent de façon diligente au sein de notre clinique. Mais si vous faites ça, monsieur, vous allez aussitôt fermer notre clinique parce que vous allez y créer une telle zizanie que ce sera impossible à vivre.

— Quoi qu'il en soit, répond-il avec fermeté, nous devons récupérer ce montant, et maintenant.

— Vous n'allez rien faire de tel, parce que je vais me porter garant personnellement du 1,2 million de dollars que vous me réclamez injustement et je vais contester votre réclamation. Je connais le fonctionnement de notre clinique et ce que vous alléguez n'a pas de sens.

— Docteur Benhaim, nos systèmes informatiques démontrent que vos médecins ont des profils de pratiques déviants par rapport à la moyenne des médecins du Québec. La Régie a des experts qui savent de quoi ils parlent et vous, vous en sauriez plus qu'eux?

L'arrogance de ces gens n'avait vraiment pas de bornes, non plus que leur capacité d'intimidation. Voilà des personnes qui n'ont jamais été médecins de leur vie ou ne pratiquent plus la médecine depuis des lunes et qui prétendent savoir hors de tout doute ce qu'est un test médicalement requis en se fiant à des données statistiques, alors qu'ils n'ont jamais rencontré ni questionné les patients, ni même considéré le contexte de la visite.

Puis il se tourne vers mon avocat en souriant.

— Maître Beaulieu, s'il vous plaît, conseillez votre client. De toute l'histoire de la Régie, on n'a jamais vu un médecin se porter garant d'autres médecins, encore moins pour une somme aussi élevée. Nous allons nous retirer quelques instants et pendant ce temps, essayez de le ramener sur terre.

Je n'ai pas eu besoin de beaucoup de temps pour faire comprendre à mon avocat que je ne reculerais pas d'un pouce devant la Régie. Lorsque son représentant et son avocat sont revenus dans la pièce quelques minutes plus tard, celui-ci a annoncé sans autre préambule :

— Docteur Benhaim, vous pouvez contester si bon vous semble, mais nous procéderons à la récupération de la somme due lundi prochain.

— Non, a répliqué mon avocat. Vous n'allez rien faire du tout. Vous allez retourner à la Régie, le Dr Benhaim va vous signer un engagement comme quoi il se porte garant, et nous allons contester votre demande.

— Nous n'avons pas autorité pour accepter ce genre d'arrangement. Nous allons en discuter avec les dirigeants de la Régie.

Il s'est écoulé encore quelques semaines avant que la RAMQ accepte que je me porte garant de la somme réclamée. Puis il y a eu ensuite de multiples échanges qui ont duré plusieurs mois entre les avocats. Au premier chef, nous voulions que la Régie puisse justifier cette somme qu'elle nous réclamait. Il nous fallait savoir avec précision par quels savants calculs les gens de la Régie en étaient arrivés à la somme réclamée.

Au bout de ces longs mois, la RAMQ fut finalement prête à entreprendre son enquête, qu'elle a confiée à sa médecin-chef, la D^{re} Hélène Roy. Une première rencontre a eu lieu entre elle et moi, chacun étant accompagné de son avocat.

— Il paraît que vous désirez contester notre réclamation, Docteur Benhaim. J'aimerais savoir sur quelles bases. Comment prenez-vous en charge vos patients? Expliquez-moi le fonctionnement de votre clinique.

Je lui ai décrit notre concept de multiples services intégrés sous un même toit. Je lui ai exposé la différence entre les bilans de santé pour cadres et les bilans de santé pour la population en général. Je lui ai aussi expliqué que chez nous, on ne traite pas différemment les cadres d'une entreprise et les patients de la clinique. Il n'y a pas de traitement préférentiel. La prise en charge de M. Untel va être aussi complète que celle du cadre d'une entreprise, en fonction de ses besoins et non pas en fonction de ses capacités de payer. Chaque fois qu'un de nos médecins prescrit un test à un patient, il le fait en fonction d'un ensemble de critères et de protocoles établis. Le patient a le libre choix de les faire où il veut. Je lui montre nos questionnaires, nos formulaires et je lui explique en détail nos façons de fonctionner.

Elle n'en est pas revenue du sérieux et de la rigueur que nous mettions à notre travail. Elle a même laissé échapper cette phrase qu'on n'entend pas souvent dans la bouche des gens de la RAMQ : « C'est la médecine de l'avenir. Si tout le monde pouvait profiter d'une telle prise en charge, chacun y gagnerait. »

À partir de ce moment, tout a changé dans l'attitude de la D^{re} Roy. Ce qu'elle a compris clairement, c'est que – contrairement aux prétentions de la RAMQ – il n'y avait rien de frivole dans la décision de nos médecins de prescrire des tests et dans la façon dont nous suivons nos patients. Dans le système de santé québécois – c'était vrai à l'époque et ce l'est encore tout autant aujourd'hui – l'accessibilité aux tests est très difficile pour les patients de la plupart des cliniques médicales, qui ne disposent pas de l'infrastructure et des outils diagnostiques sur lesquels Physimed peut compter. Lorsqu'un médecin d'une de ces cliniques traditionnelles prescrit des tests, il sait que son patient devra prendre des rendez-vous à gauche et à droite et qu'il mettra des semaines, sans doute des mois, à en obtenir les résultats. Donc, il hésite à le faire, à moins d'être certain que ce soit nécessaire. C'est ce que j'appelle une médecine de pompiers, qui consiste essentiellement à traiter des affections ponctuelles, mais dont toute notion de prévention, de réduction des facteurs de risque, de monitorage et de validation est bien souvent absente.

Au contraire, quand un patient de notre clinique a besoin d'une évaluation, il n'a pas à courir d'hôpitaux en CLSC. Tout se fait au même endroit et autant que possible, dans la majorité des cas, durant la même visite. On a les résultats rapidement et ensuite on élabore un plan de traitement et de suivi. Voilà pourquoi, entre autres, il était tout à fait normal que, comparativement, les médecins de Physimed donnent l'impression de prescrire davantage de tests que la plupart des autres cliniques.

La RAMQ s'était bien rendu compte que l'ensemble des tests prescrits par nos médecins étaient médicalement requis, et nous n'avons pas eu à verser la somme faramineuse qu'elle nous réclamait. Mais le règlement de cette affaire avait nécessité deux bonnes années, des ressources et des frais considérables, du temps précieux soustrait à l'exécution de notre mission première et énormément de stress et de nuits blanches du fait de cette épée de Damoclès qui nous pendait au-dessus de la tête.

Mais contrairement à ce que j'aurais pu espérer, je n'étais pas encore tout à fait au bout de mes peines avec cette enquête entreprise en 2005 et qui n'en finissait plus. La D^{re} Roy et Me Simcoe sont en effet revenus à la charge, cette fois pour réclamer quelque 100 000 $ à Physimed en invoquant la notion du « lui-même ». Quand vous êtes dans la mire de la Régie, elle ne lâche pas le morceau. Il faut qu'elle vous reconnaisse coupable coûte que coûte de quelque chose.

— Qu'est-ce que c'est que cette notion du « lui-même » ? demandai-je.

— C'est issu d'une décision du conseil d'arbitrage rendue en 2006 qui édicte qu'un médecin ne peut facturer la Régie pour un test que s'il l'exécute lui-même.

— Je ne comprends pas.

— Quand vous demandez un électrocardiogramme, comment procédez-vous ?

— Comme partout ailleurs : le médecin prescrit le test, l'infirmière installe le patient et fait l'ECG dont le médecin fait l'interprétation. Ensuite, il rencontre le patient pour lui faire part des résultats. Tout le monde fait la même chose. C'est comme ça qu'on procède dans les hôpitaux et les CLSC.

— Mais si vous voulez facturer la RAMQ pour un ECG en cabinet, il faut que le médecin l'exécute lui-même.

— Comment ça ? Vous pensez que le médecin va se mettre à diriger le patient vers le laboratoire, attendre qu'il se déshabille, le raser, lui installer les électrodes et rester planté là en attendant que ce soit fini ?

La D^{re} Roy était de toute évidence embarrassée par l'absurdité de la situation. Mais elle n'avait pas le choix.

— Je suis désolée. Je comprends votre situation et vous avez raison : c'est ainsi que ça se passe dans les CLSC et les hôpitaux. Ce ne sont pas les médecins qui effectuent les tests. Mais nous avons déjà collecté des montants d'autres cliniques pour cette raison et je suis obligée de vous collecter aussi.

La personne qui avait édicté ces règles ne comprenait manifestement rien à ce qui se passait sur le terrain. À l'époque, la RAMQ remboursait 4 $ pour un électrocardiogramme. À elles seules, les électrodes adhésives coûtaient près de 1,50 $, l'électrocardiographe – dont il fallait amortir le prix – environ 7 000 $, sans compter la location des locaux et l'infirmière à payer, en plus des frais reliés à l'analyse du tracé faite par le médecin et l'archivage du test dans le dossier du patient. Par ailleurs, ce tarif de 4 $ par électrocardiogramme était coupé de 75 % quand un médecin atteignait son plafond trimestriel. Chaque électro effectué à notre clinique était largement déficitaire, et la Régie voulait récupérer le peu qu'elle nous accordait. Quelle farce !

Les gens de la Régie m'avaient accusé de double facturation. Ils m'en ont fait voir de toutes les couleurs pour finalement se rendre compte qu'il n'y en avait pas. Ensuite, il y a eu l'affaire des tests non médicalement requis, une autre accusation non fondée qui m'avait fait vivre un enfer et avait drainé mes énergies pendant deux ans. Et voilà qu'ils m'arrivaient maintenant avec cette notion du « lui-même ». J'en avais vraiment marre !

Mon avocat – Me Robert-Jean Chénier avait remplacé Me Beaulieu, qui entre-temps avait pris sa retraite – était présent lors de cette rencontre. Cet avocat très compétent, méthodique et patient semblait lui aussi passablement surpris, sinon exaspéré de la situation. Je le prends à part et je lui dis :

— Quand est-ce que ça va s'arrêter, tout ça ?

— On peut le contester si vous voulez. Mais ça risque d'aller en Cour supérieure et ça va prendre des années. Par ailleurs, il existe un précédent, une jurisprudence qu'il faudra contester. Il faudra que la loi de la Régie soit modifiée.

Tout cela paraissait tellement compliqué ! J'en avais ras le bol. Je ne pouvais pas me résoudre à m'embarquer dans une nouvelle galère, Dieu sait pour combien de temps. Il est très facile pour des fonctionnaires de vous traîner dans un dédale juridique : ça ne leur coûte rien, ils n'ont aucune obligation de rendre des comptes. J'ai donc décidé de plier l'échine, de payer les quelque 100 000 $ pour acheter la paix, car le harcèlement avait assez duré. À partir de ce moment, nous avons facturé directement les frais aux patients puisque la RAMQ refusait de nous payer pour ces tests.

●●●

Nous avons fini par découvrir – tout à fait par hasard – l'auteur de la dénonciation. C'était une clinique concurrente de la ville de Québec, où Physimed venait tout juste d'ouvrir une succursale de santé au travail en 2005. Dans le milieu de la santé, j'ai découvert à mes dépens qu'il est facile et peu risqué de faire mal à un concurrent. Une simple dénonciation – protégée par l'anonymat – et la RAMQ débarque chez votre cible avec son artillerie lourde pour lui faire passer un sale quart d'heure, peu importe que les accusations soient fondées ou non. C'est ce qu'on appelle du harcèlement institutionnel, parfaitement orchestré par des fonctionnaires chevronnés qui n'ont rien d'autre à faire que de mettre des bâtons dans les roues de personnes productives vouées à la santé de leurs patients.

La Régie avait déterminé tôt dans son enquête que, contrairement aux allégations de notre délateur, Physimed n'effectuait pas de double facturation. Pensez-vous que la RAMQ est allée revoir notre compétiteur pour lui demander des comptes pour sa fausse dénonciation ? Bien sûr que non ! Les délateurs n'ont rien à craindre.

Dans ce cas précis, le geste de notre compétiteur a entraîné une saga qui a duré de la fin de 2005 au milieu de l'année 2009. Trois ans et demi de stress, de pertes de temps, de ressources et d'argent dont le principal bénéficiaire a été une bureaucratie obèse et insatiable, toujours en quête de nouvelles manières de justifier son existence.

CHAPITRE 7

Leucémie

D'aussi longtemps que je me souvienne, la pratique des sports a toujours tenu une place prépondérante dans ma vie. Le sport fait carrément partie de mon identité. Tout jeune, comme la plupart des garçons de mon âge, je me suis adonné au football, le sport le plus populaire de la planète, qui exigeait un minimum d'équipement et présentait l'avantage de pouvoir se pratiquer n'importe où, dans la rue ou sur des terrains vagues. (Il nous arrivait même de jouer sans ballon, tout ce qui avait une forme vaguement sphérique faisant l'affaire.) Au cours de mon enfance, j'ai aussi pratiqué avec beaucoup de bonheur d'autres sports collectifs comme le handball et le volleyball. Mais dès l'adolescence, ce sont les sports individuels qui m'ont davantage attiré et pour lesquels j'ai développé une véritable passion. C'est sans doute parce que contrairement à ce qui se produit dans les sports d'équipe, on ne peut compter que sur soi et que les performances sont plus faciles à mesurer.

Mon sport de prédilection fut d'abord – et demeure toujours, à bien des égards – le tennis, qu'un ami m'a fait connaître à l'été de mes 15 ans. Ce fut un coup de foudre instantané ! Au début, je n'avais pas les moyens de m'abonner à un club, mais j'ai passé un nombre incalculable d'heures, dès que j'avais un moment de libre, à observer sans me lasser les échanges de joueurs aguerris et à frapper des balles sur le mur de l'école au point d'en avoir des ampoules aux mains.

Un jour, l'ami qui m'avait initié à ce sport m'a prêté un exemplaire du *Tennis Magazine*, que j'avais dévoré d'un bout à l'autre, et plus d'une fois. Chaque numéro contenait des instructions techniques, photos séquentielles à l'appui, sur la manière de frapper tel ou tel type de coup. Je lisais attentivement chacune des instructions, essayant de mémoriser les photos, de fixer les mouvements dans ma tête, les yeux fermés en me concentrant, et de les reproduire en frappant des balles contre un mur. Et ça fonctionnait ! Ce type de visualisation m'a aidé par la suite à développer mes talents dans d'autres sports, dont la natation, le squash, le golf et, plus tard, la planche à neige.

Je n'avais pas vraiment d'aptitudes génétiques particulières sur le plan cardiovasculaire. C'est dire que pour bien performer, il a fallu que j'y mette le temps et les énergies nécessaires, à force de lectures, de ténacité et d'entraînements assidus. L'été, après le travail (car je travaillais durant la saison estivale dans une manufacture de vêtements pour me faire des sous) je passais toutes les soirées à jouer au parc Kent, dans le quartier Côte-des-Neiges, à Montréal, contre quiconque acceptait que je me mesure à lui. Je me suis constamment amélioré, au point d'être choisi pour faire partie de l'équipe de tennis du collège Jean-de-Brébeuf, où j'étudiais alors. Par la suite, j'ai participé à une série de tournois de niveau junior au Québec et ailleurs. Le tennis était devenu pour moi beaucoup plus qu'un sport : une façon de m'affirmer, de trouver un équilibre, une véritable source de joie et un mode de vie que j'allais conserver durant toute mon existence.

Mais à cette époque, avant d'être la source d'équilibre qu'il allait devenir plus tard, le tennis prenait plutôt la forme d'un refuge, d'une fuite, d'une drogue, d'un moyen d'échapper à une réalité familiale très difficile. Il y avait maintenant deux ans que nous avions émigré au Canada et mes parents n'arrivaient toujours pas à s'y adapter et à s'intégrer à leur nouvel environnement, à s'accoutumer à l'hiver rigoureux, à la mentalité, aux valeurs, au mode de vie. Il est très difficile pour des personnes arrivées au mi-temps de l'âge d'être ainsi déracinées de leur pays d'origine. Vous perdez vos repères, vous êtes constamment désorientés. Comment gagner sa vie dans un nouveau pays en repartant de zéro ? C'était pour mes parents toute une côte à remonter.

Qui plus est, deux de mes trois frères aînés avaient quitté le foyer familial du Maroc à un assez jeune âge pour poursuivre leurs études : l'un en Allemagne, l'autre en France ; et le dernier était en Israël. Mes frères avaient grandi dans un contexte différent et avaient goûté à de nouvelles expériences de vie. Ils n'étaient plus des enfants, mais plutôt de jeunes adultes qui essayaient tant bien que mal de se bâtir un avenir. Ils se heurtaient constamment aux anciennes valeurs largement dépassées de mes parents.

C'est dire que le rêve de réunification de la famille qui avait largement motivé notre arrivée au Canada s'était rapidement effondré. Pire : mes parents et deux de mes frères ne se parlaient plus, ce qui était terrible pour une famille dont les membres avaient été si proches. Dans cette crise familiale, j'étais pris entre l'arbre et l'écorce. Chacun se confiait à moi et j'essayais tant bien que mal – j'avais à peine 15 ans – de maintenir un pont entre les deux parties, mais l'heure n'était pas au compromis. Quant au climat qui régnait à la maison, il était extrêmement pénible : ma mère était constamment plongée dans l'amertume, et mon père, dans la colère. Sans m'en rendre compte, je me distançais de mes parents. Le dialogue se faisait de plus en plus rare. Je passais donc le moins de temps possible au foyer. Il n'y avait que sur un court de tennis que je me sentais bien et j'en étais même venu, moi qui avais toujours eu à cœur ma réussite scolaire, à négliger progressivement mes études.

Dans ces conditions, mon objectif de devenir médecin planait bien au-dessous du radar. C'est ainsi qu'à un certain moment, la certitude s'est faite dans mon esprit que ma voie était toute tracée : rien n'était impossible à mes yeux et si je continuais de progresser comme je le faisais et que j'y mettais les efforts nécessaires, j'allais devenir un joueur de tennis professionnel et me mesurer aux grandes vedettes de l'heure : les Borg, Vilas, Connors et McEnroe.

J'avais lu dans le *Tennis Magazine* que plusieurs académies de tennis destinées à former de jeunes espoirs avaient commencé à s'établir un peu partout aux États-Unis. J'avais ciblé en particulier le John Newcombe Tennis Ranch, à Tampa, en Floride. Newcombe était, au début des années 1970, l'une des grandes étoiles du tennis mondial. Il était particulièrement reconnu pour son service foudroyant, que je tentais désespérément d'imiter. Je me disais que si je pouvais me retrouver face à face avec lui et lui expliquer ma situation, je pourrais le convaincre de m'accueillir gratuitement dans son école. J'étais persuadé qu'un passionné de tennis comme lui allait me comprendre et m'aider. J'étais à l'âge des illusions…

Un soir, après avoir laissé une note à mes parents pour les informer de mon départ – mais non de ma destination – et leur demander de ne pas s'inquiéter, je m'étais rendu au terminus d'autobus Voyageur, à l'angle de Berri et de De Maisonneuve, pour me glisser dans un autobus en compagnie d'un groupe de skieurs en route pour Sugar Bush, au Vermont. De là, j'avais pris le train jusqu'à Washington et ensuite vers Jacksonville, au nord de la Floride, pour ensuite me rendre en auto-stop jusqu'à Tampa et à l'école de tennis de John Newcombe.

L'endroit respirait l'opulence, avec ses courts modernes et impeccables et ses magnifiques jardins soigneusement entretenus où j'apercevais plusieurs joueurs et joueuses vêtus du dernier cri en matière de mode sportive. Arrivé au bureau administratif, j'ai demandé à voir M. Newcombe. Malheureusement, celui-ci était en Australie et ne reviendrait pas à Tampa avant une dizaine de jours. À défaut, j'ai demandé à m'entretenir avec un membre de la direction, et une dame est venue me rencontrer, à qui j'ai raconté mon histoire. Elle m'a parlé de l'école de tennis, mentionnant au passage qu'il en coûtait environ 30 000 $ pour y être inscrit, sans compter le gîte et le couvert. Je lui ai dit que je n'avais pas d'argent, mais que j'étais un travailleur acharné et que nous pourrions faire une espèce de troc. Elle s'est esclaffée en disant : « Mon garçon, c'est une entreprise que nous gérons ici. En plus, tu es Canadien. Je ne pourrais pas t'embaucher. » Puis elle m'a montré la porte sans autre forme de cérémonie.

D'un seul coup, mon rêve volait en éclat. J'étais anéanti. Je suis retourné au centre-ville de Tampa, sans destination précise. J'étais à 2 400 kilomètres de chez moi, avec à peine quelques dollars en poche et tenaillé par la faim. Je me suis dirigé vers un restaurant McDonald's.

C'est à ce moment que j'ai vécu l'une des expériences les plus déterminantes de ma vie.

En attendant mon tour dans la file, j'ai réalisé tout à coup que la personne qui se tenait juste devant moi était un itinérant qui venait tout juste de commander la même chose que je m'apprêtais à commander, soit un filet de poisson au menu du jour à 99 ¢. Au moment de payer, l'homme a sorti de sa poche un sac plein de sous noirs et a commencé à les compter un à un, comme s'il s'agissait de billets de 100 $. À 35, il a perdu pied, une partie de sa monnaie a roulé par terre. Il s'est aussitôt rué sur son trésor, a ramassé ses pièces et recommencé à les compter. Le tout a bien dû prendre une bonne dizaine de minutes.

Pendant que tout cela se déroulait sous mes yeux, il m'est tout à coup venu à l'esprit qu'en ce moment précis, j'étais moi aussi une sorte d'itinérant. C'est fou à dire, mais je me suis identifié à lui car j'étais tout aussi fauché. Je me suis alors juré que jamais plus dans ma vie je n'aurais à compter mes sous pour me payer un repas. J'étais trop intelligent, j'avais trop de potentiel pour gaspiller ainsi mes capacités.

Ce soir-là, j'ai réussi à dénicher un refuge pour jeunes délinquants animé par une travailleuse sociale qui m'a accueilli avec gentillesse et sollicitude et où j'ai partagé une chambre avec quatre autres garçons. Le lendemain, elle m'a demandé de participer à une séance de thérapie de groupe avec de jeunes fugueurs. Il y avait parmi eux une fille de 15 ans, enceinte après avoir été violée par son beau-père. Un autre garçon, âgé de 14 ans, expliquait en pleurant qu'il était régulièrement battu par son père. Des histoires d'horreur presque indescriptibles. Comparés aux leurs, mes petits problèmes à moi ne pesaient pas bien lourd. Puis l'animateur s'est tourné vers moi. « Et toi, Albert, qu'est-ce qui t'amène ici ? » Quand j'ai eu terminé mon histoire, il m'a fixé de la même manière qu'on regarderait un extra-terrestre. « Donc, si je comprends bien, tu as 16 ans, tu as terminé tes études secondaires et tu fréquentes déjà un collège. Et ton problème, c'est que tu ne sais pas si tu devrais devenir médecin ou professionnel de tennis. C'est bien ça ? » L'enfant gâté que j'étais aurait voulu disparaître tellement j'étais embarrassé.

Le soir même, la directrice m'a informé qu'elle avait téléphoné à mes parents, morts d'inquiétude, qui m'envoyaient un billet d'avion pour rentrer à la maison le plus tôt possible. Le lendemain, sur le vol de retour, je craignais très fort leur réaction. J'étais certain que mon père allait me faire payer cher mon escapade. Quand je me suis présenté à la sortie des passagers à l'aéroport de Dorval, ma mère s'est approchée de moi et m'a pris dans ses bras et mon père m'a donné une petite tape dans le dos. C'est tout. Le soir au souper, nous avons discuté de toutes sortes de choses, sauf de mon périple au paradis du tennis, comme si rien de tout cela ne s'était jamais passé.

•••

Si ma passion du tennis m'a poussé à commettre une immense bêtise – heureusement sans conséquence fâcheuse –, elle m'a aussi ouvert beaucoup de portes, à commencer par celle de l'amour.

C'est en effet sur un court de tennis que j'ai rencontré Gail, une ancienne joueuse élite du tennis junior au Canada. Elle venait d'être nommée pro du club dont j'étais membre et aussitôt que je l'ai aperçue, j'ai été impressionné par sa beauté, sa grande taille, son allure athlétique, son élégance naturelle, son visage rayonnant, sa personnalité chaleureuse. Sur le court, elle frappait la balle avec aplomb, autorité et précision. Même si j'étais moi-même un solide joueur, chaque point que je gagnais contre elle était âprement disputé.

J'ai tout de suite été attiré par elle et, quelques jours plus tard, nous nous sommes retrouvés sur une piste de danse ; je n'ai pas été très long à tomber profondément amoureux.

Nous partagions tous deux – et partageons toujours – une passion véritable pour l'activité sportive : non seulement pour le tennis, mais aussi la natation, le vélo, la course à pied, l'entraînement physique et le ski. L'été où nous nous sommes rencontrés, nous avons participé, avec plusieurs de nos amis, au Québec et aux États-Unis, à 6 ou 7 triathlons, une course d'endurance qui consiste généralement à parcourir 1 500 mètres à la nage, 40 kilomètres à vélo et 10 kilomètres à pied. Je me souviens même d'un triathlon auquel nous avons participé à Lake Placid, dans l'État de New York, dont le trajet comportait 2,2 kilomètres à la nage, 90 à vélo et 21 à la course, et ce, par une température avoisinant les 12 degrés Celsius. Inutile de dire que le segment aquatique de l'épreuve fut particulièrement pénible.

Nous avions quand même franchi tous les deux la ligne d'arrivée côte à côte, les bras en l'air, comme de vrais champions.

Parvenir à tenir le coup dans de telles épreuves où tous les muscles sont sollicités exige des heures et des heures d'entraînement ainsi qu'une discipline de fer. Mais chaque fois qu'on a complété le parcours, parfois dans des conditions extrêmement difficiles, c'est une victoire incroyable sur soi-même. Et quand on le fait entre amis, c'est une fierté toujours partagée.

●●●

À force de solliciter la machine, de développer ses capacités mentales et de repousser ainsi des limites qu'on n'est pas toujours certain d'atteindre, on en vient à connaître parfaitement son corps, à lire les moindres signaux qu'il envoie, à anticiper ses moindres réactions. C'est ainsi qu'en janvier 2009, j'en suis venu à me poser un diagnostic de leucémie.

L'hiver était particulièrement rigoureux, cette année-là, de sorte que plutôt que de courir à l'extérieur – comme je le fais d'habitude – je m'entraînais sur le tapis roulant de mon gymnase à la maison. Comme c'est le cas de la plupart des gens qui s'adonnent à un entraînement intense, une espèce de rituel – ou de mode d'emploi – accompagne ce genre d'exercice : on commence lentement, puis on augmente peu à peu la cadence jusqu'à atteindre un rythme de croisière. Ce n'est pas une activité qui offre généralement beaucoup de surprises : on sait d'avance le niveau de performance généré par tel ou tel degré d'effort. Mais justement, au cours de cette période, mes performances étaient nettement inférieures à ce qu'elles étaient d'habitude. En fait, je n'arrivais pas à atteindre la cadence normale sans devenir essoufflé. J'avais trouvé cela bizarre, mais j'avais finalement mis cette baisse de régime sur le compte d'un léger rhume que je subissais alors.

Mais, trois semaines plus tard, même si mon infection virale avait disparu, mes performances n'avaient toujours pas repris le dessus. Le rythme cardiaque au repos a toujours été pour moi un bon indicateur de l'état de santé. Une légère variation, ne serait-ce que de quelques battements, peut vouloir dire soit qu'on s'est trop entraîné, soit qu'on est malade ou trop stressé, par exemple. J'avais bien remarqué, en prenant mon pouls, une certaine augmentation inhabituelle de mon rythme cardiaque. Je me disais que c'était peut-être le signe d'une mononucléose ou d'une autre infection virale, même si je ne ressentais pas particulièrement de fatigue pendant mes activités journalières. Je me suis donc résolu à me faire une analyse sanguine pour constater que mes globules blancs étaient altérés, que leur concentration était plus élevée, ce qui est généralement indicateur d'une leucémie.

J'ai aussitôt pris rendez-vous avec la D^{re} April Shamy, hémato-oncologue à l'Hôpital général juif de Montréal, et ancienne consœur de la Faculté de médecine de McGill, que j'ai toujours appréciée et en qui j'ai une grande confiance, qui a confirmé mon diagnostic.

Comme je l'ai déjà indiqué, quelques années auparavant, mon beau-père était décédé à 59 ans d'une leucémie fulgurante qui l'avait emporté en cinq semaines. Quand j'ai dû annoncer la nouvelle à ma femme, elle était carrément démolie.

Je ne me sentais guère mieux. À 47 ans, j'avais déjà diagnostiqué des centaines de cancers au cours de ma carrière de médecin. La détresse des patients, je la connaissais très bien. Mais de le vivre soi-même, c'est une tout autre chose; comme si le sol s'effondrait sous vos pieds. Nous vivons tous avec la conscience de notre finitude. J'ai toujours su que mon parcours sur cette terre allait se terminer un jour ou l'autre, mais je l'envisageais jusqu'alors sur un horizon lointain dont je ne me préoccupais pas beaucoup. Maintenant, je ne pouvais plus ignorer cette échéance, qui à mes yeux se rapprochait dangereusement.

Heureusement, la leucémie dont je souffrais n'était pas aussi grave que celle dont mon beau-père était mort. Mon oncologue m'a fait savoir que l'espérance de vie des patients, dans des cas comme le mien, était à l'époque d'environ sept ans à partir du moment où ils sont diagnostiqués alors qu'ils sont véritablement symptomatiques. Mais mon diagnostic était tellement précoce qu'il était difficile d'établir une échéance. Elle m'a recommandé de ne pas procéder pour l'instant à des traitements de chimiothérapie, mais simplement d'observer l'évolution de la situation et de décider par la suite d'un traitement approprié, qu'il s'agisse de chimiothérapie ou d'une greffe de moelle osseuse. D'ici là, m'a-t-elle aussi expliqué, viendrait un moment où j'allais sans doute être frappé d'anémie ou de thrombocytopénie, soit une baisse marquée du taux de globules rouges et du nombre de plaquettes sanguines dans mon organisme. Dieu merci, j'en ai été épargné jusqu'à maintenant.

J'ai cherché à comprendre pourquoi la leucémie m'avait ainsi agressé. J'ai toujours mené une vie saine. Je ne fume pas, je ne bois pas, je m'alimente très bien, je ne fais pas d'embonpoint et je fais de l'exercice très régulièrement. Je n'ai pas d'hérédité particulière concernant ce cancer et je n'ai été exposé à aucun facteur de risque environnemental prédisposant à la leucémie. Sauf pour le stress. En effet, la documentation médicale rapporte que parmi les causes entraînant une leucémie, le stress peut jouer un rôle important dans le développement d'un tel cancer, et Dieu sait si la période de 2005 à 2009 fut des plus stressantes avec cette enquête de la RAMQ qui n'en finissait plus.

Sur les recommandations de mon oncologue, ma femme et moi avons convenu de garder le secret entier sur ma maladie. Nos trois enfants étaient alors dans la jeune adolescence et nous voulions leur épargner un traumatisme et des inquiétudes que, selon nous, ils n'étaient pas prêts à vivre. De la même manière, je ne voulais pas être montré du doigt et pris en pitié. Ma femme et moi voulions vivre cette situation dans une certaine normalité et une certaine sérénité. Nous souhaitions profiter ensemble des années qui nous restent sans nous morfondre d'inquiétude. Ainsi, nous avons pris la décision d'épargner nos familles et nos amis, et de ne pas leur faire part de cette triste nouvelle. En fait, outre ma femme, seul mon conseiller financier a alors été avisé de la situation afin de mettre mes affaires en ordre et de m'assurer que ma famille ne manque de rien si le pire devait se produire à brève échéance.

Depuis, je vis avec une épée de Damoclès suspendue au-dessus de ma tête.

CHAPITRE 8

La saison des citations
à comparaître

Ce que Physimed a vécu par les bons soins de la Régie de l'assurance maladie du Québec de 2005 à 2009 ne fut, en fait, qu'un avant-goût bien léger du raz-de-marée qui allait nous frapper à compter de 2010.

Dès le 4 août – un jour ouvrable après la publication de l'article en première page de *La Presse* du 30 juillet 2010 – nous étions informés que la RAMQ déclenchait une enquête relative aux allégations de la journaliste Nicoud, en particulier celle selon laquelle celle-ci avait payé 340 $ pour profiter des services d'un médecin de famille de notre clinique. L'effet zen de notre randonnée à vélo de Montréal à Stowe s'était donc vite dissipé. La même semaine, je recevais un appel de la personne chargée de cette enquête, Mme Julie Tessier. Je lui dis aussitôt que j'avais écrit, entre autres, au ministre de la Santé et au Collège des médecins pour dénoncer les faussetés contenues dans l'article.

«Je m'en fous, me dit-elle. Vous pouvez écrire à qui vous voulez. Mais moi, j'ai un mandat et j'ai une enquête à faire.»

Elle me demande ensuite de lui remettre un nombre assez important de documents, dont la description de nos procédures, la liste des bilans de santé effectués chez Physimed sur une période s'échelonnant sur plusieurs mois, les noms et numéros de carte d'assurance maladie des quelque 6 000 patients ayant subi ces bilans de santé, les types d'examens, les dates de leurs visites, les noms des médecins traitants, etc. Une montagne de papier, en somme.

Je lui fais alors remarquer que la Régie est déjà en possession de l'essentiel de ces documents, qu'elle a accumulés au cours des enquêtes menées chez Physimed entre 2005 et 2009. Elle pourrait les trouver facilement dans les archives de la RAMQ.

« Je n'irai pas dans les archives, réplique Mme Tessier. C'est une nouvelle enquête. »

Nous voilà repartis dans une nouvelle galère. Nous nous donnons rendez-vous le 3 septembre.

Entre-temps, je me suis penché activement sur le dossier de l'auteure de l'article, Anabelle Nicoud, pour tenter de mieux cerner la situation. Elle s'était présentée deux fois à la clinique au mois de juin, la première pour le bilan de santé et la deuxième pour le suivi des résultats. Elle a payé sans rechigner une facture de 340 $ sur laquelle figurait le détail des paramètres d'analyse. Comme c'est le cas pour l'ensemble de nos patients, elle a également signé un formulaire d'inscription auprès d'un médecin de famille – en l'occurrence le Dr X. – dans lequel il est spécifié en caractères gras que l'inscription et l'accès à un médecin de Physimed sont gratuits, volontaires et non obligatoires.

Pourquoi avait-elle menti dans son article ?

Comme j'étais assez perturbé par l'enquête de la RAMQ – dont j'avais goûté à la médecine pendant près de quatre ans –, j'ai demandé à rencontrer le président de la FMOQ, le Dr Louis Godin, pour lui expliquer la situation en détail et solliciter quelques conseils afin d'éviter que l'enquête ne dérape, comme ça avait été le cas la dernière fois. Lors de cette réunion, il était accompagné du directeur des services juridiques de la FMOQ, Me Pierre Belzile, et du responsable des communications, M. Jean-Pierre Dion. Après avoir écouté mon exposé – le dossier de Mme Nicoud à l'appui ainsi qu'une copie de la facture qu'elle avait payée à Physimed –, chacun d'entre eux a alors estimé que je n'avais pas du tout à m'inquiéter, que l'enquête prendrait à peine quelques semaines et qu'il n'y aurait pas le moindre problème. Le Dr Godin avait même ajouté :

« De toute façon, nous sommes là pour défendre les intérêts des médecins et si ça dévie, on va mettre notre poing sur la table. »

•••

Lorsque j'ai été informé de la tenue de l'enquête, j'ai aussitôt requis de l'Association canadienne de protection médicale, notre assurance médico-légale, les services d'un avocat. Mais comme l'enquête concernait Physimed et non moi-même en tant que médecin, je n'y avais pas droit. J'ai donc demandé à Me Ginette Primeau, qui venait de prendre une demi-retraite après avoir été pendant une trentaine d'années directrice des services juridiques de la FMOQ, de me représenter dans le cadre de l'enquête.

Me Primeau était une personne aussi charmante que compétente, doublée d'une véritable encyclopédie médico-légale. J'avais toujours apprécié ses précieux conseils que je sollicitais régulièrement dans le passé pour toujours nous assurer de faire les choses correctement et dans la légalité.

En plus de mon avocate, la FMOQ avait aussi suggéré – comme cela se fait couramment lors d'une enquête de la Régie – de déléguer un médecin observateur qui m'accompagnerait au cours de mes rencontres avec la représentante de la RAMQ. La Fédération avait choisi pour ce faire le Dr Marc-André Asselin, alors président de l'Association des médecins omnipraticiens de Montréal, que je connaissais assez bien et dont j'appréciais les compétences. Le Dr Asselin m'avait d'ailleurs confirmé qu'il serait là le 3 septembre à l'heure dite.

Mais voilà : dans le cadre d'une conversation téléphonique préparatoire entre mon avocate et Mme Nathalie Gagné, directrice des enquêtes de la RAMQ, celle-ci s'est opposée avec véhémence à la présence du Dr Asselin.

— Mais pourquoi donc ? Vous savez bien que c'est toujours comme ça que ça se passe, a dit Me Primeau.

— Il n'est pas question qu'un médecin observateur soit là, affirma Mme Gagné sans répondre à la question.

— Eh bien, le Dr Asselin y sera quand même, répliqua mon avocate.

— Si vous faites ça, nous allons poursuivre le Dr Benhaim pour outrage au tribunal, a menacé la représentante de la RAMQ.

Me Primeau en était restée bouche bée. Elle n'avait jamais vu une chose pareille en près de 30 ans de carrière. Lorsque j'ai informé de la situation les gens de la FMOQ, ils n'en revenaient pas non plus. Mais Me Belzile avait plaidé pour la souplesse : « Une accusation d'outrage au tribunal, ça vous ferait beaucoup de tort pour rien. Votre dossier est tellement *clean*, ce n'est pas le moment de brasser les choses. De toute façon, vous n'avez rien à craindre. »

Comme il avait été convenu, la première rencontre avec l'enquêtrice de la RAMQ a eu lieu le 3 septembre, dans les locaux de Physimed. Mon avocate et moi avons accueilli Mme Tessier, à qui j'ai entrepris d'expliquer le fonctionnement de la clinique, l'ensemble des services offerts aux patients et la procédure d'inscription auprès d'un médecin. Nous nous sommes penchés ensuite sur le cas particulier de Mme Nicoud, la facture détaillée des services de laboratoire et son formulaire d'inscription auprès du Dr X. Mme Tessier voyait bien que les affirmations de la journaliste ne tenaient pas la route.

— Comment a-t-elle pu écrire un tel article ! s'est-elle exclamée, à un certain moment.

— Justement, ai-je répondu. Vous devriez lui demander parce que moi aussi j'aimerais bien le savoir. L'avez-vous rencontrée ?

— Non, m'a-t-elle répondu spontanément.

J'ai trouvé étrange qu'elle n'ait pas cherché à rencontrer la source même de son enquête, mais je n'osai pas lui en faire la remarque.

Au terme de la rencontre d'une durée de trois heures, l'enquêtrice de la Régie m'a demandé un certain nombre de documents, dont la liste des prix facturés aux patients par Physimed pour des analyses sanguines. J'ai trouvé sa requête un peu bizarre, puisqu'il s'agissait là de services non assurés par la RAMQ. Elle m'a dit simplement qu'elle voulait s'assurer que le prix payé par la journaliste correspondait à ceux contenus dans la liste, demande à laquelle nous ne nous sommes pas opposés. Lorsqu'elle a quitté les lieux, nous étions plutôt réconfortés, ce que j'ai aussitôt confié au Dr Godin.

« Je vous l'avais bien dit, Docteur Benhaim. Nous étions convaincus que ça allait bien se passer. »

Mais une chose nous tarabustait quand même. Depuis le début de l'enquête, nous demandions à la RAMQ de nous informer du mandat de ladite enquête – ce qui était bien la moindre des choses – et depuis le début, nous nous heurtions à un refus. Quand nous avons rencontré Mme Tessier le 3 septembre, nous avons réitéré notre demande pour essuyer le même refus.

Une autre demande de la RAMQ m'avait aussi paru pour le moins bizarre. Le 15 septembre, Mme Tessier m'appelle pour me demander de lui fournir mon compte rendu de la rencontre du 3 septembre.

— Je ne comprends pas, madame, lui ai-je répondu. Vous étiez là. Pourquoi avez-vous besoin de mon propre compte rendu ?

— Pour le verser au dossier, me répond-elle.

— Mais, dois-je comprendre que c'est obligatoire ou facultatif ?

— C'est facultatif.

Mon avocate n'avait jamais entendu parler d'une demande semblable dans le cadre d'une enquête de la Régie. Elle m'a dit : « Écrivez le compte rendu, mais ne le lui donnez pas tout de suite. Voyons d'abord comment l'enquête se déroulera, et on décidera. Je n'aime pas sa façon de se comporter. Je la trouve sournoise. »

À ce moment, mon degré de confiance envers la Régie était plutôt bas.

Et la suite a confirmé mes appréhensions, puisqu'au même moment, des huissiers se présentaient dans les locaux de Physimed pour livrer des citations à comparaître à une demi-douzaine de nos médecins afin de les contraindre à se présenter au siège social de la RAMQ, boulevard De Maisonneuve, à Montréal, afin de répondre à des questions. Ils ont dû annuler des rendez-vous déjà prévus avec des patients, sous peine de poursuite.

La situation avait créé une panique totale dans la clinique, alors que les médecins qui n'avaient pas été convoqués craignaient de l'être éventuellement, et que ceux qui l'avaient été se demandaient bien ce que la Régie pouvait avoir à leur reprocher.

Pourquoi la RAMQ procédait-elle avec un tel manque de savoir-vivre alors qu'il aurait été si simple de prendre rendez-vous avec ces médecins ? J'ai posé la question à Me Primeau aussi bien qu'à Me Belzile de la FMOQ. Chacun de son côté, les deux m'ont répondu exactement la même chose : on agit ainsi quand on veut déstabiliser une organisation.

J'ai dit aux médecins convoqués par la Régie que nous n'avions rien à cacher, qu'à ma connaissance, tout ce que nous faisions à la clinique était fait dans les règles de l'art et conforme à toutes les lois et tous les règlements en vigueur. Qu'ils répondent aux questions au mieux et sans réserve.

C'est ce qu'ils ont fait. Mais ils n'en ont pas moins passé un sale quart d'heure.

Les inspecteurs de la Régie de l'assurance maladie du Québec ont une réputation de brutalité qui est loin d'être surfaite. Qu'on en juge par le genre d'interrogatoire qu'ont alors subi les médecins de Physimed.

— Docteur, quel genre de ristournes recevez-vous de Physimed ?

— Qu'est-ce que vous voulez dire ?

— Quand vous prescrivez un test, quelles sont les ristournes que vous recevez de Physimed ?

— Je ne reçois rien du tout.

— D'accord, je vais poser la question autrement. Quand vous voyez des patients, vous leur prescrivez des tests ?

— Ça arrive, oui.

— Quand vous prescrivez des tests et que les patients décident de les subir chez Physimed, les patients payent. Est-ce qu'ils vous payent, vous ?

— Bien sûr que non.

— Combien Physimed vous paye-t-elle pour prescrire ces tests ?

— Rien.

— Je comprends qu'ils peuvent vous payer en dessous de la table, par chèque ou en espèces. Je vous rappelle que vous avez juré de dire la vérité. De toute manière, nous allons le savoir.

— Je vous le dis : je ne reçois rien. Ni sous la table, ni sur la table, ni par chèque, ni en argent, ni en espèces.

— Maître, dites à votre client ce qui risque de lui arriver s'il se parjure.

Voilà l'esprit dans lequel se sont déroulés ces interrogatoires. Il ne manquait que la lampe à souder. Quelques semaines après ces événements, une de nos nouvelles recrues qui avait été interrogée par la RAMQ nous remettait sa démission.

Les inspecteurs de la RAMQ voulaient absolument faire dire aux médecins que Physimed les forçait à prescrire des tests pour que les patients les subissent chez nous. Bien sûr, ils ont tous donné spontanément la même réponse, à savoir qu'à aucun moment notre clinique ne s'était livrée à une telle pratique.

Cette fois, la Régie avait clairement dépassé les bornes. Mais lorsque j'ai informé le président de la FMOQ du sort fait par la RAMQ aux médecins de Physimed, il m'a simplement expliqué que c'était juste un mauvais moment à passer, que les inspecteurs tentaient seulement de valider ce que j'avais dit à l'enquêtrice. Cependant, considérant la façon plutôt cavalière dont la RAMQ avait contacté nos médecins, il allait demander à Me Belzile d'envoyer une lettre à la Régie leur demandant de cesser ce genre de pratique.

• • •

Quelques jours plus tard, en octobre, plusieurs dizaines de patients nous ont informés qu'ils avaient été interpellés par la RAMQ en interrogatoire, ce qui a de nouveau soulevé chez Physimed un vent de panique qu'il a fallu gérer. La Régie leur a notamment demandé s'ils avaient été forcés de passer des tests à notre clinique et voulait savoir pourquoi ils n'étaient pas allés plutôt dans un CLSC ou un hôpital pour subir ces tests. Plusieurs de ces patients contactés par la RAMQ étaient en colère et nous ont fait savoir sans équivoque qu'ils viendraient volontiers témoigner en notre faveur si jamais les choses se rendaient au tribunal.

Si j'avais été accueillant et sympathique lors de la rencontre du 3 septembre, inutile de dire que j'ai été plutôt froid – tout en demeurant dans les limites de la civilité – lors de la deuxième rencontre que la RAMQ avait organisée le 4 novembre. J'ai dit à Mme Tessier, qui était accompagnée d'une collègue de la RAMQ : « Je n'ai pas compris vos façons de faire, madame. Pourquoi avoir convoqué nos médecins par *subpoena* alors qu'il aurait été si simple de prendre rendez-vous avec eux? Pourquoi avoir harcelé nos patients? Vous nous avez déstabilisés sans aucune raison. Pourquoi avoir agi ainsi?»

Pas de réponse.

Mon avocate lui a ensuite demandé pour la énième fois de nous préciser le mandat de son enquête. Non, a-t-elle répondu.

Je lui ai demandé si elle avait rencontré la patiente, c'est-à-dire la journaliste, pour la questionner sur ses fausses allégations. Autre réponse négative. «Pourquoi pas? C'est pourtant elle, la patiente, qui se plaint dans son article», lui ai-je dit.

Elle m'a tout simplement répondu qu'il n'était pas dans ses projets de questionner Mme Nicoud.

Je n'en revenais pas. Je ne pouvais pas croire qu'un enquêteur de la RAMQ, minimalement compétent, pouvait ainsi gober n'importe quelle sottise imprimée dans un journal, entreprendre une enquête, convoquer plusieurs médecins par citation à comparaître, créant un vent de panique à l'échelle de la clinique, déranger des dizaines et des dizaines de patients sans même questionner la personne qui formule et médiatise une plainte aussi frivole. C'était à n'y rien comprendre!

Mme Tessier m'a ensuite posé quelques questions de détail pour finalement nous dire que son enquête était pratiquement terminée et qu'effectivement, l'article du 30 juillet ne correspondait pas à la réalité, compte tenu des témoignages des médecins et des patients et des autres paramètres de son enquête.

Et alors que la conversation tirait à sa fin, elle me dit:

— J'aimerais avoir les prix que le laboratoire à qui vous sous-traitez les analyses facture à Physimed pour l'ensemble des analyses.

Je n'étais pas certain d'avoir bien entendu. Mais mon avocate, elle, avait parfaitement compris. Elle a aussitôt demandé à Mme Tessier:

— Pourquoi voulez-vous ça? En quoi ça vous regarde? Ce n'est même pas un service assuré par la Régie.

— Nous en avons besoin pour cheminer dans l'enquête, répond Mme Tessier.

— Cheminer en quel sens? dis-je. Mme Nicoud prétend qu'elle a payé 340 $ pour les services d'un médecin. Vous faites enquête et vous admettez que l'article est faux. En quoi le coût de revient de ces analyses est-il pertinent dans le cadre de votre enquête? Que ces tests nous coûtent 1 $ ou 339 $, qu'est-ce que ça change à votre enquête?

Mme Tessier commence alors à patiner, à dire qu'elle désire «ventiler» la facture et autres sottises du genre. Devant tant de mauvaise foi, la moutarde commençait vraiment à me monter au nez.

— Mme Tessier, dis-je, depuis le début de votre enquête vous m'avez posé toutes sortes de questions auxquelles j'ai répondu avec clarté, honnêteté et transparence, de A jusqu'à Z. Aujourd'hui, c'est moi qui vous pose une seule question et vous êtes incapable de me répondre. Si j'avais répondu à vos questions comme vous répondez à la mienne maintenant, vous auriez sauté au plafond. Ayez la décence de me répondre.

Elle s'est levée en disant:

— Si vous ne voulez pas me donner ce que je demande, je l'obtiendrai de toute façon. Alors, soit vous me le donnez volontairement ou nous allons nous organiser pour l'avoir. Est-ce clair?

— Vous ne nous avez jamais remis le mandat de votre enquête, a répliqué Me Primeau. Nous ne savons même pas pourquoi vous êtes ici. Vous nous demandez des renseignements sur des services non assurés qui ne relèvent pas de la compétence de la Régie. Tant que vous n'en expliquerez pas les véritables raisons, je vais conseiller à Physimed de s'abstenir de vous remettre quelque document que ce soit.

Après que l'enquêtrice de la RAMQ eut quitté la pièce, je me suis tourné vers mon avocate en lui demandant:

— Mais qu'est-ce qui se passe?

— Je n'en ai aucune idée. Mais chose certaine, ça ne sent pas bon!

Quelques jours plus tard, le 8 novembre, un huissier se montrait à la porte de Physimed pour me présenter une citation à comparaître réclamant la facture de laboratoire des analyses de Mme Nicoud. Le même jour, Laboratoires CDL, notre fournisseur, recevait aussi une citation à comparaître le sommant de remettre le même document.

Toute la malice, toute la volonté de nuire qui se profilaient depuis déjà quelque temps dans les gestes de la RAMQ – refus de présenter le mandat d'enquête, refus de la présence d'un médecin observateur, refus de questionner la journaliste-patiente, traitement brutal de nos médecins, harcèlement de nos patients et, pour finir, ces deux citations à comparaître – éclataient maintenant au grand jour. Il était évident que les choses allaient s'envenimer.

Ce que je ne soupçonnais pas encore, c'était à quel point.

CHAPITRE 9

« Au Collège, on n'aime pas les médecins qui font de l'argent »

À la mi-novembre 2010, Me Primeau m'informe qu'elle prend définitivement sa retraite et me recommande chaleureusement, pour la remplacer, Me Philippe Frère, du cabinet Lavery, de Montréal. Avocat chevronné, particulièrement en droit disciplinaire, il a déjà plaidé devant la Cour suprême du Canada. Combatif tout en demeurant réservé et respectueux, il est crédible et clair ; en plus, il connaît bien la RAMQ.

Quand je lui ai montré la citation à comparaître de la Régie reçue le 8 novembre, sa réaction spontanée a été : « Mais qu'est-ce que c'est que cette affaire-là ? » À première vue, il estimait que la direction des enquêtes de la RAMQ avait perdu le nord et il avait décidé de traiter directement avec les avocats de l'organisation qui, croyait-il, allaient rapidement se rendre compte que la demande de la facture de CDL n'avait pas de sens et ramèneraient ses enquêteurs dans le droit chemin.

Pendant plusieurs mois, donc, essentiellement de novembre 2010 à avril 2011, Me Frère a eu de nombreux échanges avec des membres du contentieux de la Régie, que ce soit en personne, par téléphone ou par courrier. Entre-temps, la RAMQ avait laissé tomber l'exécution de ses citations à comparaître à Physimed et à CDL.

Au début, la réaction du contentieux était encourageante. Dans une lettre envoyée le 20 janvier à mon avocat, Me Michel Paquette, représentant de la RAMQ, lui indique notamment que « la Régie peut vous assurer qu'elle ne s'intéresse aucunement aux relations commerciales entre un laboratoire privé et une clinique médicale comme Physimed ». Cependant, la RAMQ n'en maintenait pas moins sa demande de la facture, et ses avocats étaient incapables d'expliquer pourquoi.

Puis, le 11 avril, une nouvelle citation à comparaître est présentée à Physimed pour nous forcer à remettre le document en question et nous inviter à rencontrer l'enquêtrice de la RAMQ pour entendre ses conclusions relatives à l'enquête.

Mon avocat et moi nous présentons donc le 29 avril 2011 aux bureaux de la Régie, où nous sommes accueillis par Mme Tessier et une de ses collègues. Mon cœur battait la chamade. Nous n'avions absolument rien à nous reprocher, mais il suffisait qu'un patient ait tiré des conclusions erronées (comme l'avait fait Mme Nicoud dans son article) pour nous faire de nouveau vivre l'enfer. Mais Mme Tessier nous informe qu'il n'y a rien eu de problématique dans notre traitement du cas de Mme Nicoud. Toutefois, elle nous signale un certain nombre de constats relevant non pas de faits avérés, mais de la perception de certains patients à l'égard de Physimed. En terminant, elle nous demande si nous avons en main la facture des Laboratoires CDL qu'elle réclame depuis plusieurs mois. Mon avocat répond que oui.

— Pourriez-vous me la remettre ?

— Vous ne recevrez pas ce document aujourd'hui, répond Me Frère. D'abord, parce que nous n'avons toujours pas reçu le mandat d'enquête que nous vous demandons depuis maintenant neuf mois. Ensuite, parce que cette facture, qui concerne des services non assurés, ne relève pas des compétences de la RAMQ.

J'ai tout de suite vu le visage de l'enquêtrice s'affaisser et ses narines se dilater. La RAMQ n'est pas habituée à ce qu'on lui dise non. En général, personne n'ose se rebiffer, et tout le monde finit par s'écraser devant elle, la plupart du temps de guerre lasse, pour en finir avec son harcèlement. Elle nous a signalé clairement que les choses n'allaient pas en rester là. J'en étais déboussolé.

Quelques semaines plus tard, nous recevions finalement le fameux mandat d'enquête, pour constater d'abord que celle-ci avait été ouverte le 30 juillet 2010, soit le jour même de la publication de l'article de Mme Nicoud dans le quotidien *La Presse*. Le fait que la RAMQ ait institué une enquête aussi rapidement, en plein cœur de l'été et des vacances de la construction – une période où le Québec tourne au ralenti et où les affaires gouvernementales et paragouvernementales sont mises en veilleuse –, et de surcroît un vendredi, a clairement alimenté dans mon esprit le sentiment que les gens de la Régie avaient été informés d'avance de la publication de l'article. Peut-être même en étaient-ils les instigateurs…

Deuxièmement, le mandat d'enquête précisait que celle-ci était « ciblée ». Dans le vocabulaire de la Régie, une enquête peut être complète, partielle ou ciblée. Mais la RAMQ n'a jamais voulu préciser ce que l'un ou l'autre terme signifiait à ses yeux. La seule réponse donnée verbalement à mon avocat par le contentieux de l'organisme a été qu'il s'agissait là de « terminologie interne ».

L'envoi par la RAMQ du mandat d'enquête était par ailleurs assorti d'une nouvelle demande de produire la facture des Laboratoires CDL à Physimed pour les analyses de Mme Nicoud. Autrement dit, puisque nous avions maintenant le mandat en main –, et ce, même si la Régie refusait de s'expliquer sur certains termes –, il ne nous restait plus qu'à nous exécuter et à remettre le document demandé. De nouveau, Me Frère a indiqué à la RAMQ que ce document était relatif à des services non assurés et qu'en faisant une telle demande, elle outrepassait ses compétences.

•••

Plusieurs mois s'écoulent jusqu'à ce que se produisent deux événements presque simultanés.

Le 30 novembre 2011, je reçois un appel plutôt courtois du Dr Jean-Claude Fortin, syndic adjoint du Collège des médecins, qui m'invite à le rencontrer pour lui parler du Programme de dépistage du cancer du poumon de Physimed.

Lorsqu'on m'a diagnostiqué une leucémie en 2009, je me suis empressé de mettre sur pied dans notre clinique un centre de dépistage du cancer afin de permettre de détecter la maladie à temps chez les patients et de leur donner ainsi de meilleures chances de survie. Les cancers du côlon, du sein et de la prostate étaient facilement détectables, tandis que le cancer le plus meurtrier et le plus dévastateur – celui du poumon – ne l'était pas. C'est alors que j'ai travaillé d'arrache-pied pendant près d'un an et demi pour que notre clinique fasse partie d'un prestigieux programme de recherche clinique à l'échelle mondiale piloté par l'Université de New York sur le dépistage précoce du cancer du poumon.

Ce programme, voué à la détection précoce du cancer du poumon chez des patients à risque, fait de Physimed l'un des 60 centres accrédités de cancérologie les plus réputés de la planète, et l'un des deux seuls au Canada, avec le Centre Princess Margaret de Toronto. L'appel du Dr Fortin m'avait un peu surpris, mais j'étais fier de ce programme et heureux d'en discuter avec les gens du Collège. Un rendez-vous avait donc été pris pour la semaine suivante.

Le lendemain, 1er décembre 2011, alors que je viens d'appeler un patient, un huissier se présente chez Physimed et me remet, en pleine salle d'attente, une citation à comparaître. La RAMQ nous intentait une poursuite en Cour supérieure pour obtenir la facture qu'elle s'entêtait à vouloir réclamer à Physimed. Je suis sous le choc. Le cœur me débat, ma bouche devient sèche, je commence à transpirer et à trembler. Je suis obligé de demander à mon patient d'attendre quelques instants. Je suis tellement nerveux que j'ai de la difficulté à bien assimiler ce que je suis en train de lire. Je suis complètement chamboulé, et il me reste plein de patients à voir.

Dès que j'ai un moment, j'appelle Me Frère pour lui annoncer la nouvelle. Il est étonné, mais pas du tout démonté.

«Je comprends votre angoisse, Docteur, me dit-il. Mais vous n'avez pas à vous en faire. Cette facture ne relève pas des compétences de la RAMQ. Elle sera incapable de faire valoir sa demande devant un tribunal.»

À ce moment, je n'ai pas fait le lien avec l'appel de la veille de la part du Collège des médecins. L'ACPM, notre assurance médico-légale, nous conseille en toutes circonstances d'être accompagnés d'un avocat lorsque nous sommes convoqués par le Collège. Mais tout à la fierté de venir expliquer notre programme de dépistage du cancer du poumon et par pure naïveté, je n'ai pas songé une seule seconde que je m'apprêtais à tomber dans un guet-apens.

Je me présente donc aux bureaux du Collège le 7 décembre, accompagné de la D^{re} Jana Taylor, radiologue, professeure à l'Université McGill et responsable du programme. Nous sommes accueillis assez fraîchement par le Dr Fortin, qui nous conduit dans une toute petite pièce où nous rejoint le Dr François Gauthier, le syndic du Collège, dont la présence m'a tout de suite paru bizarre. Que venait faire le grand manitou de la discipline dans une rencontre aussi anodine ? Je n'allais pas tarder à l'apprendre à mes dépens.

Le Dr Gauthier commence par me poser des questions sur Physimed, les services qu'elle offre, l'identité des propriétaires, la répartition des actions, puis se fait de plus en plus direct et agressif. Ne comprenant pas trop ce qui se passe, ma consœur me jette des coups d'œil étonnés et interrogateurs, comme pour me demander si nous nous étions présentés au bon endroit.

— Vous avez des services de laboratoire, Docteur Benhaim ?

— Oui.

— Quelle est la rentabilité de ces services ?

— Que voulez-vous dire ?

Sans raison apparente et de façon assez soudaine, il devient alors très agressif, en me montrant du doigt.

— Vous avez très bien entendu, Docteur. Je veux connaître la rentabilité de vos services de laboratoire. Est-ce que c'est 20 % ? 50 % ? 100 % ? 300 % ?

— Je n'ai pas la réponse comme ça. Ça dépend des analyses à faire, si elles sont individuelles ou profilées, par exemple.

— Non. Vous êtes ici, et vous allez me le dire maintenant.

À ce moment, l'équation s'est faite clairement dans mon esprit. On m'avait convoqué pour parler du dépistage du cancer et maintenant on me posait des questions sur la rentabilité des services de notre clinique. J'avais été invité sous de fausses représentations. On m'avait tendu un piège pour que je me présente là sans avocat.

Pour finir, le Dr Gauthier me lance cette menace dont je vais me rappeler toute ma vie :

— Vous savez, Docteur, on va bientôt mettre un comité sur pied pour s'occuper des médecins comme vous, parce qu'au Collège, on n'aime pas les médecins qui font de l'argent. On va vous amener éventuellement en discipline.

J'étais complètement sonné. Jamais de ma vie on ne m'avait traité de la sorte. Il était clair dans mon esprit que la RAMQ était en collusion avec le Collège pour avoir raison de moi.

À côté de moi, la D^{re} Taylor avait de la difficulté à composer avec ce qui se passait. Elle était venue pour discuter calmement d'un programme et était visiblement intimidée par l'agressivité du Dr Gauthier. Il s'agissait là, de la part de celui-ci, d'un flagrant manque de savoir-vivre.

Finalement, la deuxième moitié de la rencontre d'une heure et quart a porté sur notre programme, mais les questions de nos interlocuteurs étaient superficielles et à connotation nettement négative, ce qui était bien la preuve que les avancées de la médecine au Québec ne les intéressaient guère. Plutôt que d'en tirer une fierté pour le Québec, ils ont traité le programme comme quelque chose de très ordinaire et m'ont lancé, tout au long de la réunion, des regards méprisants, comme si j'étais un indésirable.

Quand je suis sorti de cette rencontre, j'ai tout de suite appelé mon associé Gilles Racine et notre avocat d'entreprise pour leur dire : « Le Collège est dans le coup. La RAMQ et le Collège travaillent ensemble pour nous forcer à remettre la facture de Mme Nicoud. »

La poursuite de la RAMQ et la rencontre avec le syndic du Collège des médecins – qui s'ajoutaient à bien d'autres vexations subies au cours des mois précédents – m'avaient tellement ébranlé que j'avais besoin de soutien psychologique. Jusqu'alors, je n'en avais jamais eu besoin de ma vie. J'avais toujours été solide comme un roc. Mais à ce moment, je cherchais un refuge. Où me tourner ? J'étais très inquiet, car j'étais fort connu dans la communauté médicale et je ne voulais pas que toute cette saga alimente les qu'en-dira-t-on et les mauvaises langues. J'ai donc eu recours aux services du Programme d'aide aux médecins du Québec (PAMQ). Il s'agit d'une organisation autonome à laquelle les médecins québécois peuvent faire appel en cas de difficultés personnelles ou professionnelles, qu'il s'agisse d'épuisement au travail, de détresse psychologique ou de problèmes de dépendance.

En décembre 2011 et janvier 2012, j'ai donc contacté et rencontré à quelques reprises la D^{re} Suzanne Cummings, une femme charmante et extraordinaire qui m'a accueilli à bras ouverts et à qui j'ai raconté les événements des dernières années : mon diagnostic de leucémie, le harcèlement dont j'étais victime de la part de la RAMQ et maintenant les manœuvres d'intimidation du Collège des médecins. Elle m'a été d'un grand secours.

La pierre angulaire du PAMQ – comme, du reste, de tout programme d'aide de ce genre – demeure une stricte confidentialité. Les médecins y recourent de façon volontaire pour parler librement de leurs difficultés, en toute discrétion. Mais comme le Collège des médecins ne respecte pas la vie privée de ceux qui osent se dresser devant lui, j'ai été contraint plus tard de lui remettre une copie de mon dossier du PAMQ, y compris les rapports de mes rencontres avec la D^{re} Cummings.

Le Collège allait faire bien pire encore au cours des années suivantes.

•••

En février 2012, les premières procédures relatives à la poursuite de la RAMQ contre Physimed en Cour supérieure ont débuté.

Lors des interrogatoires préalables, qui ont lieu avant la tenue du procès et qui permettent à chacune des parties d'obtenir des informations sur la cause présentée par la partie adverse, mon avocat a posé des questions à Mmes Tessier et Gagné, qui étaient entourées de quelques avocats. La RAMQ a les poches assez profondes.

Nous n'y avons pas appris grand-chose, toutefois. L'exercice dans son ensemble fut une véritable farce. Jamais de ma vie je n'avais vu un tel étalage de mauvaise foi :

— Mme Tessier, demande Me Frère, vous avez demandé la facture de CDL à Physimed pour les tests de laboratoire de Mme Nicoud. Pourquoi avez-vous besoin de ce document ?

— Objection ! crie un avocat de la RAMQ.

— Mme Tessier, demande encore mon avocat, êtes-vous d'accord pour dire que les services de laboratoire en milieu clinique sont des services non assurés ?

— Objection ! lance la partie adverse.

— Mme Tessier, pourquoi n'avez-vous pas rencontré la journaliste Nicoud dans le cadre de votre enquête ?

— Objection !

Mon avocat avait à peine entrepris son interrogatoire que pas moins de 35 objections avaient déjà été émises par les avocats de la RAMQ.

Excédé, à un certain moment Me Frère a lancé son crayon sur la table et a déclaré :

« Vous ne voulez pas que je pose des questions (…). L'interrogatoire est suspendu, compte tenu des objections qui sont formulées. Et on verra ce que la Cour dira de ces objections. »

Je n'en revenais pas ! Lorsque ces gens débarquent chez vous, ils exigent une transparence, une honnêteté et une intégrité exemplaires. Mais lors de cet interrogatoire, ils se comportaient exactement à l'inverse, comme des gens qui ont tout à cacher. J'ai vraiment été marqué par ce spectacle désolant.

Plusieurs mois s'écoulent avant que les deux parties se retrouvent devant le juge, en octobre. Les avocats de la RAMQ, invoquant un obscur article de loi qui n'est utilisé que de façon exceptionnelle, présentent alors une motion dégageant la Régie de répondre aux questions de la partie adverse. Visiblement contrarié par cette initiative et la jugeant sans doute extrêmement frivole – ce qui était l'évidence même –, le juge informe les parties qu'il en référera au juge en chef de la Cour supérieure, mais prévient les avocats de la Régie qu'ils ont intérêt à avoir les reins très solides à l'égard de cette règle de loi.

Quelques jours plus tard, je recevais un laconique « avis de désistement » de la Régie, annonçant qu'elle renonçait à sa poursuite, sans expliquer le moins du monde les raisons de son geste. Je restai bête devant ce morceau de papier, que j'ai relu à plusieurs reprises pour m'assurer d'avoir bien compris.

Mon avocat, lui, n'était pas surpris outre mesure : il m'avait toujours dit que la RAMQ n'avait pas de cause. La vérité, c'est que ces gens essayaient de nous intimider, parce que cette technique fonctionne la plupart du temps. Quand la Régie dit qu'elle a le droit, les gens la croient ou n'osent pas remettre en question ses prétentions. Ils s'écrasent.

Pas cette fois.

La poursuite intentée contre nous par la RAMQ l'avait été en pure perte. Ces gens-là dilapident les fonds publics dans des causes futiles, mais n'en ont rien à cirer, car ce n'est pas leur argent. Par contre, vous qui avez à vous défendre, devez faire face à une hémorragie de chèques pour payer vos avocats. Ils ont créé la panique et le désarroi dans notre clinique, où du personnel consciencieux traite quotidiennement ses patients avec compétence et compassion, mais ça n'a aucune importance à leurs yeux. Voilà ce qui arrive quand on est affligé d'une bureaucratie sans âme, obèse, inefficace et plus préoccupée d'affirmer son pouvoir que de servir les patients du Québec.

Nous étions quand même relativement soulagés. Peut-être la Régie allait-elle désormais nous laisser en paix, et nous pourrions enfin recommencer à travailler sans être constamment obligés de nous défendre contre ce monstre bureaucratique. Mais quand Me Frère avait parlé à un avocat du contentieux peu après le désistement de la poursuite, il s'était simplement fait dire: « On va s'y prendre d'une autre manière pour obtenir la facture. »

Et, comme de fait, le 30 novembre 2012, la RAMQ envoyait aux Laboratoires CDL, notre fournisseur de services, une nouvelle citation à comparaître pour qu'il produise le document. Furieux, son président, Laurent Amram, m'avait appelé pour me dire: « Qu'est-ce que c'est que cette histoire? La Régie n'a aucune autorité sur moi ni sur mon entreprise. Je n'ai pas de comptes à lui rendre et je ne vais pas lui remettre ce document. »

Donc, la RAMQ avait tenté de m'intimider, ça n'avait pas marché, et elle croyait avoir plus de chance avec CDL.

J'ai dit à Me Frère: « Il faut que ce harcèlement cesse! » Il m'a alors suggéré d'envoyer une mise en demeure au conseil d'administration de la Régie. La mise en demeure transmise aux administrateurs de la RAMQ se lisait en partie comme suit:

«Notre cliente a suffisamment subi d'inconvénients, de tra-
casseries et de dommages dans toute cette histoire sans, en
plus, devoir répondre à des demandes de l'enquêtrice de la
RAMQ qui ne portent pas sur une matière de sa compétence.
Votre organisme doit également cesser d'importuner les relations d'affaires de notre cliente.

« … »

« Soyez en conséquence avisés qu'à moins que vous ne
preniez, à titre d'administrateur, les mesures requises pour
que votre enquêtrice cesse immédiatement de tenter d'obtenir la facture de CDL, notre cliente prendra contre vous personnellement tous les recours appropriés afin qu'elle soit
indemnisée des dommages découlant des gestes illégaux ou
abusifs posés par les préposés de votre organisme et que vous
aurez cautionnés par votre inaction ou votre négligence. »

Mais plutôt que de ramener le bon sens dans les rangs de la
RAMQ, notre mise en demeure déclencha une intensification sans
précédent de ses mesures vexatoires, à laquelle le Collège des médecins – dont le président, le Dr Charles Bernard, était également
membre du conseil d'administration de la RAMQ – allait aussi se
joindre allègrement.

CHAPITRE 10

Le bras vengeur de la RAMQ

Notre lettre de mise en demeure a carrément braqué la RAMQ et le Collège des médecins, déclenchant du même coup trois actions simultanées qui se sont déployées en janvier 2013.

D'abord, le 28 janvier 2013, la RAMQ envoie au propriétaire de Laboratoires CDL une nouvelle citation à comparaître le sommant de produire la fameuse facture. De plus, le document est assorti d'une ordonnance de stricte confidentialité – une mesure exceptionnelle utilisée dans des cas rares – qui obligeait Laurent Amram à ne communiquer avec personne d'autre que son avocat concernant l'existence de la citation à comparaître. En clair, il s'agissait d'un stratagème pour interdire à M. Amram de m'informer de la démarche de la RAMQ et d'écarter Physimed du débat.

Deuxièmement, le lendemain – le 29 janvier 2013 – le syndic adjoint du Collège des médecins, le Dr Louis Prévost, demande au directeur médical de Physimed de lui transmettre la copie intégrale du dossier médical de la journaliste Nicoud. C'était la première fois que le Collège se manifestait officiellement dans cette affaire, et lorsqu'il lui a transmis le dossier en question, Me Frère a jugé bon d'accompagner son envoi d'une lettre enjoignant le Collège à ne pas agir comme le bras vengeur de la RAMQ. « Nous espérons donc que la Régie ne tente pas d'utiliser le bureau du syndic du Collège des médecins pour arriver indirectement à ses fins. » Du même souffle, il demandait au Dr Prévost de lui dire qui avait réclamé la tenue de son enquête dans ce dossier et pour quelle raison. Le 18 mars, le Dr Prévost lui répondait qu'il n'avait pas à lui révéler ces choses.

Enfin, pour faire bonne mesure, le président du Conseil d'administration de la Régie, Me Michel Lamontagne, dépose une plainte officielle auprès du syndic du Barreau du Québec contre mon avocat pour avoir osé envoyer une lettre de mise en demeure. Difficile de trouver une manœuvre plus frivole et intéressée – dont l'objectif était uniquement de déstabiliser Me Frère et, bien entendu, nous, par la bande –, mais celui-ci a quand même dû gérer cette plainte pendant six mois pour finalement ne subir aucun blâme.

J'avais l'impression d'avancer sur un champ de bataille où les bombes tombaient tout autour de moi, frappant mon entourage sans jamais m'atteindre directement. Mais déjà, je me doutais bien que je ne perdais rien pour attendre.

Avant même qu'on lui serve une nouvelle citation à comparaître assortie d'une ordonnance de confidentialité, le propriétaire de Laboratoires CDL m'avait confié au téléphone : « Quoi qu'il arrive, je vais me défendre. Il n'est pas question qu'ils me marchent sur les pieds. » Et effectivement, à la mi-février, il instituait auprès de la Cour supérieure une requête introductive d'instance en révision judiciaire et cassation de citation à comparaître. La cause fut entendue par le juge David Collier qui, le 28 juin 2013, déboutait la RAMQ. Le juge concluait que l'enquêtrice Tessier n'avait pas le pouvoir d'assigner M. Amram dans le cadre de son enquête et que l'ordonnance de confidentialité dont la Régie avait assorti son assignation à produire le document était illégale. Reprochant à la RAMQ ses méthodes d'enquête, il concluait ainsi :

> « En fait, l'objet de l'ordonnance en question semble être de dissimuler à Physimed le fait que la RAMQ exige maintenant des informations de CDL, à la suite du refus de Physimed de les fournir. Or, Physimed est la principale intéressée en l'espèce et elle a le droit d'être informée des démarches de la RAMQ.

En l'occurrence, la décision de l'enquêteur d'émettre une ordonnance de confidentialité à l'égard de monsieur A… n'a aucune assise juridique valable, est déraisonnable, et doit être cassée. »

Quelques jours plus tard, mon avocat transmettait à la syndique adjointe du Barreau du Québec, Me Mallette, une copie du jugement de la Cour supérieure qui concluait à l'illégalité de la demande de la RAMQ – et donc à la pertinence de la mise en demeure envoyée par Me Frère avant les Fêtes. Le 31 juillet, la syndique adjointe fermait le dossier d'enquête à l'égard de Me Frère.

Encore une fois, les manœuvres d'intimidation et de harcèlement de la Régie avaient échoué.

●●●

Le jugement Collier nous avait évidemment soulagés, mais au cours des mois précédents, le Collège des médecins avait aussi entamé de son côté des manœuvres qui nous ont passablement surpris. En avril, mai et juin, trois médecins de Physimed avaient en effet subi une inspection par le Collège, ce qui était tout à fait inhabituel.

Le 30 mai, le Dr X. – celui-là même qui avait examiné la journaliste-patiente Nicoud en juin 2010 – avait aussi passé un mauvais quart d'heure en compagnie du syndic adjoint du Collège, le Dr Louis Prévost. Celui-ci lui avait posé beaucoup de questions insidieuses et tendancieuses, évoquant notamment des ristournes de la clinique pour chaque test de laboratoire qu'il prescrivait et exigeant de voir les factures du loyer mensuel qu'il versait à Physimed.

Quand le Dr X. est sorti de cette rencontre de près de trois heures, il était moralement en lambeaux, traumatisé, et ne s'en est d'ailleurs jamais vraiment remis. Il a dû cesser de pratiquer la médecine pendant plusieurs jours, n'a repris sa pratique que progressivement et n'a jamais retrouvé son rythme de travail d'antan. Depuis, il pratique sur la défensive, n'accepte aucun nouveau patient, ne prend plus de patients sans rendez-vous, ne travaille plus dans notre clinique d'urgence et demeure constamment sur ses gardes. C'est à peine s'il accepte de prendre un patient de longue date de la clinique pour prendre la relève d'un médecin qui a pris sa retraite, et encore ne le fait-il qu'après une rigoureuse vérification.

En fait, une fois la Régie ayant épuisé ses recours judiciaires dans le dossier, il était à craindre que le Collège des médecins ne prenne la relève, comme l'avait soupçonné mon avocat. Effectivement, le 15 juillet – deux semaines à peine après le jugement Collier –, je recevais une lettre recommandée du Dr Yves Gervais, du Collège, m'informant qu'il procéderait à une inspection de ma pratique.

Donc, après avoir frappé en périphérie (Laurent Amram, Me Frère, le Dr X.), l'ennemi s'en prenait désormais directement à moi, malgré le fait que je n'avais jamais rencontré ni examiné la journaliste, ne lui avais jamais prescrit de tests et encore moins réclamé un quelconque montant d'argent. Par ailleurs, à l'époque, je ne faisais l'objet d'aucune plainte de patient et mon dossier disciplinaire était complètement vierge.

De toute évidence, il y avait anguille sous roche. J'ai aussitôt appelé l'ACPM, notre assurance médico-légale, pour qu'elle m'assigne un avocat. Le médecin-conseil avec qui je me suis entretenu me dit alors qu'il n'y a pas là matière à requérir un avocat et que de telles inspections professionnelles sont monnaie courante. « Ils vont se présenter à votre bureau, vous demander une cinquantaine de dossiers, vous poser quelques questions. C'est l'affaire de quelques heures. Ne vous inquiétez pas. L'inspection professionnelle n'a pas été conçue pour punir les médecins. En général, ce type d'inspection se solde par des recommandations pour vous permettre de vous améliorer et d'optimiser la tenue de vos dossiers. Si l'inspection dérape, vous nous rappellerez. »

Je ne suis pas paranoïaque, je ne l'ai jamais été. Cependant, je suis lucide et logique. Je ne pouvais croire qu'il s'agissait là d'une simple inspection de routine. Pas après tout ce que la Régie me faisait vivre depuis trois ans. Me Frère était du même avis. Je communique ensuite avec le Dr Godin – le président de ma fédération, que je tenais régulièrement au courant –, à qui je fais part dans un courriel de mon pressentiment que les dés sont pipés et que les choses vont mal tourner. Mais il me fait comprendre que je n'ai pas le choix : il faut que je me soumette à cette inspection.

À l'époque – juste avant le jugement Collier au printemps 2013, Jacques Cotton venait d'être transféré du ministère de la Santé pour entrer en fonction à titre de président-directeur général de la RAMQ, en remplacement de Marc Giroux. Devant l'avalanche de mesures vexatoires de la Régie à mon endroit, le président de la FMOQ m'avait dit : « Il y a sûrement quelqu'un au sein de la Régie qui vous en veut et qui abuse de ses pouvoirs. Je vais laisser le temps à M. Cotton de prendre son poste et, le moment venu, je lui parlerai de votre cas en tête à tête. » La rencontre a finalement eu lieu en septembre 2013. À ma grande surprise et à celle du Dr Godin, le nouveau patron de la RAMQ était parfaitement au courant de mon dossier. « Je lui ai demandé qui tirait les ficelles dans votre dossier et il m'a dit que ça venait d'en haut. » Le Dr Godin s'en est tenu à ça. Qu'est-ce que ça voulait bien dire ?

Le 26 octobre suivant, je reçois un appel du Dr François Goulet, directeur adjoint de l'amélioration de l'exercice au Collège des médecins, qui m'annonce que l'inspection annoncée en juillet aurait lieu le 27 novembre et se passerait non pas à la clinique, mais aux bureaux du Collège.

— Mais je ne comprends pas, Docteur, dis-je. On m'avait dit que ces inspections se passaient en clinique, que vous regarderiez mes dossiers, examineriez ma démarche clinique, etc.

— Non, ça se passera au Collège, dans le cadre d'une EOS.

— Une quoi ?

— Une entrevue orale structurée.

Je pratiquais la médecine depuis déjà plus de 25 ans et jamais de ma vie je n'avais entendu parler d'une telle chose.

— C'est un examen d'une journée que vous allez compléter devant un panel de médecins. On vous présentera 20 cas avec des acteurs dans des mises en situation. C'est pour tester vos connaissances. C'est un outil d'inspection professionnelle parmi d'autres.

Il banalisait l'affaire au maximum. Mais pour que le terme même d'EOS me soit entièrement inconnu, il fallait que ce soit tout sauf banal.

— Comment puis-je me préparer à cet examen ? ai-je demandé au Dr Goulet. Où puis-je trouver de l'information ?

— Vous ne trouverez ça nulle part. C'est entièrement secret. On ne dévoile pas ce type d'examen ni son contenu.

— Mais comment voulez-vous que je me prépare si je ne sais pas de quoi il retourne?

— Écoutez, ce n'est rien de compliqué. Vous connaissez votre médecine.

— Oui, mais j'aimerais quand même savoir à quoi m'en tenir, car je n'ai pas subi d'examen depuis près de 30 ans.

— Si vous y tenez, je peux vous rencontrer la veille pour vous expliquer en quoi ça consiste.

— La veille? Vous n'êtes pas sérieux. Vous trouvez ça normal?

— Si vous insistez, on peut se rencontrer la semaine précédente. Disons le 20?

J'appelle l'ACPM et je raconte à la médecin-conseil l'étrange conversation téléphonique que je viens d'avoir avec le Dr Goulet.

— Quoi? Vous allez passer une EOS? Donc, ils sont venus à votre clinique, ils ont inspecté vos dossiers et ils ont trouvé des lacunes majeures dans votre pratique?

Elle a dû me poser la question trois ou quatre fois.

— Pas du tout! Ils ne sont jamais venus à la clinique, dis-je.

— Mais ce n'est pas possible. On ne convoque pas un médecin de famille en EOS si on n'a pas d'abord inspecté sa pratique. Discutez-en avec le président de votre fédération.

Elle paraissait vraiment alarmée.

J'envoie donc un courriel au Dr Godin avec copie à Me Pierre Belzile et Me Christiane Larouche, du contentieux de la FMOQ. Le Dr Godin m'appelle aussitôt. Il ne comprend vraiment pas.

— Parlez-en à Me Larouche, dit-il. Elle a de l'expérience là-dedans.

Il se trouve que ce jour-là, je donnais une conférence sur l'informatisation des cliniques à Laval, dans le cadre d'un événement organisé par la FMOQ, et que Me Larouche me précédait à la tribune. Après ma présentation, elle vient me voir et me dit:

— Docteur Benhaim, j'ai lu votre courriel. C'est une catastrophe! Je n'ai jamais vu un médecin généraliste envoyé d'emblée en EOS. Ce n'est pas comme une inspection professionnelle dans votre cabinet. Vous savez qu'ils pourraient suspendre votre permis ? Ils pourraient vous déclarer incompétent et vous envoyer suivre des stages.

— Qu'est-ce que vous me conseillez ?

— Vous devez comprendre pourquoi ils vous envoient en EOS. Ce n'est pas normal.

Je commence vraiment à être très inquiet. Je communique avec Me Frère.

— C'est pas possible qu'on vous envoie directement en EOS, soutient mon avocat. L'EOS n'est pas fait pour ça. C'est plutôt pour des médecins qui ont de grosses lacunes, des gens d'un certain âge qui ont des troubles cognitifs.

J'étais renversé par le fait que mon ordre professionnel puisse me considérer comme un cas lourd d'incompétence.

Me Frère me souligne lui aussi que je dois absolument savoir pour quelle raison je suis convoqué en EOS. Il ajoute par ailleurs qu'en vertu de l'article 12 du Règlement sur le comité d'inspection professionnelle du Collège des médecins, j'ai le droit de consulter mon dossier et d'en obtenir copie et qu'il n'existe aucune disposition prévoyant que cela puisse m'être refusé.

Le 24 octobre, j'écris au Dr Marc Billard, secrétaire du comité d'inspection professionnelle du Collège, pour lui demander copie de mon dossier d'inspection professionnelle. Il me rappelle une semaine plus tard pour me dire, sur un ton assez sec, que ma demande est refusée.

— Mais je ne comprends pas, dis-je. L'article 12 m'en donne le droit.

— Oui, mais on ne vous le donnera pas.

— Puis-je savoir pourquoi ?

— C'est ce que nous avons décidé. Nous vous le remettrons éventuellement après que vous aurez passé l'EOS.

— Pourriez-vous me confirmer cela par écrit ?

— Non. Je vous ai donné la réponse par téléphone. Ça suffit.

Je parle à Me Frère, qui est totalement pris au dépourvu. Il était minuit moins cinq. Si nous empruntions la voie judiciaire pour contester cette démarche, la décision ne serait pas rendue avant la tenue de l'EOS. Et si je ne me présentais pas à l'EOS, mon permis serait suspendu. La situation était sans issue.

J'avais l'impression de me trouver dans une ruelle sombre, en pleine nuit. Je savais que je serais passé à tabac, mais je ne savais pas pourquoi ni d'où les coups viendraient, ni qui les porterait. Et tout le monde autour de moi me disait : « Désolé mon vieux, mais tu n'as pas le choix : il faut y aller. »

C'étaient des moments où je broyais beaucoup de noir. L'incertitude, l'insécurité, le sentiment d'injustice et la situation absolument kafkaïenne dans laquelle je nageais ; tout cela minait profondément ma santé physique et mentale. J'étais incapable de pratiquer la médecine, de me concentrer sur mes patients, d'être attentif à leurs besoins. J'ai cessé de pratiquer pendant quelques jours et je suis retourné voir la D^{re} Cummings, du PAMQ, qui m'a beaucoup soutenu durant cette période difficile. J'en avais vraiment besoin ; je ne sais pas ce que j'aurais fait sans elle.

C'est dans ce contexte que s'est produite une situation absolument curieuse et inattendue. Le 12 novembre 2013, je recevais en effet un courriel du Dr André Jacques, qui agissait alors comme conseiller principal du président du Collège des médecins. Il m'invitait à prononcer une conférence, sur le thème du privé dans l'offre des soins de santé, lors d'un colloque en marge de l'Assemblée annuelle du Collège, prévue le 9 mai 2014 à Québec.

Ce type d'invitation était alors monnaie courante pour moi. Je prenais régulièrement la parole dans une foule d'événements pour expliquer le rôle du privé dans le système de santé. Mais cette fois, venant d'une organisation qui tentait visiblement de me faire passer pour un médecin incompétent, il y avait de quoi être étonné. J'ai même songé à une mauvaise blague.

Mais un peu plus tard dans la journée, le Dr Jacques m'appelait pour m'expliquer qu'il tenait vraiment à ce que je participe à cet événement – le plus important de l'année pour le Collège des médecins – où plus de 500 médecins allaient être présents, dont le ministre de la Santé. Il était chargé d'organiser cet événement et mon nom lui avait été fortement recommandé, compte tenu de ma réputation dans la communauté médicale, m'avait-il dit.

Donc, même si le Collège s'acharnait contre moi, ma crédibilité dans le milieu médical demeurait intacte. C'était toujours ça de pris.

Quelque temps plus tard, j'ai rappelé le Dr Jacques pour lui confirmer ma participation comme conférencier à l'Assemblée annuelle du Collège.

• • •

Mais je n'étais pas encore au bout de mes peines. Le 18 novembre 2013 – deux jours avant la rencontre prévue avec le Dr Goulet pour préparer l'EOS de la semaine suivante – je reçois une lettre recommandée du Collège des médecins qui me convoque pour le 2 décembre à une rencontre avec le syndic dans le cadre d'une enquête, mais sans mentionner sur quoi celle-ci porte. J'étais déjà extrêmement stressé avec cette histoire d'EOS. Mais voilà que maintenant, le Collège m'attaquait par surprise sur un autre front. Décidément, quand le Collège décide de vous attaquer, il n'y va pas de main morte. Là, la marmite était sur le point de sauter.

J'appelle donc l'ACPM, dont le médecin-conseil commençait pas mal à me connaître. Elle m'assigne aussitôt un avocat, Me Robert-Jean Chénier, qui s'était occupé de moi quelque temps auparavant dans le dossier de la fausse dénonciation auprès de la RAMQ par un compétiteur. Il m'appelle le soir même pour fixer un rendez-vous de préparation de la rencontre avec le syndic. Au fil de la brève conversation, je lui apprends que j'ai une rencontre le surlendemain à 15 h pour préparer l'EOS.

« Il n'est pas question de vous présenter seul à ce rendez-vous, me dit Me Chénier. J'y vais avec vous. »

Quelques jours plus tôt, le Dr Godin m'avait aussi affecté un médecin observateur à ma rencontre préparatoire à l'EOS. Il s'agissait du Dr Michel Vachon, qui était alors président de l'Association des médecins omnipraticiens de Montréal.

Le 20 novembre, nous nous présentons donc tous les trois – Me Chénier, le Dr Vachon et moi – aux bureaux du Collège des médecins, où nous sommes accueillis assez chaleureusement par le Dr Goulet.

« Si vous réussissez l'EOS, dit-il, on va vous serrer la main et vous féliciter. Par contre, si vous échouez, on va suspendre votre permis de pratique et vous envoyer faire des stages d'une durée variable qui pourrait s'échelonner sur plusieurs mois. Une fois ces stages complétés avec succès, on verra à vous retourner à la pratique. »

Pendant qu'il racontait cela, je me demandais comment, si je coulais cet examen, j'allais paraître aux yeux des quelque 80 médecins et 30 autres professionnels de notre clinique, dont je suis le président, le leader, celui à qui ils viennent régulièrement demander conseil. Je pensais également à l'ensemble de mes collègues de la communauté médicale que je côtoyais régulièrement dans mes fonctions de chef adjoint du département régional de médecine générale (DRMG) de Montréal. Je vivais un véritable cauchemar !

Le Dr Goulet nous explique par la suite en quoi consiste l'EOS : une vingtaine de mises en situation avec des acteurs, un panel de médecins qui posent des questions, etc.

J'avais préparé une série de questions, que j'ai commencé à poser au Dr Goulet, afin d'en savoir plus. À un certain moment, il m'interrompt en me disant : « Je vais vous soumettre trois cas et je crois que ça va répondre à la plupart de vos questions. » Puis il me soumet ces cas typiques qu'on traite en cabinet et que je résous haut la main. Apparemment surpris, il me dit alors :

— Vous, Docteur Benhaim, vous n'aurez aucun problème à passer cet examen.

À quelques reprises au cours de la rencontre, le Dr Goulet s'était écrié : « Mais vous êtes donc bien jeune, vous ! » Je trouvais cette remarque bizarre et totalement hors de propos. Je ne comprenais pas ce qu'il voulait dire. À un moment donné, Me Chénier saisit la balle au bond.

— Justement, Docteur. Pouvez-vous nous expliquer pourquoi le Dr Benhaim est ici ? Vous savez comme moi qu'il n'est pas le genre de médecin à qui on fait passer des EOS.

Hésitant, le Dr Goulet répond :

— Écoutez, je ne suis pas au courant. On m'a demandé de lui administrer une EOS. C'est tout.

Et tout à coup, comme un lapin d'un chapeau, il sort de son cartable une liasse d'une trentaine de pages en disant :

— Docteur Benhaim, voici un examen que j'aimerais que vous passiez dans la salle d'à côté.

— Comment ça, un examen ?

— Ça s'appelle un test de concordance de script.

— Un test de quoi ?

— CON-COR-DANCE de script.

— Est-ce que ça fait partie de l'EOS ?

— Oui, absolument.

— Mais l'EOS est censée se tenir la semaine prochaine.

— Eh bien, ce sont des questions pour tester vos connaissances en médecine, de manière qu'on puisse établir une corrélation entre vos connaissances et les réponses que vous allez donner aux questions du panel de médecins.

— Avant de passer ce test, Docteur Goulet, il me reste des questions à vous poser.

— Bien sûr, allez-y.

— Quel est le barème des notes ? Parmi les 20 cas que vous allez me soumettre, y en a-t-il qui sont plus importants que d'autres ?

À cette question pourtant simple et claire, il répond dans un charabia incompréhensible et je lui demande de répéter. Je n'arrive toujours pas à comprendre. Je me tourne alors vers le Dr Vachon.

— Vous comprenez ce qu'il dit, Docteur ?

— Non.

— Maître Chénier ?

— Non plus.

Je passe alors à d'autres questions pour me heurter chaque fois à une espèce de logorrhée sans queue ni tête. Aucun moyen de connaître le barème des notes, de savoir la note de passage, de comprendre la relation entre le test de concordance de script et l'examen devant un panel de médecins avec des acteurs. C'est à n'y rien comprendre ! Enfin, je tente une dernière salve de questions.

— Après que j'aurai écrit mon examen, est-ce que je peux partir avec mes notes, mes brouillons ?

— Non. Vous devez tout laisser en place.

— Est-ce que je peux filmer en audio et vidéo la séance d'examen ? J'en conserve une copie et je vous laisse l'autre ?

— Impossible. La confidentialité des patients doit être protégée.

— Vous n'êtes pas sérieux ? Ce sont des acteurs !

De toute évidence, le Dr Goulet devenait de plus en plus embarrassé. Plus il parlait, plus il s'enfonçait.

— Écoutez, Docteur Goulet, vous m'insécurisez. Je viens ici de bonne foi pour me préparer à un examen. Je vous pose des questions pourtant simples, et vous êtes incapable de me répondre. Je ne comprends pas pourquoi je suis ici. Je suis stressé, je consulte au PAMQ. Je n'en peux plus.

Puis Me Chénier est entré dans l'arène.

— Pouvez-vous nous dire ce qu'on fait ici ? Le Dr Benhaim est emmené en EOS sans avoir été inspecté à son bureau. Il essaie d'en connaître la raison et on ne lui donne pas d'explication. On refuse de lui laisser voir son dossier et on refuse de le mettre par écrit. Et pour couronner le tout, il vient d'être convoqué par le syndic pour une enquête.

Et Me Chénier explique ensuite toute la saga avec la RAMQ, qui durait alors depuis trois ans et demi.

Soudainement, à notre grande surprise, le Dr Goulet déclare :

— Écoutez, Docteur Benhaim, on va faire une chose. Je vais annuler votre EOS. Vous verrez le Dr Prévost pour l'enquête. Vous, Maître Chénier, vous allez consulter le Dr Billard pour comprendre pourquoi le Dr Benhaim est ici. Je suis un homme intègre. Je vois ce qui se passe. J'annule indéfiniment l'EOS. Donc, vous n'avez pas à vous présenter la semaine prochaine. Si toutefois, en fin de compte, une fois que vous avez complété ce processus, il fallait procéder à une inspection professionnelle, on passera par une inspection en cabinet ou autrement.

J'avais du mal à en croire mes oreilles. J'étais sidéré.

Il nous offre même de mettre le tout par écrit, en répétant à plusieurs reprises : « Vous savez, je suis un homme intègre. » Mais mon avocat et moi décidons de nous fier à sa parole, une chose – pour l'avoir malheureusement apprise à mes dépens – qu'il ne faut jamais faire avec un représentant du Collège des médecins.

Puis il ajoute une brève phrase, en passant, comme pour répondre à la question de savoir pourquoi on m'avait envoyé en EOS :

« Écoutez, la seule chose que je peux vous dire, c'est qu'on m'a fait savoir que vos notes étaient illisibles. »

Il s'agissait là d'une accusation frivole et surtout mensongère, puisque chez Physimed, les dossiers de nos patients sont entièrement informatisés. J'ai été l'un des pionniers de l'informatisation des dossiers médicaux au Québec et à ce titre, j'étais régulièrement invité à donner des conférences afin d'inciter la communauté médicale à s'informatiser. Par ailleurs, les notes dans mes dossiers sont entrées par reconnaissance vocale, ce qui veut dire qu'elles étaient entièrement dactylographiées. Nous avions investi voilà déjà plusieurs mois dans cette technologie pour optimiser la saisie des notes cliniques par nos médecins.

Mais il y avait quand même quelque chose de troublant dans cet aveu du Dr Goulet. Comment les gens du Collège pouvaient-ils prétendre avoir vu mes notes et mes dossiers alors qu'ils n'étaient même pas venus faire une inspection de ma clinique ?

Quoi qu'il en soit, l'EOS était annulée. J'ai su par la suite que c'était la première fois qu'une telle chose se produisait. C'était au moins une bonne nouvelle.

Je croyais rêver. Mais le réveil allait être rapide et brutal.

CHAPITRE 11

Mentez, mentez, il en restera toujours quelque chose

Après ma rencontre du 20 novembre 2013 avec le Dr Goulet au Collège des médecins, j'étais à la fois soulagé et épuisé. Une partie de moi désirait célébrer avec ma femme – qui était morte d'inquiétude – cette petite victoire, mais mon instinct me disait que je devais passer outre et plutôt documenter ce qui était arrivé durant cette étrange rencontre. Ainsi, aussitôt rentré chez moi, je me suis assis devant mon ordinateur et j'ai pondu plus de 10 pages avec les moindres détails, que j'ai aussitôt envoyées par courriel à mon avocat. J'ai également envoyé ce récit au Dr Godin, le président de ma fédération, en le remerciant de m'avoir envoyé le Dr Michel Vachon comme observateur et en lui demandant de faire corroborer mon récit par ce dernier.

Cinq jours après – le 25 novembre 2013 –, je recevais à mon domicile une lettre recommandée du Collège des médecins, signée par le Dr Goulet, me convoquant à une nouvelle entrevue orale structurée (EOS) le 5 février 2014.

Ainsi donc, celui qui, quelques jours auparavant, se drapait dans le manteau de son intégrité montrait qu'il était absolument nu en dessous. Il reniait sa parole aussitôt après l'avoir donnée et ne daignait même pas en expliquer les raisons. Voilà pour M. Intégrité.

Il était clair à mes yeux et à ceux de mon avocat que le Dr Goulet avait été contraint d'agir ainsi par un haut placé du Collège qui se cachait derrière ses subordonnés.

Quand j'ai lu cette lettre, je me suis dit qu'il n'y avait plus d'espoir, plus d'issue, que je m'en allais directement à l'abattoir. J'étais terrifié, confus et envahi par un profond sentiment d'impuissance. Mon anxiété était telle que j'en tremblais de tout mon corps. J'avais du mal à reprendre le contrôle. J'ai dû m'absenter du travail, annuler mes rendez-vous avec mes patients. J'étais devenu dysfonctionnel.

Il était évident que les gens du Collège étaient mal intentionnés et voulaient me détruire. Mais comment le prouver ?

J'étais convoqué à un examen biaisé, un examen bidon dont l'unique objectif était de me sanctionner comme médecin incompétent, l'un des pires châtiments qu'on puisse imaginer, qui ferait de moi un «indésirable». Je comprenais maintenant le jeu du Collège : en étant déclaré incompétent, je perdais toute crédibilité si d'aventure je recourais aux tribunaux pour obtenir justice. Car en médecine, comme dans tous les autres domaines de la vie, l'erreur est humaine. Même si elle n'est pas excusable, on peut pardonner une erreur. Mais l'incompétence est au-dessous de tout. L'incompétence n'est pas pardonnable. Une fois au tribunal, ils auraient beau jeu de dire au juge : «Vous savez, votre Honneur, ce doc-là, c'est un incompétent. Nous avons dû suspendre son permis de pratique à la suite d'une évaluation objective.»

Et le plus humiliant, c'est que j'allais me faire juger par des pairs dont je n'aurais jamais hésité à faire comparer ma compétence de médecin à la leur.

Pendant ce temps, début décembre, je devais aussi faire face à l'enquête du syndic, que j'avais rencontré le 16, ce qui ne fut pas précisément une partie de plaisir (et que j'évoquerai dans un chapitre ultérieur). J'avais donc, à l'époque, deux fusils sur la tempe : celui de l'inspection professionnelle et celui de l'enquête du syndic. Et dans chacun des cas, je ne comprenais ni pourquoi je faisais l'objet d'une enquête, ni pourquoi on remettait en question ma compétence de médecin en me convoquant à une EOS. Et d'ailleurs, personne autour de moi ne comprenait non plus : ni la D^{re} Cummings du

PAMQ, ni les gens de la FMOQ, ni mes avocats, ni mes collègues, ni mon entourage.

Je paniquais.

J'avais connu mon lot de difficultés dans le passé, mais jamais je ne les avais considérées comme insurmontables. Mais ce moment est vraiment le plus bas que j'ai connu dans ma vie. C'est une période où mon moral était complètement à plat, où ma santé se détériorait, où je maigrissais à vue d'œil, où je ne dormais plus, où mes nerfs étaient à fleur de peau, où j'étais constamment habité par des idées noires. Je ne suis pas allé jusqu'à songer sérieusement au suicide, mais, à plusieurs reprises, j'ai eu le sentiment que si ma leucémie se compliquait et que j'en décédais ou si jamais j'étais renversé par une voiture, ce ne serait pas une si mauvaise chose ; ce serait la fin de mes soucis. Je n'en pouvais plus.

• • •

Lorsque j'ai appelé mon avocat, Me Chénier, pour lui apprendre que j'étais convoqué à une nouvelle EOS, il n'en revenait pas. « Mais c'est quoi, ce truc-là ? C'est du harcèlement ! Ça n'a pas de bon sens ! On ne va pas laisser ça comme ça ! On va contester ça. »

Je me demandais vraiment comment il allait s'y prendre face à des gens qui ne respectaient rien et avaient tous les pouvoirs. Il m'explique alors qu'il allait d'abord écrire à la présidente du comité d'inspection professionnelle du Collège, la D^{re} Josée Courchesne – qui n'était pas une employée de l'organisation – en lui laissant entendre, par le ton de la lettre, que nous nous apprêtions à porter cette question devant un tribunal. La lettre de huit pages, largement inspirée du résumé que j'avais moi-même rédigé le soir même de notre rencontre du 20 novembre avec le Dr Goulet, fut envoyée le 4 décembre.

Me Chénier proposa également de transmettre au comité d'inspection professionnelle un rapport d'expertise de l'inspection de ma pratique menée par un expert indépendant de la ville de Québec – que je ne connaissais pas – et aux services duquel le Collège recourait de temps à autre. Le Dr Jacques Frenette – qui enseignait aussi à l'Université Laval – effectua son inspection à la mi-décembre et transmit rapidement son rapport qui témoignait que la tenue de mes dossiers cliniques était tout à fait conforme aux normes du Collège.

Néanmoins, la confiance de mon avocat demeurait limitée. Il m'a confié à ce moment : « J'entame ce processus, Docteur, mais sans vouloir être pessimiste, je n'ai pas beaucoup d'espoir que l'EOS sera annulée. Donc, préparez-vous mentalement à devoir la subir. Car si on doit se tourner vers la Cour supérieure pour la contester, on ne sera jamais entendu avant le 5 février, et si vous ne vous présentez pas à cet examen, ils vont suspendre immédiatement votre permis. »

J'espérais avoir des nouvelles rapidement de la séance du Comité d'inspection professionnelle, qui siégeait le 17 janvier. À plusieurs reprises, Me Chénier communiqua avec le Collège pour être informé de la décision, mais on lui répondait chaque fois qu'on allait nous informer de la décision par écrit. Les jours, les heures et les minutes me semblaient une éternité.

Finalement, mon avocat reçoit par télécopieur la communication du Collège le 28 janvier : l'EOS est officiellement annulée par le comité d'inspection professionnelle et remplacée par une inspection en cabinet.

Quel soulagement ! C'était comme si à deux reprises on m'avait amené à la chaise électrique, qu'on m'avait installé, ligoté et fait poireauter là pendant des heures, puis qu'on avait annulé le tout chaque fois à minuit moins cinq.

● ● ●

Quelques semaines plus tard, en avril 2014, je reçois un appel du Dr Yves Gervais, du Collège des médecins, qui désire fixer avec moi une date pour l'inspection en cabinet, conformément à la décision du 17 janvier du Comité d'inspection professionnelle. Je lui apprends alors que malheureusement je suis en arrêt de travail depuis le début du mois de mars, sur ordre de mon oncologue, et que je ne sais pas quand je retournerai à ma pratique. Il paraît ébranlé par la nouvelle, se dit désolé de m'avoir importuné et me propose de le rappeler plus tard pour le tenir au courant de l'évolution de mon état de santé et l'informer du moment où je serai de nouveau sur pied. Puis, comme nous nous apprêtons à conclure son appel somme toute assez courtois et empathique, il me dit : « Vous savez, Docteur Benhaim, j'ai lu les procédures que vous avez déposées devant la Cour supérieure du Québec et j'aimerais vous dire que l'inspection professionnelle n'a rien à voir avec ce qui s'est passé entre vous et la RAMQ. Je voulais que vous le sachiez. »

En effet, quelques semaines auparavant, Physimed avait déposé devant la Cour supérieure une poursuite contre la RAMQ, le Collège des médecins et son syndic adjoint pour demander à la cour de trancher à savoir si Physimed était tenue de remettre au Collège la fameuse facture de CDL concernant les services de laboratoire fournis à Physimed pour les analyses de la journaliste Nicoud.

— Je suis content de l'entendre, dis-je, car jusqu'à présent, personne au Collège ne m'explique rien. Vous me rassurez. Mais puisque vous soulevez la question, Docteur Gervais, pouvez-vous m'expliquer pourquoi j'ai été envoyé d'emblée en entrevue orale structurée sans passer d'abord par une inspection en cabinet ?

— Je l'ignore. Je n'en ai aucune idée.

— Mais pourtant, c'est vous qui m'avez envoyé la première lettre au mois de juillet dernier, m'informant que je serais inspecté.

— Je sais, mais on ne m'a pas mis au courant des motifs de votre EOS.

— Docteur Gervais, qui va me répondre ? J'ai demandé au Dr Goulet ; il prétend ne pas être au courant. Vous me dites que vous n'êtes pas au courant non plus. J'ai demandé à voir une copie de mon dossier ; le Dr Billard me l'a refusé et n'a pas voulu me confirmer son refus par écrit. Vous savez que je vis un stress énorme. Mettez-vous à ma place.

— J'aimerais vous aider, Docteur Benhaim, mais je n'ai pas cette information. Je suis désolé.

Ce n'est qu'un an plus tard, en mars 2015, que je réussis à réunir certaines pièces manquantes du puzzle que constitue mon inspection professionnelle du Collège des médecins.

Comme je l'ai mentionné, Physimed avait intenté en février 2014 une poursuite en Cour supérieure contre la RAMQ, le Collège des médecins et son syndic adjoint. Un tel processus débute par la présentation de ce qu'on appelle une requête introductive d'instance, un document dans lequel la partie demanderesse expose les faits sur lesquels elle fonde sa poursuite. Par la suite, la partie intimée dépose devant la cour sa propre défense en réponse à la requête introductive d'instance. C'est à ce moment précis que j'ai découvert des choses qui m'ont carrément fait frémir.

Ainsi, le Collège allègue notamment dans sa défense que son inspection de ma pratique a été déclenchée à la suite de l'inspection d'un autre médecin de Physimed effectuée le 22 avril 2013. L'inspecteur du Collège – qui n'était nul autre que le Dr Gervais – aurait soi-disant constaté que les dossiers de mes patients étaient «nettement insuffisants et soulevaient des interrogations sur la qualité de mon exercice de la médecine». C'est alors que le Dr Gervais m'aurait dénoncé au Collège des médecins en plaçant mon nom sur une sorte de «liste noire» appelée «programme de signalement» du service d'inspection professionnelle du Collège. À la suite de l'analyse des faits – toujours selon la défense du Collège –, le Dr Marc Billard, secrétaire du Comité d'inspection professionnelle, aurait jugé que l'entrevue orale structurée était, dans les circonstances, le moyen le plus approprié mis à sa disposition pour évaluer ma compétence professionnelle.

C'est la première fois que l'on prétendait expliquer pourquoi le processus d'inspection de ma pratique avait été entrepris. Mais c'était sous la forme d'un affront et d'une insulte. On affirmait devant la Cour supérieure que j'étais un médecin carrément incompétent. On me poignardait ainsi dans mon intégrité, dans un document judiciaire public signé par le Collège et déposé devant la cour. C'en était trop! Je me suis dit que j'allais découvrir le fond de cette histoire, qui n'avait ni queue ni tête, et reconstruire cette inspection depuis le début.

C'est à ce moment que la technologie est venue à ma rescousse.

Si c'est par le biais de l'inspection d'avril 2013 que l'inspecteur avait eu accès aux dossiers de mes patients, cela voulait dire qu'en théorie, il aurait navigué dans notre système informatique, puisque l'ensemble des dossiers de nos patients est informatisé. Mais cela n'est quand même pas évident pour quelqu'un à qui le logiciel de dossier médical électronique que nous utilisons n'est pas familier.

(Chacun de nos médecins, avant de commencer sa pratique chez Physimed, suit une formation de deux demi-journées pour apprendre à manipuler les dossiers électroniques des patients dans notre système.)

Ce qui me paraissait aussi bizarre, c'est que mon collègue, qui avait alors été inspecté par le Collège, était le Dr Z., un chirurgien bariatrique de réputation internationale dont la très grande majorité des patients provenaient de l'extérieur de Montréal, et même de l'extérieur du Québec. Il y avait donc très peu de chances que l'inspecteur, en examinant les dossiers du Dr Z., tombe sur des dossiers de mes propres patients, qui eux sont des patients locaux.

Pour en avoir le cœur net, j'ai communiqué avec la secrétaire personnelle du Dr Z., une personne rigoureuse et méticuleuse. Elle se souvenait très bien des circonstances entourant l'inspection de son patron. Quelques jours avant la venue du Dr Gervais à la clinique, la secrétaire de celui-ci l'avait appelée pour lui demander de sortir une liste de certains patients ayant subi une chirurgie bariatrique au cours des mois précédents et d'imprimer les dossiers, car le Dr Gervais ne savait pas manipuler notre système informatique. La secrétaire du Dr Z. avait préservé l'original de cette liste de patients, qu'elle m'a montrée. Sur 41 dossiers, 3 ou 4 seulement concernaient des patients de Physimed, les autres étant tous de nouveaux patients qui étaient venus à notre clinique uniquement pour consulter le D^r Z.

Ma seule intervention dans ces dossiers avait consisté à remplir le questionnaire préopératoire de neuf de ces patients. Il s'agit simplement de suivre un protocole et un formulaire préétabli avec une série de questions avec des cases à cocher (Êtes-vous fumeur? Souffrez-vous du diabète? Avez-vous des allergies? etc.) Je n'avais donc pas de jugement clinique à poser et cela ne pouvait donc pas faire l'objet d'une inspection de ma pratique. Par ailleurs, les 32 autres patients du lot de ces 41 dossiers avaient consulté d'autres médecins généralistes de notre clinique et d'ailleurs pour qu'ils remplissent le même questionnaire préopératoire sans que ces médecins fassent l'objet d'une inspection professionnelle imposée par le Collège.

Restait maintenant à savoir si le Dr Gervais était entré dans le système informatique de Physimed et avait examiné des dossiers de mes patients.

J'ai donc demandé à notre coordonnatrice médico-administrative, qui avait accueilli le Dr Gervais le 22 avril 2013, si par hasard elle lui avait donné accès à notre système informatique.

— Pas du tout, m'a-t-elle répondu. Il ne savait pas manipuler le logiciel. Mais c'était un médecin sympathique. Après avoir complété l'inspection du Dr Z., il a dit que notre clinique était fantastique. Il a même ajouté : « Ça donne le goût de travailler chez vous. »

Par la suite, j'ai donc demandé à la secrétaire du Dr Z. si elle avait donné au Dr Gervais le code d'accès pour entrer dans le système informatique de Physimed.

— Non, a-t-elle dit. Il n'est jamais entré dans le système informatique.

— Vous êtes certaine ?

— Absolument.

J'ai ensuite effectué une vérification du système informatique auprès de notre fournisseur de logiciels, qui m'a confirmé le tout. Les fichiers auxquels on a accédé et qui ont été imprimés dans le cadre de cette inspection concernaient seulement et uniquement les chirurgies bariatriques.

La conclusion était limpide : le Dr Gervais n'a jamais inspecté mes dossiers.

Quand j'ai fait part à mes avocats du résultat de mes recherches, preuves à l'appui, ils étaient sidérés. Jamais nous n'aurions cru que des représentants d'un ordre professionnel aussi prestigieux que le Collège des médecins pouvaient descendre aussi bas en abusant de leurs pouvoirs de la sorte.

Deux mois plus tard, lors de l'interrogatoire après défense en Cour supérieure, mon avocat a interrogé le Dr Billard, secrétaire du Comité d'inspection professionnelle, lui demandant comment j'avais été amené en inspection. Le Dr Billard a répondu spontanément et sous serment – comme il est indiqué dans la défense du Collège – qu'en inspectant un médecin de Physimed, le Dr Gervais avait constaté que mes dossiers étaient « désastreux ».

— Avez-vous vu vous-même les dossiers du Dr Benhaim ? demande Me Frère.

— Non, répond le Dr Billard.

Dans la défense du Collège déposée devant la Cour supérieure, il était indiqué que c'est le Dr Billard qui avait décidé de m'envoyer en EOS. Or, il disait maintenant, dans son interrogatoire sous serment, que la décision avait été prise par trois personnes, soit le Dr Gervais, le Dr Goulet (M. Intégrité) et lui-même. Il ajoutait que dans le cadre de ses fonctions de secrétaire de l'inspection professionnelle, il répartit le travail des inspections professionnelles entre les différents inspecteurs du Collège et qu'il est le gestionnaire du « programme de signalement ». Il expliquait aussi que puisque le Dr Gervais m'avait dénoncé dans le cadre de ce programme, il lui avait naturellement confié mon inspection. Lors de cet interrogatoire, mon avocat a demandé au Dr Billard de nous remettre la liste exhaustive des programmes de l'Inspection professionnelle, ce qu'il s'est engagé à faire. À la suite de la réception de cette liste, nous nous sommes rendu compte que le « programme de signalement » n'existe même pas parmi la liste des programmes accrédités par le comité d'inspection professionnelle du Collège.

Me Frère m'a déjà expliqué que lorsqu'une personne ment, il est difficile de le prouver d'emblée. Mais au bout du compte, elle finit par commettre des erreurs parce qu'elle oublie ce qu'elle a dit auparavant à gauche et à droite et en vient à se contredire. Cependant, quand plusieurs personnes se regroupent pour mentir à propos d'une question donnée, poursuivait-il, alors elles finissent inévitablement par se compromettre parce que l'une ne sait pas ce que les autres ont dit au fil du temps.

J'étais plus que jamais décidé à connaître toute la vérité, mais je ne savais trop comment m'y prendre. Les mois passaient et même si je ruminais sans cesse les événements entourant mon inspection professionnelle et mes convocations injustifiées aux EOS, je restais sur mes interrogations. Comment se faisait-il que toute cette histoire ne tenait pas debout ?

C'est alors que par hasard, en août 2015, je suis tombé sur un article du magazine *Le Médecin du Québec*, qui traitait de médecins engagés dans une deuxième carrière. On y évoquait notamment le cas du Dr Gervais, qui était autrefois médecin de famille et agissait maintenant comme inspecteur pour le compte du Collège des médecins. Cité dans l'article, il expliquait : « Ce choix a été déchirant, car je ne voyais plus mes patients… En pratique, on se préoccupe des patients. Au Collège, c'est ce qu'on fait aussi. C'est même notre mission. J'ai l'impression de rendre service autrement qu'en voyant des patients. »

Je ne pouvais m'empêcher de comparer sa situation à la mienne. Moi aussi, j'avais désormais une deuxième carrière : celle de « médecin délinquant ». Et moi aussi, j'étais déchiré par le fait de ne plus être en contact avec mes patients que j'adorais et que je suivais depuis plus de 25 ans. Seulement voilà, il y avait toute une différence entre lui et moi. Le Dr Gervais avait pris volontairement la décision de quitter la pratique, tandis que dans mon cas, comme vous le verrez plus tard, j'avais été contraint de le faire.

Puis, quelques jours plus tard, sans nécessairement comprendre ce qui me poussait à le faire, mon instinct m'avait suggéré d'entrer en contact avec le Dr Gervais pour tenter de lui tirer les vers du nez et d'enregistrer la conversation.

Je l'avais d'abord informé que j'étais toujours en congé d'invalidité, mais que j'aimerais avoir des renseignements sur la manière dont allait se dérouler sa prochaine inspection de ma pratique lorsque le temps serait venu, histoire de pouvoir me préparer. Je lui ai d'abord demandé s'il se présenterait pour l'inspection dans les jours suivant la reprise de ma pratique.

— Non, pas du tout, me répond-il. Comme ça fait déjà quelque temps que vous avez cessé de pratiquer la médecine, nous allons vous laisser quelques mois.

Je m'enquiers ensuite des résultats possibles d'une inspection en cabinet. Est-ce que cela se résumait à de simples recommandations ? Est-ce que les conséquences pourraient être aussi graves que celles d'une entrevue orale structurée (EOS), c'est-à-dire le risque de subir une suspension de mon permis ?

— Que voulez-vous dire ? me demande-t-il.

— Mais vous vous souvenez, Docteur Gervais. La première fois que vous m'avez appelé en avril 2014, quand ma deuxième EOS a été annulée par le comité d'inspection professionnelle du Collège, vous vouliez fixer un rendez-vous avec moi pour une inspection dans mon cabinet et vous m'avez dit que vous n'étiez pas au courant de la raison pour laquelle j'avais été convoqué d'emblée en EOS.

— Ce n'est pas ce que j'ai dit... Ce que je voulais dire, c'est que je n'étais pas au courant du processus initial. Je ne savais pas ce qui avait entraîné au départ la décision de vous inspecter. Mais je savais que vous alliez en EOS.

— Une seconde, Docteur Gervais. Quand nous nous sommes parlé à l'époque, vous m'avez bien dit que vous n'étiez pas au courant.

— Je n'étais pas au courant de ce qui vous avait amené à subir une inspection jusqu'à ce qu'on m'affecte à votre dossier. Avant ça, je ne connaissais même pas votre existence.

Alors là, les bras m'en sont tombés.

— Vous voulez dire que vous ne saviez pas qui j'étais ni ce qui avait mené à mon inspection ?

— Oui, c'est bien ça. Je vous ai écrit une lettre en juillet 2013 pour démarrer votre inspection, mais avant ça, j'ignorais votre existence.

Je l'ai fait répéter au moins trois fois, car je n'en croyais pas mes oreilles. L'enregistrement et la transcription de la conversation se trouvent aujourd'hui sous scellé devant la Cour supérieure du Québec.

Donc, celui-là même qui prétendait – selon le document de défense déposé par le Collège devant la Cour supérieure du Québec – que mes dossiers étaient supposément «désastreux», non seulement n'avait jamais inspecté mes dossiers, mais en plus assurait ne pas connaître mon existence avant de m'envoyer sa première lettre d'inspection. Par conséquent, il ne m'a jamais placé sur le programme de signalement, comme le prétendait le Dr Billard sous serment.

Il était évident désormais que le Collège entendait se servir de l'inspection pour me punir et m'intimider, de manière que je sois éventuellement déclaré incompétent et que je perde toute crédibilité devant un juge.

Comment un ordre professionnel peut-il faire une chose pareille à un de ses membres parfaitement en règle ?

D'ailleurs, au cours de plusieurs événements – dont certains devant la Cour supérieure du Québec –, les interventions de l'avocat du Collège des médecins Me Bernard Synnott – qui à cette époque était bâtonnier du Québec – s'inscrivaient parfaitement dans une telle stratégie. Il me décrivait carrément comme un bandit tout en insistant sur l'ancienneté de cet établissement prestigieux qu'est le Collège des médecins du Québec, une institution soi-disant pure et intègre, vouée à la défense et à la protection du public depuis plus de 150 ans.

●●●

En janvier 2017, au terme d'une brève rencontre pour tenter d'en arriver à un règlement à l'amiable, mon avocat Me Frère s'était longuement entretenu en privé avec Me Synnott, qui lui avait avoué, en substance : « Le Collège a foiré avec l'inspection. Mais le Dr Benhaim est passé à la moulinette au conseil de discipline. Ça, c'est bon pour nous. »

Comme j'avais été matraqué par le conseil de discipline (ce que je décrirai dans un chapitre ultérieur), j'allais inévitablement mal paraître devant les juges de la Cour supérieure.

Voilà le Collège des médecins que je connais aujourd'hui : des gens capables d'écrire un peu n'importe quoi dans des documents de cour et de venir ensuite clamer haut et fort que je suis un délinquant, un bandit et un danger public, et que le Collège est une institution pure vouée à la protection du public.

CHAPITRE 12

Le syndic adjoint et ses gros sabots boueux

Début 2014, je ne pouvais plus douter que le Collège des médecins avait juré ma perte. Même si le comité d'inspection professionnelle avait annulé l'EOS pour la remplacer par une visite d'inspection en cabinet, je savais très bien qu'on m'attendrait un jour au tournant. Avec ce que j'avais vécu jusqu'alors et ce dont je disposais comme renseignements, il était clair dans mon esprit qu'à la moindre occasion, dès que je reprendrais ma pratique, un représentant du Collège débarquerait chez Physimed pour m'inspecter, affirmerait y trouver des lacunes majeures sans préciser lesquelles, et me retournerait en EOS. À ce moment, je serais cuit.

Ce sentiment était d'autant plus ancré que je faisais aussi l'objet d'une enquête du syndic qui n'annonçait rien de bon pour moi.

Au même moment où j'étais interpellé en EOS, le 18 novembre 2013, je recevais en effet une lettre du syndic adjoint, le Dr Louis Prévost, qui me convoquait à une rencontre relative à une enquête qu'il venait de déclencher. Habituellement, les enquêtes du syndic font suite à une plainte de patient. Comme ce n'était pas mon cas, j'ai trouvé tout de suite suspecte cette convocation et c'était aussi l'opinion de mon avocat personnel, Me Chénier. En fait, je me doutais pas mal que cette enquête concernait le dossier de la journaliste Nicoud. Je ne me trompais pas.

La rencontre eut lieu juste avant Noël, le 16 décembre. Étaient présents, outre mon avocat et moi, le syndic adjoint Prévost et le syndic en chef, le Dr François Gauthier, celui-là même qui, deux ans auparavant, m'avait dit qu'il m'emmènerait en discipline parce qu'au Collège, « on n'aime pas les médecins qui font de l'argent ».

D'emblée, on nous annonce que l'enquête concerne effectivement Mme Nicoud et le Dr X., qui l'avait examinée en juin 2010. Aussitôt, Me Chénier intervient pour souligner que j'avais été convoqué à cette rencontre en tant que médecin de famille et que de toute évidence l'enquête ne touchait ni ma pratique médicale ni mes patients.

— Nous voulons poser des questions au Dr Benhaim concernant Physimed, dit le syndic adjoint.

— Moi, je suis l'avocat du Dr Benhaim, explique Me Chénier. Vous l'avez convoqué en tant que médecin de famille pour une enquête dont vous n'avez pas précisé la teneur et voilà que vous voulez parler de Physimed. Or je n'ai pas le mandat de représenter Physimed. Je représente l'assurance médico-légale du Dr Benhaim. Je propose que nous mettions un terme à cette réunion et que le Dr Benhaim revienne avec l'avocat de Physimed.

— Pas du tout, réplique le Dr Gauthier. Il est là, il va répondre à nos questions.

— Un instant, dit Me Chénier. Physimed a droit à un avocat.

Sentant que l'hostilité était sur le point de monter de quelques crans, je suis intervenu.

— Je n'ai rien à cacher. Qu'est-ce que vous voulez savoir ?

J'avais apporté avec moi certains documents, au cas où. Je leur ai expliqué quel genre de clinique était Physimed, notre mission de prise en charge et de suivi des patients, l'organisation des bilans de santé, les services intégrés que nous offrons sous un même toit, nos efforts afin d'optimiser les visites des patients pour réduire le va-et-vient. On ne peut pas dire que l'atmosphère était cordiale, mais le climat était à la limite de la correction, sans plus. Mais je demeurais sur mes gardes.

Au bout d'une heure et demie de discussion, comme nous étions sur le point de mettre un terme à la rencontre, le Dr Gauthier dit :

— Nous aimerions avoir la facture envoyée par Laboratoires CDL à Physimed pour les analyses de Mme Nicoud.

Nous nous doutions depuis un bon moment de la connivence du Collège avec la RAMQ. Mais cette fois, elle éclatait vraiment au grand jour.

— Cette facture n'appartient pas au Dr Benhaim, explique mon avocat, mais à Physimed. Vous devrez adresser votre demande à Physimed.

Nous nous sommes levés et nous sommes partis en convenant que l'avocat de Physimed donnerait suite.

Quelques jours plus tard, le 20 décembre, Me Chénier invitait par courriel le syndic et le syndic adjoint du Collège à convoquer une nouvelle rencontre au cours de laquelle je serais accompagné de l'avocat de Physimed, Me Frère. Ils pourraient ainsi poser toutes les questions qu'ils voudraient sur le fonctionnement de la clinique, y compris celles portant sur son cadre financier.

À partir de ce moment, j'ai eu droit à une avalanche d'huissiers qui se sont présentés chez moi à tour de rôle par les bons soins du Collège, suscitant en moi un sentiment de panique. Pour couronner le tout, la sonnette de la porte d'entrée de mon domicile est reliée au système téléphonique, si bien que depuis lors, chaque fois que le téléphone sonne, je sursaute, mon cœur se met à débattre sous l'effet d'un jet instantané d'adrénaline, car presque chaque fois je pense qu'un autre huissier est là, devant ma porte, pour me faire la fête.

Le 14 janvier 2014, le Dr Prévost répondait à Me Chénier qu'il ne jugeait pas utile d'organiser la réunion avec Me Frère. Le même jour, il réitérait sa demande de production d'un certain nombre de documents, dont la fameuse facture de CDL convoitée par la RAMQ. Il venait clairement de dévoiler son jeu. Il prétendait mener une enquête sur les allégations de la journaliste, mais comme par hasard, il s'intéressait davantage à la rentabilité de nos services de laboratoire. Et au lieu d'accepter de me rencontrer avec notre avocat d'entreprise – comme l'aurait fait tout bon enquêteur soucieux de clarifier une situation ambiguë – tout ce qu'il souhaitait obtenir de moi, c'était la fameuse facture que la Régie avait vainement tenté d'obtenir.

Mes avocats et moi nous posions toujours la même question depuis l'époque où la Régie réclamait cette facture : en quoi la rentabilité des prises de sang pourrait-elle jeter la lumière sur les allégations de la journaliste Nicoud, puisqu'il s'agissait de services non assurés ? Et nous nous demandions maintenant en quoi cela pouvait bien être pertinent pour le Collège et, de façon générale, du point de vue de la pratique et de l'éthique médicales.

Le syndic adjoint était vraiment en mission. Et cette mission n'avait rien à voir avec la recherche de la vérité.

Si le Collège m'avait demandé ce document au début de l'enquête de la RAMQ, en 2010, j'aurais sans doute obtempéré. Ç'aurait été la première fois que je faisais affaire avec ses représentants et me connaissant, naïf comme je l'étais à propos des agissements du Collège, je sais que j'aurais probablement dit : d'accord, pas de problème. Et je crois pouvoir dire que mon associé – qui n'est pas médecin et n'a pas de compte à rendre au Collège – n'y aurait opposé aucune résistance.

Mais le Collège n'avait pas ouvert d'enquête en 2010, alors qu'il était parfaitement au courant de l'article de Nicoud. Ses gens m'ont interpellé seulement quand la Régie a perdu devant la Cour supérieure. Et ils l'ont fait de façon vicieuse, en me menaçant et en cherchant à me déclarer incompétent par le biais du service d'inspection professionnelle. Ce ne sont pas des choses qui incitent beaucoup à la confiance. Je savais désormais que j'avais affaire à des gens malveillants qui utilisaient leurs pouvoirs pour m'intimider et me contraindre à remettre un document que la Cour supérieure avait refusé à la RAMQ et dont ils voulaient plus tard faire usage contre moi, je suppose, pour des raisons que j'ignore et qu'ils refusent de me dévoiler.

C'est un peu comme si un agent du ministère du Revenu exigeait que vous lui remettiez, dans le cadre de son inspection, un document auquel normalement il ne devrait pas avoir accès, par exemple, votre testament, sans vous expliquer pourquoi. Que feriez-vous ?

J'ai découvert à mes dépens que pour un médecin, un différend avec la RAMQ est un moindre mal, en comparaison d'un démêlé avec le Collège des médecins. Les problèmes avec la RAMQ se règlent devant la Cour supérieure en vertu du Code civil du Québec, tandis qu'avec le Collège des médecins, cela se passe tout autrement. Le Collège possède une arme redoutable contre un médecin qu'il veut détruire : il contrôle son droit de pratique au moyen de son propre tribunal interne, la Cour disciplinaire. Le syndic du Collège a pratiquement un droit de vie ou de mort professionnelle sur tous les médecins du Québec. Voilà pourquoi à peu près tous s'écrasent devant lui, qu'ils aient raison ou tort.

Mon associé Gilles Racine était résolument contre l'idée de céder la copie de la facture de CDL au Collège, auquel il ne faisait absolument pas confiance, ce en quoi je peux difficilement lui donner tort. Quant à moi, même si je n'étais pas spontanément enclin à la remettre, compte tenu de la malveillance des gens du Collège, il aurait pu venir un temps où j'aurais été tenté de le faire afin que cesse le harcèlement dont j'étais victime. J'étais tiraillé, en conflit entre mes propres intérêts et ceux de Physimed. À l'époque, j'avais deux fusils braqués sur les tempes : l'inspection professionnelle – avec une EOS à subir le 5 février – et une menace d'être traîné en discipline si je ne cédais pas à la demande du syndic adjoint. Les documents réclamés ne m'appartenaient pas personnellement ; ils appartenaient à Physimed, une personne morale avec des droits. Et même si je suis l'un des actionnaires de la clinique, je ne pouvais pas, à mes yeux, me les approprier pour les remettre au Collège sans le consentement de mon associé.

J'ai appris que lorsqu'il existe une situation de conflit d'intérêts au sein du conseil d'administration d'une entreprise à propos d'une décision à prendre, la personne qui est en conflit se retire du processus. Le 22 janvier, Gilles et moi avons donc signé une résolution en vertu de laquelle il revenait à lui seul de répondre, favorablement ou non, à la demande du Collège. Le 27, Me Frère écrivait au Dr Prévost pour lui indiquer que Physimed – par la voix de Gilles Racine, administrateur unique dans cette décision – refusait de produire le document demandé.

Le Collège des médecins n'a aucun droit de regard sur les cliniques. Il n'a d'autorité que sur ses membres, soit les médecins. Il ne peut pas traîner Physimed devant le conseil de discipline. Mais le Dr Prévost n'en avait cure. Il allait s'y prendre de façon détournée.

Le 31, pourtant officiellement et clairement informé que le document qu'il réclame appartient à Physimed, le Dr Prévost m'écrit : « Je comprends… que vous refusiez de me remettre une copie des documents demandés. » Et il termine sur une menace de m'emmener en conseil de discipline pour entrave à son enquête. En prétendant que c'est moi qui avais refusé de remettre le document, le syndic adjoint allait pouvoir déposer une plainte officielle contre moi devant le conseil de discipline du Collège des médecins pour pouvoir m'envoyer en enfer et détruire complètement ma réputation. Quand on est néophyte dans le domaine disciplinaire, il est extrêmement difficile de comprendre ce qui se passe au moment où ça se passe. Ce n'est que bien plus tard qu'on parvient, si on est chanceux et encore lucide, à faire des liens et à clarifier ce qui arrive.

Après avoir lu cette lettre, Me Frère a rapidement compris que les choses risquaient de s'envenimer. Il m'a dit :

« Nous allons demander à la Cour supérieure, au nom de Physimed, de trancher si oui ou non le Collège a le droit d'utiliser ses pouvoirs à des fins non prévues par la loi, pour obtenir des documents que la Régie ne pouvait pas obtenir légalement. Il faut le faire avant que le Collège dépose une plainte en discipline contre vous, car une fois engagé, il sera difficile de stopper ce processus. »

C'était compter sans un syndic adjoint qui croit avoir tous les droits, surtout celui d'abuser allègrement de ses prérogatives.

Aussitôt que nous nous sommes adressés à la Cour supérieure, le 11 février 2014, le Collège a durci le ton, comme s'il nous reprochait de vouloir nous défendre contre ses assauts répétés à mon égard. Le 20, le Dr Prévost réplique en exigeant que je lui fournisse non seulement la facture de CDL, mais aussi une foule d'autres documents confidentiels appartenant clairement à Physimed et qui n'ont rien à voir ni avec ma pratique ni avec mes patients, dont la liste des prix facturés pour des analyses, tous les contrats conclus avec Laboratoires CDL et une copie du registre des procès-verbaux de la clinique depuis 2005.

Il s'agissait là de demandes absolument ridicules et insensées de la part du syndic adjoint. Mais personne ne peut arrêter un syndic quand il a décidé de frapper.

•••

Cette période tumultueuse fut marquée par un événement tragique qui restera toujours gravé dans ma mémoire : en février 2014, une de mes patientes, âgée de 22 ans, était emportée par un cancer foudroyant.

Je soignais depuis longtemps ses grands-parents et ses parents, qui prenaient très au sérieux la santé des leurs et exigeaient que leurs enfants se soumettent régulièrement à un bilan de santé.

Onze mois plus tôt, la jeune fille s'était donc présentée à la clinique, accompagnée de sa mère, pour son examen périodique. Plutôt timide mais pleine de potentiel, elle était fière d'avoir été acceptée en ergothérapie à l'Université McGill alors qu'elle ne parlait que très peu l'anglais.

Elle ne se plaignait pas de symptômes particuliers et semblait pressée d'en finir. Elle en voulait d'ailleurs à sa mère de lui faire perdre du temps à voir le médecin alors qu'elle avait beaucoup de travaux d'université à compléter. À l'examen, son pouls m'avait paru plutôt rapide. Quant à ses poumons, l'auscultation laissait voir une anomalie. Elle m'a alors expliqué qu'on lui avait diagnostiqué la semaine précédente une infection pulmonaire pour laquelle on lui avait prescrit des antibiotiques.

Pour en avoir le cœur net, je lui ai fait subir un électrocardiogramme et une radiographie des poumons, en plus d'une analyse sanguine. Pour qu'elle accepte, j'ai dû lui promettre que les choses se passeraient rapidement. L'ECG a confirmé que son rythme cardiaque était anormalement rapide et l'analyse du sang a montré une forte anémie avec un taux de globules blancs extrêmement élevé. Quant à la radiographie des poumons, elle n'était pas non plus très rassurante. Il fallait procéder à un scan pour confirmer mes soupçons. La jeune fille a refusé net, pressée qu'elle était de quitter la clinique. Mais j'ai finalement réussi encore une fois à la convaincre. Trente minutes plus tard, j'avais au bout du fil une collègue spécialisée en imagerie du thorax qui avait consulté le scan des poumons à distance.

«Jusqu'à preuve du contraire, on est en présence d'un cancer très agressif, me dit-elle. Mais je ne peux pas dire de quel type. Il faudra faire plus de tests.»

Ma patiente était donc bien plus malade que je le pensais, même si elle était très peu symptomatique. Je me suis demandé comment j'allais lui présenter cette situation. C'est sans aucun doute la partie la plus ingrate du travail d'un médecin que d'annoncer à un patient qu'il est atteint d'un cancer, à plus forte raison s'il est dans la fleur de l'âge. Très tôt, à l'école de médecine, on nous enseigne à ne pas nous engager sur le plan émotif envers nos patients. J'ai toujours tenté de respecter cette règle, mais cette fois, alors que la vie d'une jeune fille de 22 ans était en jeu, il m'a été très difficile de garder mes distances.

J'ai demandé à rencontrer ma patiente avec sa mère, dans mon bureau. Je leur ai présenté les faits avec le plus de doigté possible. Je leur ai dit que je n'étais pas sûr du diagnostic, mais qu'il y avait une possibilité qu'il s'agisse d'un cancer. J'ai enchaîné en leur disant qu'il fallait qu'elle soit hospitalisée le plus tôt possible.

La mère de la jeune fille faisait peine à voir : le visage rougi, défait par les larmes, elle pleurait sans pouvoir s'arrêter. Je ne pouvais que compatir à sa douleur : j'avais moi aussi un fils du même âge et j'osais à peine imaginer l'ampleur de ma souffrance si une telle chose m'arrivait.

J'ai ensuite appelé à l'Hôpital Maisonneuve-Rosemont pour expliquer le cas à la personne responsable de l'urgence et au service d'hémato-oncologie. J'ai également préparé un dossier complet avec copie des analyses sanguines, de l'électrocardiogramme et les CD de la radiographie pulmonaire et du scan thoracique que j'ai remis à la mère de la patiente avec les consignes à suivre. J'ai su par la suite que les gens de l'hôpital n'en revenaient pas que tous ces résultats aient été obtenus en moins de deux heures.

Ce sont des situations comme celle que je viens de décrire qui renforcent ma conviction que notre concept de services intégrés sous un même toit a sa raison d'être et fonctionne très bien. Il permet des diagnostics rapides et – même si ça ne s'est pas avéré dans le cas de cette jeune fille – aide à sauver des vies.

Quelques jours plus tard, la mère de ma patiente m'apprenait que sa fille souffrait d'un cancer de l'estomac extrêmement agressif. Les parents de la jeune fille étaient complètement dévastés par l'état de santé de leur fille au point de devenir dysfonctionnels et de devoir s'absenter du travail. Je les ai soignés le mieux possible, mais ce n'était pas facile. Malgré tout le soutien et le réconfort que je pouvais leur fournir, ils demeuraient en colère, amers et extrêmement inquiets.

Ils m'appelaient de temps à autre ou m'envoyaient des messages textes pour me donner des nouvelles de leur fille. J'essayais tant bien que mal d'apaiser leurs craintes, de leur donner espoir en leur recommandant de prendre les choses une journée à la fois, mais ils voyaient leur fille dépérir à vue d'œil. Elle avait dû subir plusieurs rondes de chimiothérapie avec tous les effets secondaires que l'on peut imaginer. Quelques mois plus tard, elle est venue me visiter à la clinique. J'étais très ému de la voir. Elle avait perdu ses cheveux, mais je l'avais trouvée plus belle que jamais. Elle avait décidé de se battre et il n'était pas question que le cancer l'emporte. C'était une fille très courageuse.

Fin février 2014, je me suis rendu aux funérailles. Mon instinct me disait que je devais partager ces moments difficiles avec cette famille que j'appréciais beaucoup. Je me suis assis à l'arrière de la nef pour ne déranger personne. J'écoutais des membres de la famille parler de ma patiente en lui faisant leurs adieux. Les larmes me sont venues aux yeux. Je ressentais leur douleur tout au fond de mon cœur.

En sortant de l'église, j'ai fait la file comme tout le monde pour présenter mes condoléances à la famille, que je n'avais pas prévenue de ma présence. Lorsque mon tour est arrivé, la mère de ma patiente m'a regardé de ses grands yeux noyés de larmes, m'a tendu ses mains et s'est effondrée dans mes bras en sanglots. C'est un spectacle que je n'oublierai jamais.

Je suis retourné à la clinique, épuisé et vidé, mais je n'avais pas le temps de reprendre mon souffle. Il me fallait reprendre mes esprits rapidement pour faire face au Dr Prévost qui ne faisait que multiplier ses attaques.

•••

Le 3 mars, le Dr Prévost logeait officiellement une plainte disciplinaire contre moi, m'accusant de faire entrave à son enquête, dont personne, d'ailleurs, ne connaît encore le véritable objet à ce jour. La plainte était rédigée de telle sorte que j'aie l'air d'un délinquant, d'un pourri et d'un moins que rien, alors qu'en plus de 25 ans de pratique de la médecine, aucune plainte disciplinaire n'avait jamais été déposée contre moi. La plainte de ce syndic obsédé était également assortie d'une demande de radiation immédiate provisoire.

Je n'avais alors aucune idée de ce qu'était une radiation immédiate provisoire. Mais Me Chénier, lui, était furieux, car il connaissait la portée d'une telle mesure.

Quand un syndic dépose une plainte contre un médecin, le conseil de discipline – qui est le tribunal interne du Collège – en dispose dans le cadre d'un procès où le médecin a théoriquement la chance de s'expliquer. C'est ce qu'on appelle une audition au mérite. Le président du conseil de discipline – un avocat alors nommé par le gouvernement et approuvé par le Collège des médecins –, qui agit comme une sorte de juge, rejette la plainte ou trouve le médecin coupable, auquel cas celui-ci se verra imposer une sanction : amende, restriction de sa pratique ou une radiation temporaire ou permanente. Dans des cas exceptionnels, lorsque la protection du public est menacée de façon imminente, un syndic peut demander au conseil de discipline d'intervenir de façon urgente pour que le médecin soit retiré immédiatement de la pratique jusqu'à ce que le procès au mérite soit entendu, ce qui peut prendre plusieurs mois. C'est ce qu'on appelle une radiation immédiate provisoire. Par exemple, si un pédiatre est accusé de pédophilie, le syndic peut exiger que le conseil de discipline suspende temporairement son permis de pratique jusqu'à ce que l'audition au mérite ait lieu, dans le but de protéger les enfants, dans l'intervalle.

— Mais ça n'a rien à avoir avec moi, dis-je à Me Chénier.

— Justement, ça n'a aucun sens. Les rares médecins qui ont fait l'objet d'une radiation immédiate provisoire ces dernières années l'ont été pour des affaires d'agression sexuelle, de trafic de drogue, d'alcoolisme ou de choses du genre. La plainte du syndic ne concerne ni votre pratique ni vos patients, et la protection du public n'est pas menacée.

— Donc, les chances que le conseil de discipline retienne la plainte sont à peu près nulles.

— Pas si vite, Docteur. Ce n'est pas si simple. Dans une audience pour radiation immédiate provisoire, la preuve du syndic est *prima facie*.

— Que voulez-vous dire ?

— Dans une audition au mérite, le médecin accusé peut s'expliquer et a droit à une défense pleine et entière. Mais dans un cas de radiation immédiate provisoire, il ne peut pas s'expliquer. Il doit attendre l'audition au mérite pour le faire.

— Mais c'est injuste !

— Ainsi va la justice disciplinaire.

— Mais c'est de l'abus de pouvoir ! Puis-je porter plainte ?

— Malheureusement, on ne dépose pas de plainte contre le syndic d'un ordre professionnel. Il dispose de larges pouvoirs, a quasiment tous les droits et n'a pas de patron. Tout ce que nous pourrons faire éventuellement, si vous êtes trouvé coupable, c'est d'en appeler du jugement devant le Tribunal des professions.

Je n'en revenais pas. Je croyais que le Collège était là pour protéger le public. Mais priver un médecin de l'exercice de sa profession et 3 000 patients de ses soins au motif que Physimed n'a pas fourni une facture datant de 2010 ! C'était complètement dément !

Mais le Dr Prévost n'allait pas s'arrêter là.

Le lendemain du dépôt de la plainte disciplinaire, le 4 mars 2014, je recevais un courriel du Dr Jacques, le conseiller principal du président du Collège, qui m'avait invité, quelques mois plus tôt, à être conférencier à l'Assemblée annuelle du Collège des médecins prévue pour le 9 mai 2014. Je l'avais rencontré au mois de janvier 2014 pour discuter des sujets de ma conférence. Il était très aimable et très courtois.

Le courriel se lisait comme suit: «J'ai été informé aujourd'hui de certains événements vous concernant et on me demande d'annuler votre participation à notre Assemblée annuelle à Québec en mai prochain. Vous comprendrez que le Collège des médecins, dans ces circonstances, ne peut vous inviter à faire une conférence. Je suis vraiment désolé de la tournure des événements. Veuillez agréer, cher confrère, mes salutations distinguées. »

Le Dr Charles Bernard, président du Collège, et le Dr Yves Robert, secrétaire général du Collège, ont été mis en copie conforme de ce courriel, me faisant comprendre qu'ils avaient certainement quelque chose à voir dans cette affaire. Clairement, je n'étais plus digne d'être conférencier pour le compte de mon ordre professionnel qui venait de me rejeter du revers de la main.

• • •

Le Collège des médecins ne s'attaquait pas seulement à ma réputation. Comme je l'ai évoqué au chapitre précédent, en ce début d'année 2014, j'étais dans un état lamentable, tant mentalement que physiquement, une situation attribuable en grande partie à l'acharnement du Collège des médecins et aux attaques personnelles de son syndic adjoint à mon endroit. À tel point que j'avais perdu beaucoup de poids, que j'étais constamment nerveux, fatigué, et que j'avais beaucoup de difficulté à faire mon travail et à m'occuper de mes patients.

Je sentais que j'allais exploser. Je ne pouvais plus garder le silence sur mon état de santé. Je me suis résolu à informer mon associé Gilles que je souffrais d'une leucémie. Un samedi matin, nous sommes allés faire une longue marche sur le mont Royal et je lui ai fait part de la nouvelle. La conversation fut souvent émaillée de longs silences. Il était bien sûr étonné et complètement désemparé. C'est aussi durant cette période que j'ai mis mes avocats au courant de ma condition. Ils ont tous deux été fort surpris et très empathiques.

Fin janvier, j'avais aussi été brièvement hospitalisé d'urgence au Centre universitaire de santé McGill, après une nuit blanche au cours de laquelle j'éprouvais des douleurs épigastriques intenses et continuelles. C'était la première fois de ma vie que j'avais l'impression de perdre le contrôle de mon corps. J'étais couvert de sueur. Je croyais que c'était la fin. Je craignais une crise cardiaque, mais finalement, après une endoscopie d'urgence, on m'avait diagnostiqué une gastrite érosive diffuse, une condition pré-ulcéreuse causée fréquemment par le stress.

Mon état de santé se détériorait de semaine en semaine, au point que j'étais certain que mon cancer était en train de s'activer, comme mon oncologue me l'avait prédit. Je n'osais pas en parler à ma femme. Je ne voulais pas l'effrayer, elle qui avait été si marquée par le décès de son père d'une condition semblable.

Je continuais de voir mon oncologue, la D^{re} April Shamy, tous les trois ou quatre mois, pour vérifier l'évolution de ma maladie. Le vendredi 7 mars, je la rencontrais pour un de ces contrôles de routine que j'avais toutefois devancé en raison de mon état de santé. Habituellement, je me rendais seul à ces rendez-vous, mais cette fois ma femme m'accompagnait. Quand April m'a vu entrer dans son bureau, elle a sursauté, ses grands yeux bleu-vert écarquillés sous le coup de l'étonnement, en s'écriant:

— Mais Albert, qu'est-ce qui t'arrive?

J'avais fondu, mes yeux étaient cernés, mon regard était vide. J'avais clairement dépéri depuis notre dernière rencontre.

Elle a tout de suite pensé au pire. Moi aussi. Il y avait maintenant cinq ans que ma leucémie avait été diagnostiquée. La D^{re} Shamy m'avait parlé à l'époque d'une espérance de vie de sept ans à compter du moment du diagnostic. Je savais que j'allais tôt ou tard devenir symptomatique, que la maladie allait faire surface. J'étais certain d'en être arrivé là, et ma femme aussi.

Elle m'a examiné, après quoi elle m'a dit:

— Il va falloir te scanner de la tête aux pieds: ganglions internes, rate, biopsie de la moelle, la totale.

Elle m'a demandé ensuite comment je me sentais, même si le spectacle que j'offrais en donnait une idée assez claire.

— Je suis épuisé, dis-je. Je n'en peux plus.

— Est-ce que tu pratiques encore?

— Je ne suis plus capable.

— Je vais te mettre en arrêt de travail.

Je ne m'étais jamais arrêté de ma vie, sauf pendant quelques jours l'automne précédent, lors de l'épisode de l'EOS. Je n'avais jamais suspendu ma pratique de façon prolongée pour cause de maladie. Mais ce fut un soulagement, une véritable délivrance quand elle m'a ordonné de m'arrêter. Dans l'état où je me trouvais, j'étais même incapable de prendre cette décision moi-même, car je ne pouvais me résoudre à l'idée de laisser tomber mes patients, ne serait-ce que temporairement.

Bien sûr, mon absence allait entraîner bien des problèmes à la clinique que j'avais fondée et dont j'étais le pilier sur le plan médical. J'avais bâti une pratique personnelle de plus de 25 ans, avec des patients loyaux à qui j'étais très attaché. Nous avions vieilli ensemble et ainsi, la pratique s'était alourdie avec de nombreux cas de cancer, de diabète ou de maladies cardiaques. Ils étaient habitués à moi, je les connaissais par leur prénom et je prenais soin, dans bien des cas, de plusieurs membres de leur famille et de plusieurs générations au sein d'une même famille. Je suivais plus de 3 000 patients, dont plusieurs étaient dans l'attente angoissée de résultats d'analyse, et beaucoup d'autres dont il faudrait annuler ou reprogrammer les rendez-vous les plus urgents avec d'autres médecins de la clinique. J'étais déchiré de devoir les laisser, mais je n'avais pas le choix. Il fallait également me trouver un remplaçant comme directeur médical et comme médecin responsable de notre division santé au travail. Aucune relève n'avait été prévue.

À la fin de la visite, mon oncologue m'a aussi donné un conseil dont je lui serai reconnaissant toute ma vie : « Tu es tellement mal en point, non seulement sur le plan physique, mais aussi psychologique, que tu devrais voir un psychologue. »

De retour à la maison, j'ai aussitôt communiqué avec mes avocats pour les informer de la situation, tant j'étais persuadé que c'était ma leucémie qui m'avait mis dans l'état où j'étais.

Me Chénier m'a dit : « On va présenter un certificat médical au Collège des médecins et ils vont interrompre les procédures disciplinaires, le temps que vous puissiez vous remettre. Pour l'instant, il y a seulement une plainte du syndic adjoint. »

Mon oncologue complète donc un certificat médical à l'intention du Collège en mentionnant qu'elle me suit depuis cinq ans, que je souffre d'un cancer hématologique et que je suis en arrêt de travail pour au moins trois mois.

•••

Mais il faut beaucoup plus qu'un certificat médical, même signé par une oncologue, pour dompter les ardeurs d'un syndic adjoint. Par la voix de son avocate, M^e Jo Ann Zaor, le Dr Prévost refuse donc le certificat médical de mon oncologue sous prétexte qu'il n'y était pas spécifié que je ne pouvais pas me présenter en conseil de discipline. Il fallut retourner chez la D^{re} Shamy pour faire amender le certificat afin qu'elle précise clairement que la maladie m'empêchait de me présenter en conseil de discipline et d'y assurer ma défense au cours des trois prochains mois.

Malgré le fait que nous nous étions conformés à ses exigences, le syndic adjoint décide quand même de demander que les procédures disciplinaires suivent leur cours, même en mon absence, en exigeant ma radiation immédiate provisoire. Me Chénier en était révolté.

«Je ne comprends pas. Dans n'importe quel autre cas, le syndic aurait accepté de suspendre les procédures. Bon sang! Vous êtes malade, vous avez une leucémie, vous avez des certificats médicaux signés par une oncologue. Ça n'a pas de sens!»

En recourant ainsi à une artillerie lourde disproportionnée par rapport à la faute qu'il me reprochait, le syndic adjoint désirait clairement faire en sorte que je sois déconsidéré par la communauté médicale, l'ensemble des professionnels de la santé, la population en général et éventuellement devant un tribunal, comme ayant porté atteinte à la protection du public.

Pendant ce temps, Me Chénier faisait des pieds et des mains pour que l'audience de radiation immédiate provisoire soit remise en raison de mon état de santé. Pour accéder à sa demande, l'avocate du syndic adjoint posa une série de conditions, toutes aussi inacceptables les unes que les autres. Elle exigeait notamment que, tant que je serais malade, je m'engage à ne pas pratiquer la médecine, que mon oncologue se présente devant le conseil de discipline toutes les six semaines pour faire le point sur mon état de santé, que j'annonce à mes frais dans les journaux locaux que je fais l'objet d'une radiation immédiate provisoire et que je renonce volontairement à mon titre de médecin.

Lorsque Me Chénier m'a fait part de la liste de conditions, j'étais dégoûté.

— Pas question que je renonce à mon titre de médecin. Pas question non plus que je demande à mon oncologue d'aller là toutes les six semaines. Vous êtes malades? Je ne veux pas la perdre; c'est maintenant que j'ai besoin d'elle! Qu'ils aillent tous au diable! Je n'en peux plus.

— Calmez-vous, Docteur!

— Non, vous ne comprenez pas. Je ne me calmerai pas! Pourquoi ils insistent tant pour aller en discipline, alors que de toute façon je suis malade et je suis incapable de pratiquer?

— Ça n'a pas de sens, j'en conviens. Mais de toute évidence, ils n'acceptent pas que vous vous soyez dressé contre eux en vous adressant à la Cour supérieure. Ils veulent faire un exemple. Il va quand même falloir leur donner quelque chose, comme l'engagement de votre part à ne pas pratiquer la médecine pendant que vous êtes malade, sinon ils ne remettront pas l'audition.

— C'est la seule chose qu'on va leur donner: un engagement signé avec un fusil sur la tempe. Mais il n'est pas question de mettre des encarts dans les journaux et surtout d'emmerder mon oncologue!

Lorsque mon avocat a informé le syndic adjoint et son avocate de mon refus de me plier à leurs conditions vexatoires et abusives, ils ont décidé d'aller de l'avant tout de suite avec la radiation immédiate provisoire, même en mon absence. Mais finalement, il restait un peu de sens commun dans ce conseil de discipline et son président, apprenant de la bouche de mon avocat que je m'étais engagé à ne pas pratiquer la médecine durant ma maladie, décida de remettre l'audience à plus tard. Celle-ci fut fixée à la fin du mois de juin suivant.

Mais le syndic adjoint avait quand même atteint son objectif. C'est que toutes les décisions du conseil de discipline – même celle de remettre une audience à une date ultérieure – sont publiques. Or, la décision, publiée en mai 2014, sur le site Web Profession Santé, accessible à tous les professionnels de la santé qui reçoivent quotidiennement sa publication électronique, contenait l'intégralité de l'affidavit du Dr Prévost à l'appui de sa plainte à mon endroit. Il y affirmait notamment que je tentais de me soustraire à mes obligations déontologiques (lesquelles ?) en me « réfugiant » derrière Physimed, que son enquête (dont il n'a jamais précisé l'objet) était « totalement paralysée » par mon « refus », que son enquête était « des plus sérieuses et importantes pour la protection du public », que je faisais « équipe » avec CDL et que la radiation provisoire immédiate était « la seule avenue qui doit être envisagée dans les circonstances pour assurer la protection du public ».

La publication de la décision a fait le tour de la communauté médicale montréalaise en deux temps trois mouvements. Tout était calculé et prémédité. La manœuvre du syndic adjoint Prévost portait une atteinte irréparable et injustifiée à ma réputation – jusqu'alors sans taches –, sans que j'aie eu la moindre occasion de me défendre.

Les conséquences ont été immédiates et désastreuses. Quelques semaines plus tard, alors que je me présente aux bureaux administratifs de Physimed, j'aperçois Carole, la représentante de notre centre d'imagerie, en pleurs. Je lui demande ce qui se passe. « Je n'ai jamais été aussi humiliée de ma vie », dit-elle.

Elle arrivait d'une clinique avoisinante pour distribuer des blocs de requêtes en radiologie, rencontrer des médecins afin de leur donner des renseignements sur nos services. Un médecin de cette clinique lui dit : « Tu sais que ton boss a été radié du Collège ? »

Ce qui était totalement faux, du reste.

Puis, un autre médecin s'approche de Carole et lui dit :

— Vous avez des blocs de requêtes de Physimed ?

— Oui.

— Montrez-moi ça.

Elle prend les blocs et les jette dans une poubelle en disant :

— Pas question de recommander des patients à la clinique d'un médecin radié du Collège. Vous avez compris ? Dehors !

Comment expliquer cette situation invraisemblable à cette employée inconsolable ? Par quel bout commencer ? Comment l'expliquer à notre personnel, à nos médecins et à l'ensemble de mes collègues de la communauté médicale où je m'étais tant investi ?

J'étais profondément humilié et désemparé. Rien pour se rétablir.

•••

Quelques semaines après ma visite chez mon oncologue, j'ai reçu les résultats des scans que j'avais passés dans une clinique de l'est de la ville – je tenais à garder le secret sur mon état de santé et à passer le test dans un endroit où je ne risquais pas trop d'être reconnu.

La D^{re} Shamy me dit : « Bonne nouvelle, Albert. La leucémie est toujours sous contrôle. »

J'aurais dû sauter de joie, mais ce n'est pas ce qui s'est passé. J'étais presque déçu. Dans l'état de délabrement mental où je me trouvais, j'aurais presque espéré – consciemment ou pas – que la maladie l'emporte. J'aurais préféré ne plus être là, en finir avec le harcèlement continuel et ce combat que je menais malgré tout et qui s'éternisait contre un adversaire omnipotent. J'étais devenu persuadé que si je partais, ma famille ne s'en porterait que mieux. Je n'avais plus de vie, ma femme était en détresse et je n'en pouvais plus qu'elle subisse tout ça à cause de moi.

Comme April Shamy est une consœur de classe et que je suis à l'aise avec elle, je lui confiais de temps à autre les malheurs que la Régie de l'assurance maladie et le Collège des médecins me faisaient subir depuis plusieurs années. Mais je ne pensais jamais qu'un jour elle finirait par y être impliquée directement. C'est pourtant ce qui est arrivé le 30 juin 2014, par les bons soins du syndic adjoint Prévost.

Ce jour-là, alors que je suis à mon chalet pour tenter de me reposer et de me remettre, je reçois un message texte de mon oncologue : « Le médecin du Collège est dans mon bureau. Il veut ton dossier médical. J'ai besoin de ta permission pour lui en faire une copie et discuter de ton cas avec lui. »

Je n'en revenais pas ! Il s'était présenté sans s'annoncer à son bureau pour réclamer mon dossier médical, ajoutant même : « J'ai le droit de voir ce dossier. Si vous ne me le remettez pas, je vais prendre les mesures légales nécessaires pour vous contraindre à le faire. »

Toujours de l'intimidation. Je me sentais envahi et agressé dans ce que j'avais de plus intime. Qu'un homme qui se prétend médecin agisse de façon aussi inhumaine me dépassait complètement.

J'appelle aussitôt Me Chénier, qui est carrément scandalisé. «Vous allez dire à votre oncologue qu'elle peut discuter avec lui de tout ce qui touche votre invalidité et votre incapacité de travailler. Mais il n'est pas question qu'elle lui donne votre dossier médical. Bon sang, vous avez quand même droit à votre vie privée!»

Je rappelle mon oncologue pour lui transmettre le message. Plus tard, en soirée, je lui envoie un message texte pour savoir comment les choses s'étaient passées. Elle me répond: «Je n'ai pas brisé la confidentialité. Il va entreprendre des procédures. Je vais avoir besoin d'un avocat.»

J'étais anéanti. Quand un syndic agit ainsi, il n'y a rien qu'on puisse faire. On ne peut se plaindre à personne. Même les juges doivent répondre de leurs actes. Pas les syndics, qui font la pluie et le beau temps selon leur bon vouloir.

J'ai appris plus tard que le Dr Prévost avait tenté d'obtenir un rendez-vous quelques jours auparavant en essayant de contacter la secrétaire de mon oncologue, mais la Dre Shamy était alors en vacances. Il a donc décidé de se présenter sans rendez-vous convenu. Mon oncologue a été très ébranlée par cette visite aussi malvenue qu'impromptue. Je craignais vraiment de la perdre, alors que c'est dans les années suivantes que j'allais avoir le plus besoin d'elle.

CHAPITRE 13

Objection !

En harcelant mon oncologue et en publicisant mon état de santé dans une décision disciplinaire parue en mai 2014, alors que j'étais incapable de me défendre, le syndic adjoint Prévost était allé bien trop loin. Mais je savais qu'il n'allait pas s'arrêter en si bon chemin. La publication de la décision de la Cour disciplinaire sur le site Profession Santé m'avait isolé de la communauté médicale et causé – ainsi qu'à Physimed – un tort considérable. Mais surtout, les allusions qu'elle contenait à l'égard de ma condition m'ont obligé à procéder bien plus tôt que je ne l'avais voulu à une tâche extrêmement pénible : celle d'informer mes enfants de ma leucémie.

Au moment du diagnostic, en 2009, ma femme et moi avions convenu – après en avoir discuté avec mon oncologue – de ne pas le dévoiler à nos trois enfants, qui étaient alors âgés respectivement de 17, 15 et 12 ans. L'adolescence est un âge difficile et nous ne voulions surtout pas les insécuriser et les traumatiser à un moment de leur vie où ils étaient plus fragiles.

Quand j'ai annoncé à Gail que nous devions parler à nos enfants, elle était à juste titre bouleversée. L'indiscrétion du Collège des médecins et du syndic adjoint nous avait dépossédés de notre droit le plus élémentaire à notre vie privée. Nous nous sentions envahis. Mais nous n'avions guère le choix : comme la question était désormais du domaine public, ils risquaient de l'apprendre par ricochet à n'importe quel moment et je préférais bien entendu que l'information vienne de ma bouche.

Dieu merci, nos enfants étaient maintenant de jeunes adultes à qui je pouvais parler d'homme à homme. Ça ne rendait pas nécessairement les choses plus faciles, mais au moins, les risques de traumatisme durable étaient moindres. J'ai d'abord réuni les deux plus vieux, Alex et Greg. Ils étaient bien sûr étonnés, meurtris et en larmes à l'annonce de la nouvelle. Mais ils me voyaient quand même en vie, toujours asymptomatique en apparence et encore capable de leur tenir tête à vélo ou au tennis. Ils voyaient que je tenais le coup.

Je craignais davantage la réaction de mon cadet, Mark, très attaché à la mémoire de son grand-père dont il portait le prénom. Pendant que ma femme était enceinte de lui, mon beau-père combattait la leucémie qui l'avait finalement emporté. Quand je lui ai fait part de ma condition, il est resté prostré pendant de longues minutes, fixant le vide, immobile, les yeux inondés. Ce fut extrêmement difficile pour lui. Il a mis du temps à s'en remettre.

Je leur ai demandé à tous les trois de ne pas parler de ma maladie à qui que ce soit. Je souhaitais à tout prix épargner toute inquiétude à mes parents, qui étaient âgés. J'ai aussi soigneusement évité d'aborder avec eux ma situation avec la RAMQ et le Collège des médecins. Depuis, nous observons, mes fils et moi, une sorte d'entente tacite selon laquelle nous évitons de parler de ma condition médicale, même s'ils savent qu'à n'importe quel moment ils sont libres de me poser toutes les questions qu'ils souhaitent au sujet de mon état de santé. Bref, il ne s'agit pas d'un sujet tabou, mais ce n'est pas non plus une obsession ni même un sujet de conversation récurrent. Cela me permet de maintenir à la maison une certaine forme de normalité et je dois admettre qu'outre le comportement de ma femme et de mes fils à mon égard, ce qui m'aide aussi beaucoup en ce sens, c'est la pratique du sport, qui a aussi un effet bienfaisant sur mon moral. Tant que je suis en mesure de performer minimalement, la vie suit son cours.

•••

Ainsi, à cette époque, j'étais confronté à deux combats, l'un devant la Cour supérieure du Québec à la suite du dépôt de notre poursuite contre la RAMQ, le Collège et son syndic adjoint, et l'autre, devant le conseil de discipline du Collège des médecins à la suite du dépôt d'une plainte disciplinaire contre moi par le syndic adjoint Prévost.

Sur le front de la Cour supérieure, en avril 2014, la RAMQ, le Collège des médecins et le syndic adjoint avaient déposé une requête en irrecevabilité de la poursuite intentée le 11 février par Physimed. En d'autres mots, nos adversaires souhaitaient que la Cour rejette notre requête avant même qu'elle ne soit entendue. Ce n'est qu'une des nombreuses manœuvres utilisées par le Collège pour tenter de nous empêcher d'obtenir justice et qui font qu'au moment où ces lignes sont écrites, le procès n'a toujours pas eu lieu. Depuis le début, cela fait partie de la stratégie du Collège à mon égard : épuiser moralement et étouffer financièrement un professionnel à qui on souhaite enlever son droit de pratique afin qu'il finisse par lâcher prise.

Mon avocat d'entreprise, Me Frère, était d'avis que la poursuite de Physimed allait geler le processus disciplinaire jusqu'à ce que la Cour supérieure tranche à savoir si le Collège avait le droit de réclamer à Physimed un document que le même tribunal avait déjà refusé à la RAMQ. Mais au contraire, le Collège avait plutôt entrepris d'accélérer les choses sur le plan disciplinaire en déposant une plainte d'entrave à mon endroit. Si bien que Me Frère avait réclamé une injonction interlocutoire contre le Collège et le conseil de discipline afin qu'ils mettent un frein aux actions du syndic adjoint Prévost jusqu'à ce que la Cour tranche, ce qui était la logique même.

Après avoir lu en diagonale le dossier d'injonction présenté par Physimed (car en injonction interlocutoire, il n'est pas question de traiter de la cause dans sa globalité), le juge qui présidait la séance a déclaré, en parlant des manœuvres du Collège à mon endroit : « Si ce n'est pas du harcèlement, je ne sais pas ce que c'est que du harcèlement. »

Mais même si le juge paraissait bien saisir la situation et mesurer la malveillance du syndic adjoint, l'avocat du Collège avait fait valoir qu'au nom de la protection du public, le processus disciplinaire devait absolument suivre son cours. Il avait aussi invoqué l'ancienneté et le prestige du Collège des médecins. Au bout du compte, le juge avait statué qu'il ne pouvait pas stopper le processus disciplinaire. Il faut le dire : sans vouloir aucunement remettre en question leur compétence et leur impartialité, les juges paraissent très sensibles à la longévité et au prestige d'institutions comme le Collège des médecins, même quand ils réalisent – comme c'était le cas cette fois – que leur comportement soulève des questions. Il donnait ainsi au Dr Prévost toute la marge de manœuvre qu'il désirait pour continuer de s'attaquer à moi dans le cadre du processus disciplinaire sans que je puisse me défendre adéquatement.

Par ailleurs, il avait été convenu que la requête en irrecevabilité déposée contre nous serait entendue le 25 septembre 2014. D'ici là, l'ensemble du processus judiciaire devant la Cour supérieure était interrompu.

• • •

À cette époque, quelques semaines avant que le syndic adjoint débarque chez mon oncologue avec la subtilité d'un éléphant dans un magasin de porcelaine, un nouvel avocat venait d'être assigné au dossier de la poursuite intentée de Physimed contre le Collège des médecins. Il s'agissait de Me Bernard Synnott, qui représentait la compagnie d'assurance du Collège. Mon avocat le connaissait bien et j'avais compris qu'il y aurait peut-être une possibilité de trouver un terrain d'entente avec lui pour que l'acharnement cesse à mon égard.

Début juillet, les deux avocats avaient convenu de se rencontrer pour étudier les possibilités d'un règlement au début du mois d'août, au retour de leurs vacances. Le moment venu, Me Frère a appelé à plusieurs reprises Me Synnott, mais celui-ci ne le rappelait pas.

Dans l'intervalle, le 11 août 2014, la RAMQ a transmis à Physimed une petite lettre lui fournissant finalement les conclusions de son enquête. C'était 13 mois après avoir perdu devant la Cour supérieure et plus de 4 ans après l'ouverture de son enquête. La Régie écrivait qu'elle ne pouvait « conclure qu'il est obligatoire pour une personne assurée de payer pour avoir accès à un médecin de famille chez Physimed » et nous informait qu'il n'y aurait ni sanctions ni récupération monétaire à notre encontre.

Ainsi, nous étions enfin blanchis, après quatre ans d'enfer pour un petit morceau de papier. Nous n'étions pas surpris de ces conclusions, nous qui clamions notre innocence depuis le premier jour de la parution de l'article dévastateur de Nicoud. Mais l'heure n'était pas aux réjouissances : nous en avions plein les bras avec le Collège des médecins.

Me Chénier s'est alors empressé d'écrire à l'avocate du Dr Prévost pour lui indiquer qu'à son avis, cette information justifiait de mettre fin à l'enquête du syndic.

Bien entendu, le Dr Prévost ne l'entendait pas ainsi.

Alors que le mois d'août tirait à sa fin, Me Frère et Me Synnott ont fini par se parler et se sont donné rendez-vous le 15 septembre. Mais cette réunion n'a jamais eu lieu. La requête en irrecevabilité de notre poursuite devait être entendue le 25 et Me Frère m'avait confié qu'il existait une possibilité – si mince soit-elle – qu'elle soit acceptée. Compte tenu des conclusions favorables de la RAMQ, le seul moyen d'échapper à une telle éventualité consistait à amender la poursuite de Physimed pour y inclure des dommages et intérêts et m'ajouter comme codemandeur. C'est ce que nous avons fait.

Nous avions prévenu la partie adverse que si elle continuait de nous faire poireauter en nous faisant miroiter un règlement qui de toute évidence n'était pas dans ses intentions, nous allions amender notre poursuite. Aussitôt que ce fut chose faite, la RAMQ, le Collège et le syndic adjoint envoyaient un avis de désistement de leur requête en irrecevabilité. Encore une fois, l'abus de procédure – ce ne sera pas le dernier – nous avait fait perdre un temps précieux, sans parler du gaspillage d'argent et du stress qu'il m'avait imposés.

Par la suite, les deux parties ont convenu devant un juge de la Cour supérieure d'un échéancier des procédures. Début novembre, mon associé et moi avons été interrogés par la partie adverse, dans les bureaux du cabinet juridique Lavery, à Montréal, dans le cadre des interrogatoires préalables précédant notre éventuel procès. Pendant les six heures qu'ont duré les interrogatoires, Me Synnott fut d'une incroyable virulence à l'égard de mon associé Gilles Racine et de moi-même. À un certain moment, alors que je donnais à une de ses questions une réponse qui n'était pas à son goût, il m'a carrément interrompu. Comme je lui demandais poliment de me laisser terminer, il s'y est refusé. Mais si je n'avais pas répondu complètement à la question, cela aurait pu me porter préjudice à l'étape du procès, car il aurait pu, devant le juge, citer ma réponse comme complète pour me prendre en défaut ou même dire que je n'avais pas répondu à ses questions. Mon avocat n'allait pas laisser passer ça. Lui et Me Synnott se sont alors engagés dans une altercation verbale d'une rare violence. J'ai pensé un moment que les deux allaient monter sur la table pour se taper dessus. J'ai été tellement secoué et abattu que pendant une pause, je me suis allongé par terre dans le bureau de Me Frère, histoire de tenter de faire le vide et de me ressaisir. J'ai mis quelques jours à m'en remettre.

Les procureurs de la RAMQ, du Collège et du syndic adjoint nous ont aussi demandé de leur remettre une quarantaine de documents, dont une foule de dossiers commerciaux, tous les états financiers et procès-verbaux de Physimed depuis 1988. Me Frère s'est opposé et la partie adverse n'a pas contesté ses objections. Mais cela démontrait à quel point l'intimidation est devenue une seconde nature chez le Collège et la RAMQ, qui estiment avoir tous les droits.

Cependant, il y a certaines choses auxquelles nous n'avons pas pu échapper. Ainsi, comme je réclamais des dommages en invoquant, entre autres, mon état de santé, la partie adverse a exigé qu'on lui remette mon dossier médical chez mon oncologue ainsi que le dossier complet de mes consultations auprès de la D^{re} Cummings au Programme d'aide aux médecins du Québec. La pierre d'assise du PAMQ est la confidentialité; c'est l'une des raisons de son succès. Or, voilà que le Collège, qui encourage vivement les médecins en détresse à y recourir, brisait cette règle essentielle. Il fallait vraiment être insensible aux drames et aux angoisses que vivent les médecins qui consultent au PAMQ. En vérité, si je n'avais pu recourir au PAMQ à un certain moment, je ne sais vraiment pas ce qui me serait arrivé. L'aide de la D^{re} Cummings m'a été précieuse au-delà de tout ce que je pourrais exprimer. J'ai ressenti la demande de mon dossier comme un viol et la D^{re} Cummings aussi. Mais je n'avais pas le choix: il me fallait ouvrir des pans entiers de ma vie personnelle à des gens dont l'acharnement ne semblait pas vouloir connaître de limite.

Nous avons donc remis en temps opportun tous ces documents pour que les choses avancent rondement.

Selon l'échéancier convenu, la partie adverse devait remettre son document de défense en décembre, après quoi c'était au tour de notre avocat d'interroger ses représentants. Mais l'année s'est terminée sans que soit livrée la défense qu'elle s'était engagée à remettre. En fait, il a fallu qu'en janvier 2015, Me Frère dépose une requête devant la Cour supérieure pour la forcer à remplir ses engagements, remettre sa défense et convenir d'une date d'échéance pour les interrogatoires de ses représentants.

Au lieu de cela, la partie adverse a plutôt répondu par une autre manœuvre en déposant une requête en scission pour réclamer que notre poursuite soit scindée de telle manière qu'il y en ait une concernant les dommages et intérêts et une autre pour trancher la question de la facture de CDL pour les analyses de laboratoire de Mme Nicoud. Le juge a alors réclamé que la RAMQ, le Collège et le syndic adjoint Prévost se conforment au calendrier initial et a décidé que la requête en scission serait entendue plus tard, après qu'auraient eu lieu les interrogatoires préalables.

Ce n'est finalement qu'en mars 2015 que la partie adverse a déposé sa défense. Nous pouvions enfin procéder aux interrogatoires préalables de ses représentants. Nous avions proposé une liste des personnes que nous désirions interroger, laquelle comprenait notamment les noms du Dr Bernard, président du Collège, et du Dr Gauthier, syndic, qui ont tous deux joué un rôle essentiel dans la vendetta du Collège contre moi. Les procureurs de la partie adverse s'y sont refusés, prétendant que nos demandes étaient abusives et insinuant à mots à peine couverts que le président du Collège des médecins avait autre chose à faire que de répondre aux questions d'un médecin passible de radiation.

Le juge a tranché en limitant à trois le nombre de personnes du Collège que nous pourrions interroger : un témoin des enquêtes (le syndic adjoint Prévost), un de l'inspection professionnelle (le Dr Billard, secrétaire du Comité d'inspection professionnelle) et un représentant du Collège qui serait désigné par la direction (Me Gauvin, directeur des services juridiques du Collège). Ainsi, pas question de questionner les principales personnes concernées.

Début mai, mon avocat a d'abord interrogé deux représentants de la RAMQ : le Dr Marc Giroux, qui était directeur général lors du début de l'enquête Nicoud (et qui, curieusement, effectuait alors des mandats pour le compte du conseil de discipline du Collège des médecins) et l'enquêtrice Julie Tessier.

L'interrogatoire du Dr Giroux fut un numéro d'amnésie particulièrement réussi. Il prétendait ne pas se souvenir de l'enquête de la Régie à propos de Physimed et ne se souvenir que vaguement de la lettre de mise en demeure envoyée par Physimed aux membres du conseil de la RAMQ en décembre 2012. Il a affirmé toutefois que cette lettre avait passablement ébranlé les administrateurs, mais dit ne pas se souvenir de la teneur des discussions. Mais il y avait au moins une chose dont il se souvenait parfaitement. Quand Me Frère lui a demandé combien de temps il fallait compter avant qu'un mandat d'enquête soit émis par la RAMQ à la suite d'une plainte ou d'un article de journal, il a répondu spontanément que cela prenait généralement de 7 à 10 jours.

Or, quand mon avocat a demandé à Mme Tessier à quel moment elle avait reçu le mandat d'enquête à la suite de l'article publié le 30 juillet 2010 à la une de *La Presse*, elle a eu une réponse étonnante : lorsqu'elle est entrée au travail, tôt le matin du 30 juillet, le mandat d'enquête était déjà sur son bureau et l'un de ses supérieurs lui avait signifié que ce dossier était prioritaire.

Outre cette révélation, Mme Tessier a aussi admis – comme elle l'avait déjà fait à l'époque – n'avoir jamais rencontré la journaliste-patiente, ce qui laissait le champ libre à toutes sortes de conjectures.

Autre fait important que nous avons appris : Mme Tessier a finalement avoué que les services de laboratoire étaient bel et bien des services non couverts par la Régie de l'assurance maladie et que Physimed vendait ses services de laboratoire au prix courant, après vérification auprès des autres cliniques et de l'ensemble des laboratoires du Québec. Elle a même avoué – chose étonnante – avoir fait ces vérifications dès le début de son enquête, ce qui aurait dû normalement y mettre fin séance tenante.

En écoutant ses réponses, j'étais hors de moi. Considérant qu'elle savait que nous vendions nos services de laboratoire au prix courant, en quoi leur rentabilité la concernait-elle? En tant que bon gestionnaire, notre devoir et notre responsabilité sont de voir à notre rentabilité en sélectionnant nos fournisseurs de services avec le meilleur ratio qualité-prix. C'est d'ailleurs ce que fait l'ensemble des établissements publics de santé du Québec avec ses multiples appels d'offres. Qui à la Régie s'intéressait à notre rentabilité, et pourquoi? Comment se faisait-il que le Collège des médecins s'intéressait au même sujet trois ans après la parution de l'article?

•••

Dans le document de défense qu'ils avaient finalement déposé en mars 2015, les représentants du Collège avaient monté un scénario abracadabrant pour expliquer l'enquête du syndic – comme ils l'avaient fait d'ailleurs pour mon inspection bidon – tout en niant formellement avoir agi sur les instructions de la RAMQ pour tenter d'obtenir la facture de CDL pour les analyses de laboratoire de Mme Nicoud.

Pour appuyer leur affirmation selon laquelle ils menaient indépendamment de la Régie une enquête légitime, ils ont affirmé que la Direction des enquêtes du Collège avait été mise au courant du dossier Nicoud non pas en juillet 2010, lors de la publication de l'article de *La Presse*, mais en décembre 2012, lorsque Physimed avait envoyé une mise en demeure aux membres du conseil d'administration de la RAMQ auquel le Dr Charles Bernard siège en tant que président du Collège des médecins. Cette mise en demeure aurait, toujours selon leurs dires, alerté le Dr Bernard, qui aurait alors soupçonné qu'il se passait des choses louches dans notre clinique. Il aurait alors demandé au syndic d'enquêter[2].

Cette défense ne tenait pas debout. Premièrement, absolument rien dans notre mise en demeure ne pouvait, d'un point de vue juridique, laisser entendre qu'il y avait des problèmes dans les façons de faire de l'un ou l'autre des médecins de Physimed ni donner prise au

---

2. Si le Dr Bernard a vraiment agi ainsi, alors il a possiblement violé le Code de déontologie des administrateurs de la RAMQ, lequel spécifie qu'un administrateur ne doit pas «communiquer à une personne autre qu'un administrateur du conseil d'administration un document du conseil d'administration sans l'autorisation préalable de la Régie».

déclenchement d'une enquête du Collège des médecins. Or pour qu'un syndic ouvre une enquête, il doit disposer d'informations pertinentes selon lesquelles un professionnel a commis une infraction au code d'éthique. Il ne peut pas partir à la pêche comme ça, de son propre chef. C'est écrit en toutes lettres dans le Code des professions.

Mais surtout, il est impossible que personne au Collège n'ait eu connaissance du dossier Nicoud avant décembre 2012. Dès 2007, le Collège savait que Physimed facturait à ses patients les analyses de laboratoire. Un article de *La Presse* portant principalement sur une autre clinique en avait fait état[3]. J'en avais moi-même informé le Collège et, à cette époque, le Dr Gauthier, le grand patron des enquêtes au Collège, ne nous avait pas adressé le moindre reproche.

Quant au contenu de l'article de Mme Nicoud paru en 2010, le Collège en a été informé avant même sa parution, puisque la journaliste y citait sa coordonnatrice aux relations publiques. Et lorsque l'article avait paru, j'avais moi-même pris la peine d'écrire au Collège des médecins pour dénoncer les faussetés qu'il contenait. Pendant plusieurs mois par la suite, Physimed a fait l'objet d'un intense battage médiatique dans la foulée de l'article. De plus, on a appris, lors des interrogatoires préalables, que le service des communications du Collège des médecins fournit à l'ensemble de son personnel une revue de presse quotidienne sur l'actualité reliée au domaine de la santé. Ces gens ne pouvaient pas ne pas en avoir eu vent en 2010.

Dans un des affidavits déposés devant la Cour supérieure et signé par le Dr Prévost, celui-ci écrit qu'en tant que syndic adjoint, il a non seulement le pouvoir, mais aussi le devoir d'enquêter lorsqu'il est mis au courant d'une action non conforme au Code de déontologie. Or, comment se fait-il qu'il n'ait rien fait pendant trois ans avant de démarrer son enquête, alors que nous étions cités dans plusieurs articles de journaux pendant plusieurs mois en 2010 et 2011 à la suite des fausses allégations de Mme Nicoud.

Ajoutons à cela que c'est le 7 décembre 2011 – donc un an avant la lettre de mise en demeure envoyée aux administrateurs de la RAMQ – que le syndic lui-même, le Dr François Gauthier, m'avait

---

3. *400 dollars pour un médecin de famille*, Pascale Breton, *La Presse*, le 24 mai 2007.

attiré dans un guet-apens aux bureaux du Collège des médecins pour me demander quelle était la profitabilité de notre service de laboratoire et me dire : « Au Collège, on n'aime pas les médecins qui font de l'argent. » C'était une semaine après que la RAMQ eut intenté une poursuite contre Physimed et moi-même pour obtenir la fameuse facture de CDL.

Le Collège des médecins m'avait donc dans sa mire bien avant décembre 2012. Quant à moi, contrairement à ce qu'ils prétendent, les gens du Collège travaillaient main dans la main avec la RAMQ ; de cela, je suis absolument certain.

•••

Plus tard, en mai 2015, mon avocat a procédé à l'interrogatoire préalable des représentants du Collège, dans les bureaux montréalais de Fasken Martineau, le cabinet juridique de Me Synnott.

Ce ne fut pas facile. Nous avons d'abord questionné Me Gauvin, le chef du contentieux du Collège des médecins. Ce n'était pas quelqu'un que nous voulions initialement interroger, mais il nous a été imposé par la Cour à la demande du Collège. Il disait essentiellement n'être au courant de rien. Cependant, c'est une personne importante au Collège, car tous les litiges impliquant le Collège passent entre ses mains. Il est également la personne en liaison avec l'assurance du Collège. Donc, théoriquement, comme c'est nous qui poursuivions le Collège devant la Cour supérieure, il aurait dû être au courant de notre dossier pour en avoir traité avec l'assurance et avec les avocats de l'assurance. D'ailleurs, il nous a affirmé que toutes les mises en demeure qui arrivent au Collège passent par ses mains. Quand mon avocat lui a demandé de prendre la mise en demeure que nous avions adressée à la RAMQ en 2012, il a regardé le document, un peu étonné.

— Quand avez-vous pris connaissance de cette mise en demeure, Maître Gauvin ?

— Je n'en ai jamais eu connaissance.

— Comment ça, vous n'en avez pas eu connaissance ?

— Je viens de prendre connaissance de cette mise en demeure à l'instant même.

Dans notre poursuite devant la Cour supérieure, nous prétendons que le syndic du Collège utilise illégalement ses pouvoirs d'enquête pour obtenir le document que la RAMQ ne pouvait pas obtenir légalement. Le Collège des médecins et son syndic ont toujours nié cela en prétendant mener une enquête indépendante de la RAMQ et qu'ils ne travaillent pas pour le compte de la RAMQ. Ils allèguent dans leur défense devant la Cour supérieure du Québec que l'enquête du syndic Prévost a débuté lorsque le Dr Bernard, président du Collège, a prétendument remis au syndic une copie de la mise en demeure que nous avions fait parvenir aux administrateurs de la RAMQ. Si telle est la vérité, comment se fait-il que cette mise en demeure, l'élément clé du dossier qui est l'élément déclencheur de l'enquête du syndic Prévost, demeure inconnue de Me Gauvin, le directeur des services juridiques du Collège? Plusieurs faits ne concordent pas avec leurs prétentions. Encore une fois, les justifications de leurs actions telles qu'elles sont décrites dans leur document de défense déposé devant la Cour supérieure ne tiennent pas la route.

En cour comme en conseil de discipline, l'arme favorite des procureurs du Collège est l'objection. Pourtant, les questions de Me Frère étaient très limpides et pertinentes. *Docteur Prévost, vous avez ouvert une enquête. Quel est le sujet de cette enquête? Objection! Quelle est l'infraction qui a mené à l'enquête du syndic? Objection! Quel est le médecin qui fait l'objet de l'enquête? Objection! Quelles infractions lui reprochez-vous? Objection!* Ils disaient invariablement que l'enquête était en cours et que tant qu'elle n'était pas terminée, elle demeurait confidentielle. Ils se réfugiaient derrière la confidentialité de l'enquête pour refuser de répondre aux questions de mon avocat.

Pourtant, lorsque j'avais rencontré, en décembre 2013, le syndic Gauthier et le syndic adjoint Prévost, ils avaient candidement avoué que l'enquête portait sur la journaliste-patiente Nicoud et le médecin qu'elle avait consulté, le Dr X. Mais cette fois, c'était l'omerta.

La même chose s'est produite lors de l'interrogation préalable du Dr Billard à propos de mon inspection professionnelle. À tout bout de champ, le procureur du Collège s'est opposé à ce que le Dr Billard réponde à des questions tout aussi élémentaires. *En quoi les dossiers du Dʳ Benham se sont-ils avérés insuffisants? Objection! Est-ce que vous avez reçu du Dʳ Gervais un rapport oral ou écrit sur l'inspection du Dʳ Benham? Objection! Pouvez-vous nous expliquer pourquoi vous avez jugé que l'entrevue orale structurée était le moyen le plus approprié dans les circonstances? Objection!*

Le motif allégué de ces objections répétées était toujours le même: le processus d'inspection du Dʳ Benham est toujours en cours et demeure secret jusqu'à ce qu'il soit terminé. Le Collège se réfugiait derrière la confidentialité du processus d'inspection pour dissimuler le fait qu'il avait inventé mon inspection de toutes pièces. Même chose pour les questions relatives à l'enquête du syndic: invoquer la confidentialité de l'enquête pour masquer les prétextes qui l'avaient fondée.

À un certain moment, mon avocat, dégoûté de tant de mauvaise foi, a jeté son crayon sur la table et annoncé qu'il suspendait son interrogatoire pour faire trancher par un juge les objections soulevées par le Collège.

Bien entendu, il faut s'armer de beaucoup de patience pendant plusieurs mois avant d'espérer faire valoir son point de vue devant un juge. Délai après délai après délai, il faut être muni d'une bonne carapace et surtout d'un bon compte en banque pour tenir le coup.

●●●

C'est au juge Stéphane Sansfaçon, de la Cour supérieure, qu'est revenue, en octobre 2015, la tâche de décider si les objections du Collège lors de l'interrogatoire préalable de Mᵉ Frère étaient fondées. En fait, il devait trancher les objections soulevées par l'avocat du Collège à l'égard des questions posées au Dʳ Prévost et au Dʳ Billard, en plus de se prononcer sur la requête en scission déposée par les parties adverses en février.

Le juge Sansfaçon, un magistrat intérimaire qui, au départ, n'était pas au fait de l'ensemble du dossier, m'a paru intelligent, compétent et posé. Il m'inspirait confiance. Il m'a aussi semblé qu'il cherchait vraiment à comprendre les tenants et aboutissants de la situation. Au retour d'une pause qu'il avait mise à profit pour approfondir sa connaissance du dossier en lisant notre requête déposée devant la Cour supérieure, il s'est exclamé : « C'est toute une histoire, ça ! » Je me suis dit : « Enfin ! Quelqu'un qui comprend. »

Mais après les représentations de Me Frère, l'avocat du Collège, Me Synnott, a riposté avec son numéro habituel : la pureté, le prestige et l'ancienneté du Collège des médecins, voué à la protection du public depuis 1847. Il a rappelé au juge que le Dr Benhaim faisait face à une radiation immédiate provisoire. Et il allait donner raison à un tel individu ? Allons donc ! S'il agissait ainsi, il allait créer un dangereux précédent. Il allait paralyser l'enquête du syndic. Une fois la confidentialité brisée, un syndic ne pourrait plus mener ses enquêtes, et la protection du public serait en péril.

Il y avait vraiment de quoi vomir…

Dans son jugement rendu un mois plus tard, le juge Sansfaçon évoquait le fait qu'il était aux prises avec un « nœud gordien ». De toute évidence, il éprouvait une certaine sympathie pour notre cause, mais entre l'intérêt d'un individu et la protection du public, la cour n'avait d'autre choix que de pencher vers la protection du public. Il a donc maintenu les objections relatives à l'interrogatoire du Dr Prévost, sans se prononcer sur celles touchant l'interrogatoire du Dr Billard et sur la requête en scission.

Je m'expliquais mal la décision du juge, car je pensais que les interrogatoires préalables étaient justement conçus pour accélérer le processus judiciaire afin de faire ressortir certains éléments de preuve avant le procès. Mes adversaires avaient eu le champ libre pour nous interroger sans réserve et exiger de nous une multitude de documents, dont mon propre dossier médical et mon dossier du PAMQ. Mais nous qui alléguions, au cœur de notre poursuite, harcèlement et abus de pouvoir, nous étions privés de questionner nos harceleurs. C'était une pilule difficile à avaler.

Drôle de justice !

• • •

Me Frère avait beaucoup de difficulté à accepter cette décision. « Cette décision ne tient pas la route », me dit Me Frère après lecture de la décision. « Nous n'avons même pas de décision sur les objections concernant le Dr Billard ni sur la scission. Nous ne pouvons pas laisser ça là, à mon avis. Nous devons contester cette décision, qui est incomplète, et faire appel. »

Cependant, j'ai appris qu'on ne peut pas en appeler directement d'une décision intérimaire. Il faut d'abord faire une requête pour obtenir une permission d'appel, ensuite se présenter devant la cour pour discuter devant un juge de la requête et attendre sa décision. Nous avons eu de la chance : le juge nous a accordé la permission d'interjeter appel.

J'ai alors découvert que ce n'était pas une mince tâche que d'en appeler d'une décision intérimaire. En effet, mon avocat a dû déposer un mémoire de quelques dizaines de pages faisant état de nos réfutations avec une documentation complète de jurisprudence à l'appui.

Plusieurs mois plus tard, nous avons été convoqués devant le Tribunal d'appel pour traiter de la décision du juge Sansfaçon. Me Frère se sentait en confiance, certaines jurisprudences plaidant en notre faveur. Cependant, quand un individu se bat contre l'establishment, il a peu de chances de gagner. Me Synnott allait reprendre son petit couplet d'apologie du Collège des médecins, ce grand défenseur du public. Il allait me dénigrer en me présentant comme un médecin radié par son ordre professionnel, un indésirable.

« Oh ! Que ça a mal été ! », s'est exclamé Me Frère après l'audience. Il avait raison : quelques mois plus tard, nous recevions la décision de la Cour d'appel qui confirmait la décision du juge Sansfaçon. Il n'était plus question pour nous de poursuivre les interrogatoires préalables de nos adversaires.

C'est à ce moment que j'ai compris quel type de bataille j'étais en train de livrer. Pour dire les choses simplement, ce n'est pas David contre Goliath ; c'est David contre une armée de Goliath.

CHAPITRE 14

Radiation immédiate provisoire

Pendant que je me débattais devant la Cour supérieure, les choses s'envenimaient sur l'autre front, celui de la Cour disciplinaire.

Après la visite impromptue du syndic adjoint chez mon oncologue et les menaces qu'il lui avait servies, je craignais beaucoup qu'elle me laisse tomber. C'est une chose que de soigner un patient avec toute la compétence et toute la sollicitude nécessaires, c'en est une autre de vous laisser entraîner vers le fond à cause de lui, au point de risquer des démêlés avec votre ordre professionnel. Il était donc hors de question que je l'implique davantage dans mes problèmes avec le Collège des médecins.

Par la suite, l'avocate du syndic adjoint, Me Zaor, a adressé une lettre au président du conseil de discipline, Me Samson, pour l'informer que j'avais interdit à mon oncologue de parler au Dr Prévost de quoi que ce soit concernant ma santé (ce qui bien sûr était faux). Elle souhaitait que la Cour en tienne compte pour alourdir ma sanction. Plus tard, par la voix de son avocat, le Dr Prévost affirmera sans sourciller, en pleine Cour disciplinaire, qu'il n'avait jamais intimidé mon oncologue. Pourtant, j'ai encore dans mon téléphone portable le texte intégral des messages textes que mon oncologue et moi avons échangés ce jour-là et qui démontrent exactement le contraire.

Entre-temps, l'audience pour la radiation immédiate provisoire avait été remise à la mi-juin. Quelque temps auparavant, Me Chénier avait reçu un appel du syndic adjoint Prévost qui l'informait qu'il serait en vacances à ce moment-là et lui demandait de reporter à nouveau l'audience. Pas de problème, répond mon avocat. La séance est donc fixée au 11 juillet 2014. Manque de pot : cette fois, c'est Me Chénier qui sera absent pour assister à un mariage en Europe. Il demande donc à son tour une remise de date. Tout d'abord, c'est un silence de plusieurs semaines qui s'installe. Puis à quelques jours de son départ, sa requête est refusée. Nouvelle illustration du système de deux poids, deux mesures qui a cours au Collège : quand il s'agit d'accommoder le syndic adjoint, il n'y a aucun problème, mais quand il s'agit de rendre cette politesse élémentaire à mon avocat, c'est non. Me Chénier n'avait jamais rien vu de tel.

Me Chénier a donc dû confier momentanément le dossier à un nouvel avocat, Me David Platts – lui aussi un excellent avocat de McCarthy Tétrault –, qu'il a informé tant bien que mal et en vitesse de ma situation la veille de son départ. Début juillet, Me Platts a participé, avec Me Zaor et le président du conseil de discipline, Me François Samson, à une conférence téléphonique d'instance disciplinaire au cours de laquelle ce dernier a pris connaissance de l'évolution de mon état de santé, tel qu'il est décrit dans un nouveau certificat médical de mon oncologue, et a finalement accepté de remettre à une date ultérieure l'audience pour radiation immédiate provisoire.

De plus en plus préoccupé que j'étais par le risque de perdre mon oncologue, j'ai communiqué avec Me Chénier, à son retour à Montréal vers la mi-juillet, pour lui dire que peu importaient les circonstances, j'allais assister à la prochaine audience.

— Même si je suis sur un lit d'hôpital, en chimio ou en soins palliatifs, je vais me présenter au conseil de discipline, lui dis-je. Il n'est pas question que ce syndic adjoint m'écrase et écrase mon oncologue.

— En ce cas, me répond mon avocat, nous allons leur demander tout de suite une audience au mérite. On va aller directement au procès en discipline.

Compte tenu de la nature vexatoire et agressive des agissements du Dr Prévost, il était évident à nos yeux que ce dernier était en conflit d'intérêts. En effet, considérant que nous le poursuivions personnellement pour harcèlement, abus de pouvoir et mauvaise foi devant la Cour supérieure, avant même qu'il ne dépose une plainte en discipline à mon égard, il ne pouvait agir envers moi avec rigueur, objectivité et désintéressement. Me Chénier écrit donc à Me Zaor, l'avocate du Dr Prévost, pour dénoncer son conflit d'intérêts et demander qu'il soit retiré de mon dossier pour être remplacé par un syndic ad hoc, neutre et impartial. Me Zaor répond par une lettre plutôt ferme, quelques jours plus tard, que son client n'est pas du tout en conflit d'intérêts et qu'il a l'intention de poursuivre ses démarches devant le conseil de discipline du Collège en exigeant ma radiation immédiate provisoire.

Une telle sanction est une mesure exceptionnelle à laquelle le Collège a recours lorsque la date d'une audience au mérite est trop éloignée et que la protection du public requiert qu'un médecin soit retiré d'urgence de sa pratique. Comme je m'étais déjà engagé, sous la contrainte, à ne pas pratiquer la médecine et que mon permis de pratique avait ainsi été désactivé par le Collège, il était absolument inutile de procéder à une radiation immédiate provisoire. Il était donc tout à fait logique de procéder au mérite.

Mais le syndic adjoint et son avocate entretenaient une tout autre logique. Pas question d'aller au mérite, répond Me Zaor à mon avocat. À l'encontre de la justice la plus élémentaire, ils allaient quand même exiger la radiation immédiate provisoire. Mais pourquoi ?

J'ai compris que les gens du Collège voulaient d'abord s'assurer que je sois radié et me priver de mes revenus professionnels en utilisant la radiation immédiate provisoire, car le fardeau de la preuve serait alors bien moindre pour eux. Par la suite, une fois que je serais radié, ils allaient me faire poireauter autant qu'ils pourraient avant que je puisse être entendu au mérite. De plus, un médecin qui s'absente de sa pratique pendant trois ans ne peut pas reprendre la pratique aussi simplement que cela. Il doit retourner faire des stages pendant plusieurs mois avant de pouvoir exercer à nouveau la médecine. Or, ils allaient s'assurer que je dépasse cette limite. Ensuite, ce serait à eux seuls d'approuver éventuellement ma réintégration dans la communauté médicale. Ils tiendraient mon sort entre leurs mains tant qu'il leur plairait.

Mais il y avait bien pire. Le syndic voulait propager à travers le monde médical le message que ma prétendue faute était extrêmement grave et que l'urgence était telle qu'il fallait absolument me retirer de la circulation parce que je représentais un danger immédiat pour la sécurité du public. Depuis le début des années 2000, donc en une quinzaine d'années, le Collège des médecins n'avait procédé qu'à six ou sept cas seulement de radiation immédiate provisoire, tous pour des histoires d'horreur : agressions sexuelles, trafic de drogue, dépendance aux drogues, etc. Et maintenant, il s'apprêtait à me faire subir le même sort pour une affaire de document commercial qui ne concernait même pas un de mes patients et n'avait rien à voir avec ma pratique médicale, alors que mon dossier disciplinaire était complètement vierge.

Le commun des mortels ne mène pas d'enquête approfondie lorsqu'il apprend que le membre d'un ordre professionnel fait l'objet d'une radiation. Il tient d'emblée pour acquis que la décision est fondée. La même observation vaut pour la vaste majorité des médecins : lorsqu'un des leurs fait l'objet d'une radiation immédiate provisoire du Collège, ils ne cherchent pas plus loin. Ils présument spontanément que l'individu en question est un pourri et un danger public. Du coup, celui-ci se trouve ostracisé par sa communauté et surtout, il est empêché de pratiquer une profession qui est pour lui bien plus qu'une source de revenus, mais surtout un motif continu de satisfaction, de valorisation et d'épanouissement.

J'étais absolument révolté par cette situation. Quelque temps plus tard, un soir, j'avais laissé éclater ma détresse au téléphone avec Me Chénier. « Ça n'a pas de bon sens, Maître. Pour moi, la justice est la justice et l'injustice est l'injustice. Il n'y a pas d'intermédiaire. Et ce que je comprends aujourd'hui, c'est que nous sommes en face d'injustices flagrantes. Je suis malade : ils n'en ont rien à cirer et procèdent sans moi, malgré mes certificats médicaux. Ils s'entêtent à m'amener en radiation immédiate provisoire alors que ça n'a pas été conçu pour ça. Si ce n'est pas du harcèlement, je ne sais pas ce que c'est. »

J'étais dans ma salle à manger, marchant de long en large d'un pas résolu, à donner libre cours au flot de mes frustrations, lorsque

Me Chénier – peut-être comme Archimède découvrant la loi de la densité des corps flottants – s'est écrié tout à coup :

— 54.1 !

— Qu'est-ce que c'est que ça, 54.1 ?

— Nous allons invoquer l'article 54.1 du Code de procédure civile.

Mon avocat m'explique alors que cet article, issu de la réforme du Code de procédure civile du Québec, adoptée en 2009, nous permettrait de faire valoir que les actions du syndic adjoint sont abusives, excessives et dilatoires.

Je menais alors une bataille judiciaire sur deux fronts. D'un côté, je poursuivais mes adversaires devant la Cour supérieure ; de l'autre, le Collège des médecins me poursuivait devant sa propre cour, soit le conseil de discipline. Les dossiers de ces deux tribunaux n'étaient pas joints, en ce sens que la Cour supérieure du Québec était saisie de mon histoire par le biais de ma requête, mais pas la Cour disciplinaire du Collège. Et comme ma requête devant la Cour supérieure ne figurait pas dans le dossier de la Cour disciplinaire, celle-ci ne serait pas informée de mes allégations de harcèlement, d'abus de pouvoir et de mauvaise foi de la part des gens du Collège des médecins. Le syndic aurait simplement à dire qu'il est dans ses prérogatives de retirer de la pratique un médecin qu'il juge être un danger pour le public. Il demanderait ma radiation immédiate et le conseil de discipline acquiescerait. Ce serait une approbation quasi automatique, sans débat.

C'est à ce moment qu'entrait en jeu l'article 54.1. Il fallait nous assurer que la Cour disciplinaire du Collège des médecins soit saisie de ma bataille devant la Cour supérieure. En vertu de 54.1, nous allions invoquer le fait qu'en refusant d'aller tout de suite au mérite, le syndic adjoint imposait des délais inutiles et injustifiés, abusait de ses pouvoirs, se livrait à du harcèlement et que nous avions les arguments pour le démontrer.

Il était clair que le conseil de discipline allait refuser d'annuler l'audition pour la radiation immédiate provisoire. Mais en invoquant 54.1 au préalable, nous allions pouvoir insérer dans le dossier judiciaire du conseil de discipline tout le contenu de ma poursuite devant la Cour supérieure avec tous les documents et preuves à l'appui. Ainsi, ces documents allaient demeurer dans mon dossier de la Cour disciplinaire. Mon avocat ne cherchait pas à me bercer d'illusions : il savait que le conseil de discipline allait me trouver coupable. Mais quand nous serions en appel devant le Tribunal des professions, le fait d'avoir invoqué 54.1 allait tout changer. Je pourrais raconter comment le Collège et le syndic adjoint m'avaient traité et les juges du Tribunal des professions pourraient suivre mon histoire, puisqu'ils auraient été saisis des documents déposés devant la Cour supérieure du Québec.

Effectivement, quand nous serons entendus en appel au Tribunal des professions, à la mi-février 2017, les juges paraîtront nettement sensibles à nos représentations, en particulier quant aux manœuvres malveillantes du service d'inspection professionnelle du Collège des médecins.

•••

Me Chénier a donc invoqué l'article 54.1 auprès du conseil de discipline, qui a tenu en décembre 2014 une audience pour en disposer. L'événement avait lieu dans une salle d'un hôtel de l'ouest de la ville, rue Sherbrooke. C'était la première fois que je faisais face en personne au conseil de discipline et je ne savais pas trop à quoi m'attendre. En tant qu'accusé, je faisais face au banc, composé du président du Conseil, Me François Samson, et de deux médecins nommés par le Collège, la Dre Monique Boivin et le Dr Stephen Gagné.

Avant le début de la séance, mon avocat m'a dit :

— Je vous garantis qu'on va perdre, Docteur Benhaim.

— Comment ça, on va perdre ? Avec 54.1, on va gagner.

(Naïf comme je l'étais, je gardais toujours espoir en la justice, même devant la cour interne du Collège.)

— Oui, Docteur. Nous allons gagner. Mais pas ici.

Me Chénier avait bien pris soin d'envoyer au Collège, 15 jours à l'avance, tous les documents pertinents à l'appui de sa requête, y compris tout notre dossier de la poursuite déposée devant la Cour supérieure du Québec avec l'ensemble des documents de preuve. Or, à mon grand étonnement, pour bien montrer à quel point le président de ce tribunal se souciait bien peu du fond de l'affaire, il a demandé au tout début de la séance : « Est-ce qu'il y a des documents à traiter lors de cette audience ? »

Bien entendu, il n'avait même pas pris la peine de lire nos documents. Il était bien évident que notre version des faits ne l'intéressait pas. Quant aux deux médecins dont il était flanqué, aucun des deux n'a rien dit pendant toute la durée de l'audience. J'ai même vu l'un d'eux assoupi pendant de longues minutes.

La séance a donné lieu à une intense bataille de coqs entre l'avocate du syndic, Me Zaor, et mon procureur, Me Chénier. Évidemment, comme l'avait prévu mon avocat, il était hors de question que la partie adverse accepte notre recours à 54.1. Mais plutôt que d'invoquer les raisons pour lesquelles elle s'y opposait, Me Zaor a plutôt choisi de se livrer à une attaque plutôt virulente contre ma personne. J'étais un danger public, je prenais mes patients en otage (ce qui était assez ironique, puisque c'est exactement l'inverse qui était vrai : c'est le syndic adjoint qui prenait mes 3 000 patients en otage en m'empêchant de pratiquer ma profession sous un prétexte frivole), je ne pensais qu'à faire de l'argent, etc. Chacune de ces affirmations grossièrement inexactes m'étaient autant de coups de poignard dans le cœur. Je n'en revenais pas d'entendre autant d'accusations aussi blessantes de la part de gens qui ne me connaissaient même pas.

Pour que le président du conseil de discipline rejette notre requête en vertu de 54.1, le syndic adjoint et son avocate avaient choisi de me salir en me présentant comme la dernière des canailles.

Mais je n'étais pas encore tout à fait au bout de mes peines. Après la séance, le Dr Prévost s'est approché de moi en me tendant la main, son éternel sourire narquois accroché au visage. « Je vous souhaite de joyeuses Fêtes, Docteur Benhaim. Oubliez tout ça pendant les vacances. Reposez-vous. »

J'en étais complètement scié. Je me demandais si j'avais bien entendu. Le type qui venait de me lyncher sur la place publique poussait l'arrogance jusqu'à venir me manifester une fausse empathie alors qu'il s'apprêtait à m'assassiner professionnellement. Quelle hypocrisie !

Inutile de dire que notre requête en vertu de 54.1 a été refusée par Me Samson quelques semaines plus tard.

•••

Finalement, en février, après de multiples interventions de mon avocat pour faire avancer mon dossier disciplinaire, l'audience pour la radiation immédiate provisoire fut fixée au 11 juin 2015. Il y avait déjà près d'un an que le syndic adjoint invoquait l'extrême urgence de la situation et la nécessité de protéger le public pour me faire imposer cette sentence. Il fallait bien admettre au bout du compte que c'était de la comédie.

Le jour dit, je me présente au conseil de discipline en compagnie de Me Chénier et de mon associé Gilles Racine. De l'autre côté, il y a le syndic adjoint Prévost, son avocate Me Zaor et un autre avocat représentant le Collège, Me Anthony Battah. Encore une fois, le conseil de discipline était composé de Me Samson, du Dr Boivin et du Dr Gagné.

Pour expliquer les choses bien clairement – encore que, j'imagine, le lecteur s'en doute depuis un moment – le conseil de discipline du Collège des médecins ou, du reste, de n'importe quel autre ordre professionnel, est un tribunal où le syndic est à la fois l'enquêteur et le procureur de la Couronne. Il a donc un double rôle à jouer, de sorte que cela peut parfois engendrer des dérives.

Malgré tout, mon avocat avait confiance que je pourrais échapper à la radiation, tellement mon cas, à l'évidence, n'avait rien à voir avec le caractère sordide des autres situations de radiation immédiate provisoire. «Je ne peux pas concevoir qu'un juge accorde une radiation immédiate provisoire pour une entrave à une enquête, me dit Me Chénier. Encore moins pour des documents administratifs qui ne concernent même pas vos patients. Ça n'est jamais arrivé. Mais je connais Me Samson et je doute qu'il nous donne raison à ce stade-ci. Assurez-vous que M. Racine et vous-même expliquiez votre situation. La partie adverse va s'opposer et tenter de vous déstabiliser. Ne vous laissez pas faire. Concentrez-vous et racontez votre histoire : votre récit sera entièrement transcrit, ce qui sera essentiel pour les juges du Tribunal des professions lorsque nous en appellerons.»

La séance débute à nouveau par un crêpage de chignons entre avocats. Les procureurs du Collège refusent que le Conseil entende le témoignage de mon associé. Quant à mon propre témoignage, ils rappellent que le fardeau de la preuve est *prima facie*, ce qui fait en sorte que je ne pouvais pas relater mon histoire dans son entièreté. Me Chénier insiste et fait valoir que j'ai le droit de me défendre pleinement et, finalement, le président du Conseil accepte que je témoigne, mais de façon très abrégée.

Ce fut d'abord au tour de Gilles de témoigner. Il a dû faire face à un barrage d'objections qui n'avaient d'autre but que de le déstabiliser et de l'empêcher d'influencer le président du conseil de discipline. Il a quand même réussi à expliquer que c'était Physimed et non moi qui refusait de remettre au syndic adjoint la facture de CDL relative aux analyses de laboratoire de la patiente Nicoud. Il a d'ailleurs évoqué à cet égard la résolution adoptée par le conseil d'administration de Physimed le 22 janvier 2014 en vertu de laquelle il revenait à Gilles Racine seul de décider s'il remettrait la facture au syndic adjoint.

C'est alors que nous avons été témoins d'un autre comportement surprenant de la part du syndic adjoint.

Au moment où Gilles a évoqué la résolution du 22 janvier, l'avocat du syndic a demandé si nous avions ce document. Nous avons alors répondu que le Collège avait déjà reçu une copie de l'original. En effet, en octobre 2014, à la suite de nos interrogatoires dans le cadre de nos procédures devant la Cour supérieure, le procureur du Collège nous avait réclamé toute une série de documents, dont cette résolution. Me Frère les avait transmis rapidement au Collège, qui nous avait confirmé leur réception.

Le syndic adjoint Prévost avance alors que non, il n'a jamais reçu ce document et ne l'a d'ailleurs jamais vu. Or, dans la défense du Collège à notre requête introductive d'instance en Cour supérieure, envoyée en mars 2015 et signée par le Dr Prévost lui-même, cette résolution est évoquée et même mise en copie. Et maintenant, il prétendait, en pleine Cour, n'avoir jamais vu ce document.

Tout à coup, croyant sans doute pouvoir rafraîchir la mémoire du syndic adjoint, Gilles mentionne qu'il a dans son porte-documents un brouillon non signé de la résolution. Me Zaor demande à le voir et s'écrie aussitôt : « C'est quoi, ce document ? Ce n'est même pas signé ! » Puis elle se tourne vers le syndic adjoint qui joue encore une fois l'amnésique, affirmant n'avoir jamais vu un tel document, insinuant par le fait même que nous venons de l'inventer et nous faisant passer aux yeux du président du conseil de discipline comme des espèces de menteurs et de faussaires.

Me Chénier explique alors que c'est Me Frère, l'avocat de Physimed, qui avait envoyé une copie de cette résolution et s'engage à communiquer avec Me Frère pour qu'il en remettre aussi une copie signée au conseil de discipline avec toutes les informations expliquant que le Collège des médecins a déjà en main ce document.

Lorsque j'ai commencé à témoigner, il était déjà très évident que le président du Conseil, Me Samson, éprouvait une certaine antipathie à mon endroit. Lorsque j'ai évoqué mon état de santé, les abus, les mensonges et le harcèlement répétés dont j'avais été l'objet de la part du syndic adjoint, il n'a montré aucune espèce de sensibilité, m'interrompant constamment pour me demander d'abréger. « Le document, dit Me Samson, vous ne l'avez pas remis ? »

Je lui explique – mais s'il ne l'avait pas encore compris, il n'y avait vraiment rien à faire – que le document appartenait à Physimed, que nous avions été une entreprise citoyenne responsable en nous adressant à la Cour supérieure pour qu'elle tranche, avant même qu'une plainte soit déposée contre moi par le syndic adjoint. « Oui, reprend-il, mais le document, vous ne l'avez pas remis. »

Ça tournait en rond. Ça ne l'intéressait pas d'entendre ma version des faits, me demandant toujours d'abréger mes réfutations. Il avait déjà décidé et paraissait même irrité que je parle. Nous n'allions nulle part.

Nous n'avions pas eu assez de la journée du 11 juin pour compléter l'audience. Il restait à chaque procureur à faire sa plaidoirie. La séance allait se poursuivre le 11 septembre.

À la fin de la journée, le Dr Prévost m'a de nouveau fait son petit numéro de fausse sympathie, me tendant la main en me souhaitant un bon été, son éternel sourire moqueur vissé au visage.

●●●

Le 11 septembre 2015, nous en étions quittes pour une nouvelle contrariété.

Aussitôt terminée la séance du 11 juin, Me Chénier avait communiqué avec l'avocat de Physimed, Me Frère, pour qu'il lui transmette copie de la résolution nommant Gilles Racine seul responsable de la décision de Physimed de remettre ou non la facture de CDL au syndic adjoint. Me Frère s'était rapidement exécuté, accompagnant la copie d'une lettre polie, mais sèche, à l'intention du Dr Prévost, laquelle contenait notamment les observations suivantes :

« ... Il semble que le Dr Prévost et ses procureurs aient, de façon plutôt théâtrale, indiqué au conseil de discipline qu'ils n'avaient jamais vu ce document auparavant et qu'ils en ignoraient son existence.

Or, comme vous pourrez le constater des documents que je vous transmets en pièce jointe, les procureurs du Dr Prévost ont en main ce document depuis le 24 novembre 2014... En outre, tel que vous pourrez le constater de leur défense, ils ont eux-mêmes allégué l'existence de cette résolution et l'ont communiqué au soutien de leurs procédures déposées au dossier de la cour le 26 mars 2015...

Je ne comprends pas comment le Dr Prévost peut prétendre ignorer l'existence d'une résolution qu'il allègue lui-même au soutien de sa défense... »

Dès le début de la séance, donc, Me Chénier annonce qu'il va déposer la copie de la résolution accompagnée de la lettre de Me Frère. « Objection ! » s'écrie l'avocate du syndic adjoint, qui prétend que nous voulons enchérir la preuve, qui était close depuis le 11 juin.

« Mais voyons ! réplique Me Chénier. Vous avez prétendu n'avoir jamais vu cette résolution et nous en avons une copie. La voici. »

Le président du conseil de discipline, Me Samson, a d'abord retenu l'objection, mais Me Chénier est revenu à la charge en rappelant à celui-ci que le dépôt de cette copie de la résolution avait fait l'objet d'un engagement formel de sa part lors de la séance précédente. Mᵉ Samson – dont la mémoire était décidément fort sélective – a initialement prétendu ne pas s'en souvenir, mais a finalement accepté de reconsidérer sa décision.

La partie adverse, après avoir examiné la copie de la résolution et la lettre de Mᵉ Frère, a finalement consenti à ce que la résolution soit versée au dossier, mais pas la lettre de Mᵉ Frère qui laissait planer (à juste titre) un sérieux doute sur la probité du syndic adjoint. Mᵉ Chénier s'est opposé, insistant sur le dépôt des deux documents. Bien entendu, Mᵉ Samson, le président du Conseil, n'était pas d'accord. Pas question d'entacher la crédibilité du syndic adjoint. C'est ainsi que les choses se passent avec le Collège des médecins : toujours deux poids, deux mesures. Imaginons que l'inverse se soit produit et que ce soit moi qui aurais menti en pleine Cour disciplinaire. Il est clair que la partie adverse m'aurait fait passer un sale quart d'heure et aurait insisté pour que tous les documents prouvant que j'aurais menti en pleine Cour soient déposés dans le dossier de la cour, avec bien sûr les graves conséquences qui en découleraient.

Tout cela montrait de quoi le syndic adjoint était capable.

Mᵉ Battah, l'avocat du Collège, a ensuite entamé sa plaidoirie, encore une fois une attaque en règle contre ma personne. Ma défense était un écran de fumée, disait-il. Je pratiquais la médecine pour l'argent et non pour le bien-être de mes patients. J'avais monté au sein de ma clinique un stratagème consistant à faire prescrire à mes médecins des tests non médicalement requis afin de m'enrichir, à titre d'actionnaire majoritaire de Physimed. (Après avoir tenté de s'attaquer à ma compétence de médecin, le Collège s'en prenait maintenant à mon intégrité.) Il me reprochait aussi de poursuivre le Collège et le syndic adjoint en Cour supérieure, niant du même coup mon droit élémentaire de me défendre devant un tribunal où je pourrais espérer que les dés ne soient pas pipés. En commettant une entrave à l'enquête du syndic, je reniais mon ordre professionnel et je mettais en péril tout son système disciplinaire. Si je n'étais pas radié immédiatement, j'allais compromettre la protection de mes patients et de l'ensemble des patients de Physimed. Et quel message serait alors envoyé aux autres médecins qui ne voulaient pas collaborer? Et quel message serait alors envoyé à la population qui regarde le conseil de discipline et qui s'en remet à lui pour la protéger?

Je ne pouvais pas croire que j'étais le voleur de grand chemin qu'il décrivait dans sa plaidoirie. J'en avais la nausée. Il prétendait que je manipulais nos quelque 50 médecins pour les inciter à prescrire des tests à nos patients contre leur gré, afin de m'enrichir. Quel médecin accepterait de faire une chose pareille et de risquer son droit de pratique pour que quelqu'un d'autre s'enrichisse? Je n'en connais pas. Quelle insulte!

Dans sa plaidoirie, mon avocat a fait valoir que les activités de laboratoire en milieu clinique étaient tout à fait légales et répandues à l'échelle du Québec, que la RAMQ avait conclu son enquête en blanchissant Physimed et qu'il serait ridicule de radier provisoirement un médecin pour une plainte d'entrave qui n'avait rien à voir avec sa pratique ni ses patients, mais concernait plutôt des documents administratifs appartenant à Physimed. Invoquant la jurisprudence, il a rappelé que jamais un médecin n'avait été l'objet d'une radiation immédiate provisoire pour entrave. «Vous voulez priver 3 000 patients des services du Dr Benhaim, a-t-il dit, sans vouloir entendre sa version, alors qu'il s'est adressé à la Cour supérieure pour dénoncer le harcèlement du syndic, ses abus de pouvoir et sa mauvaise foi. Pour qu'il y ait entrave, il faut que vous demandiez au Dr Benhaim un document qui lui appartient personnellement. Ce n'est pas le cas ici. Si vous croyez que vous avez droit à ce document, adressez-vous à Physimed, sinon à la Cour supérieure. La RAMQ l'a fait et elle a été déboutée. Allez en cour si vous voulez, mais ne venez pas traîner ce médecin dans la boue parce que vous avez une emprise sur son droit de pratique.

Après l'audience, la confiance de mon avocat était sérieusement ébranlée. Il m'a confié:

«Je connais Samson. Il va vous radier. Mais on a fait nos devoirs. On va contester et faire appel devant le Tribunal des professions. Je crois que cette décision sera annulée.»

•••

Comme de bien entendu, le 25 octobre 2015, le président Samson, dans un jugement qui respirait le parti pris, prononçait ma radiation immédiate provisoire.

Il concluait sa décision ainsi : « Il est également vrai qu'après un examen approfondi de la situation, lors de l'audition sur le fond de la plainte, le Conseil pourrait en venir à la conclusion qu'il n'y a pas eu entrave et rejeter la plainte, l'intimé se trouvant alors avoir été radié provisoirement sans être coupable. Mais il s'agit d'un risque inhérent à toute demande de radiation provisoire et le législateur en avait conscience lorsqu'il a ajouté l'entrave aux motifs donnant ouverture à une telle demande. »

Ainsi, Me Samson se protégeait tout en m'envoyant à l'abattoir.

Deux mois plus tard, pour détruire ma réputation auprès de nos patients, de nos médecins et des autres cliniques de mon territoire, le Collège des médecins publiait dans les journaux locaux du voisinage de notre clinique un encart indiquant que j'étais radié du Collège. La décision du conseil de discipline était aussi publiée sur le site Web Profession Santé, dans un article dévastateur et truffé d'erreurs. On y évoquait notamment le fait que l'enquête du syndic adjoint portait sur ma conduite professionnelle, ce qui était entièrement faux. On y signalait par ailleurs que je refusais de répondre à plusieurs questions du syndic adjoint portant sur les services de santé de Physimed, ce qui était le contraire même de la vérité. On y indiquait également que j'étais président et directeur médical de… Laboratoires CDL, une autre fausseté.

Dans une lettre de mise en demeure envoyée à Profession Santé, mes avocats ont exigé le retrait de l'article en dénonçant, preuves à l'appui, les faussetés qu'il contenait. Profession Santé a présenté ses excuses et retiré l'article.

Mais le mal était déjà fait.

CHAPITRE 15

Le harcèlement moral et institutionnel

Il y avait maintenant plus de cinq ans que je subissais les assauts répétés, d'abord de la RAMQ et ensuite du Collège des médecins, sans que je puisse comprendre pour autant les motifs de cet acharnement. La radiation immédiate provisoire avait complètement fait basculer mon univers. Mentalement, j'étais en chute libre. J'étais pris dans un tourbillon qui m'entraînait inévitablement vers l'abysse.

J'éprouvais alors énormément de difficulté à dormir. Et lorsque je réussissais finalement à trouver le sommeil, il arrivait très fréquemment que je me réveille en sursaut, essoufflé, couvert de sueur, convaincu qu'une armée d'huissiers m'attendait sur le pas de ma porte pour me signifier une nouvelle poursuite.

Je me souviens d'un autre cauchemar récurrent qui me glaçait d'effroi. Alors que j'étais étendu sur mon lit dans des draps immaculés, un groupe d'assaillants vêtus de noir et cagoulés surgissaient de nulle part et pointaient chacun un revolver dans ma direction. Ils se mettaient à tirer et me criblaient de balles. Les draps blancs perforés s'imbibaient de mon sang, mais je continuais de gesticuler avec la dernière énergie pendant qu'ils continuaient de décharger leurs armes sur moi. De guerre lasse, voyant que je ne mourais pas, mes agresseurs finissaient par s'enfuir.

Le harcèlement de mes tourmenteurs me poursuivait jusque dans mon sommeil.

Je consultais chaque semaine mon psychologue qui n'en revenait pas de l'acharnement continu que je subissais. Le fait de le rencontrer, de lui parler et de partager avec lui mes angoisses m'aidait énormément. Il essayait tant bien que mal de me conseiller, de me réconforter, mais que dire à son client quand le harcèlement se poursuit constamment sans qu'il en connaisse les véritables motifs?

Qu'est-ce que le harcèlement, me disais-je? Bien sûr, à cette époque, la notion de harcèlement sexuel était bien établie et clairement documentée. Et depuis 2004, au Québec, une victime de harcèlement pouvait se plaindre à la Commission des normes du travail. Mais mon cas ne s'inscrivait pas dans le cadre de rapports entre employeur et employé. Il devait bien exister d'autres formes de harcèlement par lesquelles des personnes en situation d'autorité abusent de leurs pouvoirs pour traiter injustement et sans raison valable une personne plus faible qui n'a aucun moyen de se défendre. Car au fond, tout cela procédait de la même logique.

En quête de réponses, je décide donc en janvier 2015 d'entreprendre une recherche sur Google afin de m'éclairer sur le phénomène global du harcèlement. Comment se manifeste-t-il? Quels genres de personnes s'y adonnent? Qui en sont les victimes? Et, au bout du compte, y a-t-il des moyens de l'éviter ou d'en sortir?

À force de raffiner ma recherche, je suis finalement tombé sur un article d'un dénommé Charles Marsan qui décrivait le phénomène du harcèlement moral avec une précision remarquable[4]. Il y expliquait notamment que la victime typique de cette forme de harcèlement est une personne autonome et compétente qui s'investit beaucoup dans son activité professionnelle et présente des qualités d'intégrité, d'honnêteté et de loyauté. Il soulignait ensuite que le plan de destruction du harceleur consiste d'abord à couper les ressources de sa victime, à l'isoler en s'attaquant à sa réputation, à entretenir chez elle un climat de terreur et à la détruire à petit feu, souvent sur de longues années, tout en conservant les apparences de la léga-

---

4. https://charlesmarsan.com/lesarchives/moral.html

lité. Tout cela, signalait aussi l'auteur avec beaucoup de pertinence, se déroule la plupart du temps dans l'indifférence et la passivité généralisée du milieu dans lequel la victime évolue.

Je n'en revenais pas : ce type – que je ne connaissais ni d'Ève ni d'Adam – racontait carrément mon histoire. Je m'identifiais totalement à ce texte. Je l'ai montré à mon associé qui, après l'avoir lu, a confirmé mon sentiment en s'écriant spontanément :

« Mais c'est incroyable, Albert ! Il parle de toi ! »

Après avoir lu et relu ce récit, une espèce de déclic s'est fait en moi. J'ai commencé à voir les choses d'une autre façon. Je réalisais que non seulement étais-je moi-même victime de harcèlement moral, mais que je n'étais pas seul à vivre un tel calvaire. Le fait de m'être rendu compte de cela a été pour moi un élément déclencheur de mon processus de réhabilitation. Cette constatation a ralenti ma chute en enfer et m'a aidé à me ressaisir.

Au cours des semaines et des mois suivants, j'ai approfondi mes connaissances sur le harcèlement moral, en particulier celui exercé par les syndics d'ordres professionnels.

Au Québec, on compte une quarantaine d'ordres professionnels réunissant environ 350 000 personnes, assujetties au Code des professions, qui encadre aussi le droit disciplinaire. Au Canada, on parle d'environ 1,5 million de professionnels. Cela représente beaucoup de victimes potentielles. Tous les ordres professionnels ont la même structure et essentiellement la même mission, qui est la protection du public. Pour qu'un professionnel puisse pratiquer sa profession, il doit être membre en règle de son ordre, qui contrôle sa licence et son droit de pratique. Si une plainte est déposée contre un professionnel, c'est le syndic de l'ordre qui mène une enquête, laquelle pourrait se solder par le dépôt d'une plainte officielle devant le conseil de discipline, susceptible de lui causer bien du tort.

En concentrant toujours mes recherches sur les syndics d'ordres professionnels, je suis finalement tombé sur un mémoire du président de l'Association des psychologues du Québec, Charles Roy, au ministre de la Justice d'alors, Me Bertrand St-Arnaud. Dans ce texte, M. Roy déplorait l'absence totale de surveillance des syndics, qui sont investis d'énormes pouvoirs d'enquête, pratiquement sans aucune obligation de rendre compte, en plus de bénéficier d'une immunité quasi étanche. En effet, les syndics n'ont pas à expliquer ce qu'ils font, ni pourquoi ni comment, sous prétexte que leurs enquêtes sont confidentielles. Un syndic n'a de comptes à rendre à personne. Il peut s'adonner à toutes les dérives et détruire des vies en toute impunité.

Donc, un professionnel qui s'est senti lésé par un syndic ne peut pratiquement pas porter plainte contre lui, sauf si le syndic agit de mauvaise foi. Mais encore faut-il être capable de le prouver. Le professionnel est contraint de subir et essayer de se défendre juridiquement avec ses modestes moyens dans une bataille tout à fait inégale.

Enfin, le président de l'Association des psychologues plaidait pour une surveillance et un encadrement des syndics dans leurs fonctions. Plus précisément, il demandait que les syndics observent un code de déontologie à l'aune duquel ils pourraient être jugés, ce qui est le bon sens le plus élémentaire.

Désireux d'en savoir davantage à propos de son projet, je suis entré en contact avec M. Roy, à qui j'ai brièvement raconté mon histoire. Il était d'autant plus disposé à me rencontrer que je poursuivais le Collège des médecins et le syndic adjoint Prévost devant la Cour supérieure du Québec.

« On ne voit jamais ça, m'a-t-il confié. Les professionnels ont bien trop peur de leur ordre et n'ont pas les moyens financiers de se défendre. »

Quand je l'ai rencontré quelques jours plus tard, j'ai été impressionné par sa sincérité, son écoute attentive et la remarquable maîtrise de son sujet.

— Vous savez, Docteur Benhaim, j'ai déjà rencontré des centaines de professionnels qui m'ont raconté leurs difficultés avec leur ordre. J'ai entendu de véritables histoires d'horreur. J'ai recueilli les témoignages de plus de 150 personnes et il est très triste de constater ce sentiment d'impuissance et de vulnérabilité qui les habite tous. Plusieurs d'entre eux ont dû quitter la pratique, certains ont pris une retraite prématurée, d'autres ont dû réorienter leur carrière. Beaucoup ont dû faire face à de grosses difficultés financières, certains ont déclaré faillite, plusieurs ont fini par divorcer, d'autres ont sombré dans la dépression et quelques-uns se sont suicidés. On ne peut pas se dresser devant un syndic. Votre vie professionnelle est entre ses mains. J'ai déjà rencontré plusieurs professionnels comptant 20 ou 30 ans d'expérience, qui ont dû avouer une faute qu'ils n'avaient même pas commise, simplement pour en finir avec un syndic qui ne les lâchait pas. Il y a quelque chose de pervers dans tout ça.

— Mais comment se fait-il que personne ne réagit ?

— Personne ne parle. Tout le monde a peur. Tout le monde se cache. Bien sûr, les ordres professionnels nient le problème. Je suis allé frapper à la porte de l'Office des professions : pas de réponse. J'ai même sondé le ministre de la Justice.

— Qu'est-ce qu'il vous a dit ?

— J'ai toujours les mêmes réponses. Où sont vos victimes ? Comment se fait-il que personne ne se plaint ? Comment voulez-vous que j'intervienne si personne ne dénonce le problème ? La stratégie des syndics est simple. Ils vous menacent, vous terrorisent, et si vous n'abdiquez pas, ils vous emmènent en discipline pour vous faire radier, détruire votre réputation, vous isoler de votre communauté professionnelle et vous priver de votre gagne-pain. Tôt ou tard, vous n'avez pas le choix : vous pliez l'échine.

M. Charles Roy n'est pas contre l'existence des ordres professionnels ni contre leur mission ; il n'est pas non plus contre les syndics ni contre le travail qu'ils doivent accomplir. Et malgré tous mes déboires avec le Collège des médecins, je partage également cette opinion.

J'écoutais son discours avec beaucoup d'attention, car je m'identifiais tout à fait aux témoignages de ces victimes. Je réalisais que je n'étais pas le seul professionnel à subir du harcèlement moral de la part de son ordre professionnel, ce qui en un sens était plutôt réconfortant, une sorte de bouffée d'oxygène. Mais ce que comprenais aussi, c'est que les problèmes que je vivais avec le Collège des médecins étaient systémiques et enracinés dans la structure même des ordres professionnels.

J'avais toute une pente à remonter. Mais curieusement, au lieu de me laisser aller et de m'écraser dans mon coin, ça m'a donné plus de souffle pour me battre. C'est alors que l'idée de raconter mon histoire dans un livre a commencé à germer dans mon esprit.

···

Quelques mois auparavant, j'avais vécu une expérience étrange qui, même si j'étais intimement persuadé d'avoir fait ce qu'il fallait faire, m'avait plongé dans les affres du doute et la crainte de conséquences fâcheuses.

Par une belle journée de septembre 2014, toute ma famille s'était donné rendez-vous au club de tennis local pour admirer, avec fierté, l'un de nos fils disputer la finale du championnat du club. M'étant retiré brièvement à l'écart pour prendre un appel téléphonique, j'entends tout à coup ma femme qui crie:

«Albert! Albert! Viens vite sur le court numéro 10!»

Le ton de sa voix ne laissait aucun doute sur la gravité de la situation. Je cours aussitôt vers le terrain, où un homme dans la quarantaine est allongé près du filet, inconscient. Son visage présente une vilaine teinte bleutée, son regard est vitreux et de l'écume se forme à la commissure de ses lèvres. Il est en train d'agoniser.

J'essaie sans succès de le réveiller. Je prends son pouls: le cœur ne bat plus. J'entreprends aussitôt des manœuvres de réanimation. Je commence à masser son cœur tandis que quelqu'un d'autre s'occupe de lui administrer le bouche-à-bouche. L'homme ne réagit pas. Je demande alors à un instructeur de tennis s'il y a un défibrillateur tout proche.

— Je pense que oui.

— Cours, va me le chercher!

Deux minutes plus tard, j'installais les électrodes sur le thorax du pauvre homme. J'appuie sur le bouton de décharge pour le zapper. Il sursaute, mais rien d'autre ne se passe. Aucun signe de vie. Je recommence les manœuvres. Et là, comme par miracle, son cœur se remet à battre. Le pouls est à peine perceptible, mais son rythme cardiaque augmente petit à petit. L'individu commence à bouger la tête. Il ouvre les yeux. Il semble perdu et effrayé. Il se met à parler avec difficulté, demande ce qui s'est passé. Nous le réconfortons en lui conseillant de rester tranquille. Quelques minutes plus tard, les ambulanciers étaient là. Nous l'avons installé sur une civière et l'ambulance l'a transporté à l'hôpital.

J'ai appris que cet homme était en train de disputer un match de tennis quand tout à coup, en courant pour ramasser une balle, il s'est effondré à la suite d'un arrêt cardiaque. Je ne le connaissais que de vue, l'ayant déjà aperçu au club. Il avait à peine 46 ans et c'était un chirurgien de l'Hôpital de Montréal pour enfants.

Je suis retourné chez moi avec ma femme, encore sous l'effet de l'adrénaline, mais profondément heureux d'avoir pu sauver la vie de quelqu'un. Il y avait déjà presque six mois que je ne pratiquais plus la médecine. Ça me manquait terriblement et cet épisode tragique m'a redonné le goût de l'épanouissement professionnel que j'avais vécu pendant tant d'années.

Mais tout à coup, un profond sentiment d'inquiétude m'a envahi. Je venais de pratiquer la médecine alors que quelques mois auparavant, j'avais signé un engagement – forcé, mais quand même – envers le Collège des médecins de ne pas exercer ma profession. Je savais très bien, parce que mon avocat m'avait formellement prévenu, que si je rompais mon engagement, je risquais beaucoup. Le syndic se serait fait un plaisir de me traîner devant le conseil de discipline pour déposer une nouvelle plainte comme quoi j'étais un médecin délinquant qui ne respecte même pas ses engagements. Je commençais à me poser toutes sortes de questions. Et s'il advenait que par malheur ce patient décède à l'hôpital, est-ce que je pourrais être blâmé ? Comment le syndic réagirait-il ? Il jouirait certainement à me faire la fête. J'ai confié mes inquiétudes à ma femme, qui était bien sûr au courant de l'incident au cours duquel le Dr Prévost s'était présenté à l'hôpital pour menacer mon oncologue.

« Je comprends ton point de vue, me dit-elle. On doit s'attendre à tout avec ce type-là. Mais il y a quand même des limites. Tu viens de sauver la vie de quelqu'un. »

Le lendemain matin, j'appelle Me Chénier pour lui expliquer la situation. Je comprends de son point de vue que si, à strictement parler, j'ai en effet pratiqué un acte médical, il est tout aussi vrai que je l'ai fait comme un bon samaritain, de manière tout à fait improvisée et en situation d'urgence, et non pas en tant que médecin. Il n'était pas question d'ouvrir une boîte de Pandore en allant me dénoncer moi-même au Collège.

Le surlendemain, je suis allé visiter le joueur de tennis à l'hôpital. Je m'étais informé de son état de santé et on m'avait dit qu'il devrait subir des pontages coronariens. Lorsque je suis arrivé dans sa chambre, je craignais qu'il ne me reconnaisse pas. Mais dès qu'il a entendu ma voix, il s'est levé du lit et nous nous sommes enlacés comme de vieux amis. Il m'a expliqué qu'il avait des antécédents familiaux de maladies cardiaques, mais qu'après en avoir discuté avec son médecin de famille lors de son bilan de santé, ce dernier n'avait pas jugé nécessaire de lui faire passer un électrocardiogramme à l'effort.

« Je cours souvent seul à la montagne avec mon chien, ajoute-t-il. Dieu merci, cet incident est arrivé au club de tennis. Vous m'avez pris à temps. J'ai passé une échographie cardiaque et mon cœur et mes valves sont intacts. Je ne subirai aucune séquelle de mon arrêt cardiaque. Ma femme et mes enfants vous remercient infiniment. »

Nous avons convenu que dès qu'il sortirait de l'hôpital, nous irions prendre un verre ensemble. En partant, il m'a demandé quel type de médecine je pratiquais. J'étais embarrassé. Je ne savais pas trop quoi lui répondre.

Si cet épisode m'a procuré un vif sentiment de satisfaction et de devoir accompli, il m'a aussi fait prendre conscience avec une acuité renouvelée de ce qui me manquait le plus dans la vie, soit la pratique de la médecine et le contact quotidien avec mes patients.

Aussi absurde que cela puisse paraître, après tout ce que j'avais vécu pendant ces dernières années, j'étais devenu conditionné à me méfier de tout. Je devais redoubler de vigilance et constamment faire attention à qui je parlais, quels conseils je donnais et jusqu'où je pouvais aller. Quand je pratiquais librement la médecine, j'étais souvent sollicité par ma famille, des amis et des connaissances pour leur donner des avis d'ordre médical. C'était un plaisir et une source de valorisation pour moi. Soudainement, depuis l'histoire de ma radiation, mon univers avait basculé. Les gens qui étaient habitués à me parler et à me poser des questions ne comprenaient pas mon silence et mes réponses évasives. Certains pensaient que je leur tournais le dos. Je marchais constamment sur des œufs.

CHAPITRE 16

La journaliste Nicoud

À l'automne 2015, j'étais dans un état déplorable. Le Collège des médecins avait déployé contre moi tout son arsenal. Je venais de subir une radiation immédiate provisoire, sans que je puisse me défendre convenablement. Au conseil de discipline, l'avocat du Collège avait eu à mon égard un comportement extrêmement agressif. À un certain moment, alors que j'évoquais la visite impromptue et malvenue du syndic adjoint à mon oncologue en juin 2014, Me Battah avait menacé de me poursuivre pour diffamation, insinuant même que cette visite n'avait jamais eu lieu. Comme certains mauvais joueurs de poker, il bluffait chaque fois qu'il n'avait pas de jeu.

Bien sûr, l'intimidation figure en bonne place parmi les armes du harceleur. Mais dans le cas des ordres professionnels, l'isolement et l'ostracisme sont des outils privilégiés. Voilà pourquoi le syndic adjoint tenait tant à ma radiation immédiate provisoire alors qu'il pouvait difficilement ignorer que rien ne la justifiait. Une fois ma radiation prononcée, le Collège coupait les ponts entre la communauté médicale et moi. J'avais la lèpre, j'étais un pestiféré, personne ne souhaitait m'approcher. Je n'étais plus rien, j'avais perdu mon identité. C'était l'isolement professionnel complet. À part quelques rares exceptions, les amis et les connaissances que je m'y étais faits dans le cadre de mes fonctions auprès de l'Agence de santé de

Montréal m'ont complètement tourné le dos. Lorsqu'il m'arrivait, pour une raison ou pour une autre, de parler à l'un d'entre eux, je sentais assez rapidement que je le dérangeais.

Je pouvais les comprendre jusqu'à un certain point. Pendant de très nombreuses années, j'ai réagi de la même manière à l'endroit des médecins radiés. Lorsque je m'apprêtais à embaucher un médecin chez Physimed, je communiquais systématiquement avec le Collège pour connaître son dossier disciplinaire. Il n'était pas question pour moi que notre clinique s'entoure de médecins problématiques. Je l'admets : j'étais bien naïf.

Mais je dois avouer par ailleurs que cet isolement n'était pas seulement le fait des autres médecins. Moi aussi je désirais m'isoler. Je n'avais pas le goût de parler de ma situation, sous l'effet de l'humiliation et d'une sorte de honte que je n'aurais pas dû ressentir – car j'étais pleinement convaincu de mon innocence – mais que j'éprouvais tout de même.

Du jour au lendemain, donc, ce fut le vide total. Heureusement, j'ai eu la chance de pouvoir compter sur ma femme, mon partenaire et sa conjointe, ma famille, mes avocats, mes amis, mes employés et collègues de travail, mes médecins traitants, la D^{re} Cummings du PAMQ, mon psychologue et mes patients. Si je n'avais pas eu leur aide et leurs encouragements et si je n'avais pas eu autant confiance en moi et en mes habiletés, je ne sais pas comment je m'en serais sorti.

• • •

Depuis maintenant cinq ans, je vivais cette histoire un pas, une étape à la fois, sans me douter bien sûr qu'elle allait durer aussi longtemps. Je souhaitais redresser les torts qu'on me faisait subir et obtenir justice, mais je voulais aussi surtout comprendre. Que s'était-il passé pour que l'affaire prenne des proportions aussi démesurées ? Qui tirait réellement les ficelles ? Qui avait juré ma perte ? Et pourquoi ?

Il s'agissait pour moi, ni plus ni moins, de reconstruire un puzzle. De temps à autre, je trouvais un morceau, mais je ne savais trop où le placer. Il arrivait que j'en trouve un autre, en cherchant le lien qui l'unissait au précédent. C'est ainsi que j'avais découvert que l'histoire de mon inspection professionnelle avait été fabriquée de toutes pièces. Même chose pour l'enquête du syndic : l'idée que c'est la lettre de mise en demeure de Me Frère, en décembre 2012, qui avait déclenché cette enquête ne tenait pas debout une seule seconde.

Quand on a affaire à des gens qui avancent différentes versions d'une même histoire, on ne sait jamais laquelle de leurs affirmations est vraie. On doute de tout. Mais je savais que leur défense en Cour supérieure ne tenait pas la route. Il fallait seulement que je le prouve, morceau par morceau. Les gens du Collège ont été très habiles pour détruire ma crédibilité devant les juges de la Cour supérieure. Ils ont d'abord essayé par l'inspection professionnelle pour ensuite se servir du conseil de discipline du Collège afin de m'imposer une radiation immédiate provisoire. Je savais donc que pour l'instant, je n'avais aucune crédibilité devant la Cour supérieure. Il était clair que ma parole n'allait pas peser bien lourd devant cette cour et mes adversaires y comptaient bien. Il fallait donc à tout prix que je m'arrange pour trouver plus de preuves.

Quelques années auparavant, en février 2013, j'en étais venu à m'ouvrir à un de mes patients – un ex-policier très haut gradé qui avait eu une longue carrière dans le domaine des enquêtes – de mes problèmes avec la RAMQ qui me harcelait et harcelait mes médecins pour obtenir la facture de CDL. Je lui avais raconté succinctement mon histoire et rapidement, il m'avait dit :

— Qu'est-ce que la journaliste a dit à l'enquêtrice ?

— Elle ne l'a jamais rencontrée.

— Impossible !

— L'enquêtrice m'a confirmé qu'elle ne l'a jamais rencontrée et qu'elle n'a jamais eu l'intention de la rencontrer.

— Albert, le problème est là ! Ne cherche pas ailleurs ! C'est par son article que tout a commencé. Je ne comprends pas qu'elle n'ait pas été interrogée. C'est l'abc d'une enquête : tu commences par le début. Tu commences toujours par la source. C'est ce qu'on enseigne aux enquêteurs dans le cours 101 des enquêtes.

C'est une question que je me posais aussi et à mesure que le dossier progressait, je comprenais de moins en moins comment il se faisait que cette journaliste-patiente n'avait jamais été interrogée, ni par la RAMQ ni ensuite par le Collège des médecins.

En décembre 2015, j'ai décidé de prendre le taureau par les cornes et de communiquer avec elle. Dans l'état désespéré où j'étais, je n'avais rien à perdre. Je me disais qu'elle était la cause initiale des cinq années d'enfer que j'avais vécues jusqu'alors. C'est elle qui avait tout déclenché. Il fallait que j'en aie le cœur net. Si c'est une femme honorable, me disais-je, elle devrait être curieuse de connaître les conséquences de son travail. Comme professionnel, on devrait avoir cette curiosité élémentaire à l'égard des résultats de ce qu'on fait.

Je savais peu de choses d'elle. Originaire de France, elle avait 27 ans au moment où elle avait consulté un de nos médecins et ensuite écrit l'article en 2010. Elle travaillait au quotidien *La Presse*, où elle était spécialisée dans le domaine des arts et spectacles. Elle vivait dans l'est de la ville et avait cogné à la porte de Physimed – à l'autre bout de la ville – pour prétendument se trouver un médecin de famille.

J'ai pris mon courage à deux mains et j'ai composé le numéro du journal.

Au bout du fil – ce qui m'a tout de suite étonné – je n'ai même pas eu besoin de me présenter. Elle m'a dit savoir très bien qui j'étais. Pourtant, nous ne nous étions jamais rencontrés et bien des années s'étaient écoulées depuis sa visite chez Physimed. Voici en substance le contenu de notre brève conversation :

— Toutes sortes de choses sont arrivées après la publication de votre article, lui dis-je, et j'aimerais partager cela avec vous, si ça vous intéresse.

— Vous savez, a-t-elle répondu, ça fait longtemps.

— Oui, mais il y a eu plusieurs conséquences. J'aimerais vous rencontrer pour en discuter.

— Écoutez, c'est le temps des Fêtes et je suis très occupée. Tout ce que je peux vous dire, c'est qu'on m'a donné des informations, j'ai enquêté, j'ai écrit l'article et je suis passée à autre chose.

— Pas nous, madame. Nous n'avons pas pu passer à autre chose.

— Désolée, je n'ai pas le temps.

— Puis-je vous rappeler après les Fêtes, alors ?

Je sentais bien qu'elle était très mal à l'aise. Cependant, nous avons convenu de nous reparler en début d'année.

Après plusieurs tentatives infructueuses, je finis par l'avoir au téléphone au début du mois de janvier. Elle me dit qu'elle a consulté les avocats de *La Presse* et qu'elle n'est pas à l'aise à l'idée de me rencontrer. J'ai insisté, poliment mais fermement, et nous avons finalement convenu de tenir une rencontre sur Skype le 12 janvier 2016. Elle m'accordait 20 minutes, pas davantage.

Finalement, la conversation a duré près d'une heure. Mon objectif n'était pas de la confronter, mais de clarifier la situation, de lui donner l'occasion de me raconter son histoire, d'exprimer son point de vue. J'ai commencé par la mettre au courant de tout ce qui était arrivé depuis cinq ans : l'enquête de la Régie, la demande de la facture de CDL pour des services non assurés et non tarifés, l'entrée en scène du Collège des médecins, ma radiation immédiate provisoire, le fait que j'étais désormais considéré comme un indésirable par la communauté médicale. Dans le feu de l'action, je me suis laissé emporter et je lui ai également parlé de mon état de santé. C'est à ce moment qu'elle m'a paru sincèrement troublée et désolée.

— Là où j'en suis, tout ce que je désire, c'est comprendre, lui dis-je. Je ne vous veux aucun mal. Je veux seulement comprendre ce qui m'arrive. Éclairez-moi, s'il vous plaît.

— Écoutez, quand je suis venue à votre clinique, je cherchais simplement un médecin de famille. C'est très difficile d'en trouver un au Québec.

Quand je lui avais parlé au téléphone quelques semaines auparavant, elle m'avait dit que c'était « certaines personnes » qui lui avaient donné des informations qui l'avaient dirigée vers notre clinique. Maintenant, c'était seulement la recherche d'un médecin de famille… à plusieurs kilomètres de son domicile et de son lieu de travail.

Je lui demande alors comment elle avait trouvé le D^r X.

— Très gentil, très correct, répond-elle.

Mais elle n'est jamais revenue à la clinique pour le consulter, elle qui prétendait se chercher un médecin de famille.

J'aborde ensuite le cœur de l'article qu'elle avait écrit, dans lequel elle affirmait avoir payé 340 $ pour les services d'un médecin de famille, alors qu'en fait, elle avait payé pour des analyses de laboratoire et qu'elle aurait dû le savoir.

— L'enquêtrice de la RAMQ ne comprenait pas pourquoi vous aviez écrit un tel article, lui fis-je remarquer.

— Je ne comprenais pas pourquoi je devais faire des tests et pourquoi il me fallait payer pour ces tests, dit-elle.

— Mais vous avez reçu une facture ? Est-ce que vous l'avez contestée ?

— J'ai peut-être mal compris, mais je croyais que pour avoir un médecin de famille chez vous, il fallait faire des tests. Par la suite, j'ai trouvé un médecin de famille dans un CLSC, j'ai passé tous les tests sur place et je n'ai jamais eu à payer. Je suis désolée, c'est peut-être moi qui ai mal compris.

Que de contradictions ! On s'attendrait à ce qu'une journaliste qui écrit un article en première page de *La Presse* sur le système de santé soit minimalement informée de la manière dont il fonctionne, à savoir que les analyses de laboratoire sont gratuites dans tous les établissements publics, mais qu'il y a des frais à payer dans les cliniques privées et semi-privées. Le comble, c'est qu'elle était parfaitement au courant de ce fait, puisqu'elle citait dans son article les conclusions d'une enquête de la RAMQ en 2007, concernant une autre clinique, à savoir que cette clinique ne contrevenait pas à la loi en facturant à ses patients des services de laboratoire puisque ces services ne sont pas couverts par la Régie en milieu clinique. Mais je suppose que c'était trop demander. Visiblement, elle essayait tant bien que mal de se faufiler, mais ses propos inconsistants ne tenaient pas la route.

Et pour couronner le tout, elle m'avoue que les frais qu'elle a payés à Physimed pour ses analyses de laboratoire ont été remboursés par sa compagnie d'assurance.

Elle m'a ensuite confirmé ce que je savais déjà, à savoir que ni la RAMQ ni le Collège des médecins n'avait communiqué avec elle au sujet de son article du 30 juillet 2010. Cependant, elle ajoutait avoir déjà parlé au syndic du Collège des médecins dans le cadre d'une plainte qu'elle avait formulée dans le passé au sujet d'un médecin d'une autre clinique.

« Le syndic m'a appelée pour me poser toutes sortes de questions au sujet de ma plainte. Mais dans votre cas, aucun appel. »

Mon patient ex-policier avait donc bien raison. Les enquêteurs vérifient toujours la source d'une plainte avant d'enquêter. Nicoud venait elle-même de m'expliquer cela à propos d'une plainte contre un médecin d'une autre clinique. Comment se fait-il que ni la RAMQ ni le Collège des médecins ne l'ait questionnée, alors que je dénonçais la fausseté de ses allégations ? J'ai fait une dernière tentative pour obtenir plus de renseignements ou d'indices de sa part.

— Vous ne pouvez rien me dire d'autre qui pourrait m'éclairer ?

— Non. Je suis venue à votre clinique de mon propre chef et j'ai compris que je payais pour les services d'un médecin. Je suis désolée. Je me suis peut-être trompée, mais je ne peux rien pour vous.

De toute évidence, elle n'était pas assez sensible à ma détresse pour jeter un peu de lumière sur les causes de ma situation. Cependant, je concluais notre conversation sans l'accuser, en espérant garder la porte ouverte au cas où elle déciderait un jour de s'ouvrir et de me raconter ce qui s'était vraiment passé.

Le lendemain, je lui ai envoyé un cadeau de remerciement : des fleurs ou des fruits, je ne me souviens plus trop. Mais le jour d'après, habité plus que jamais par un sentiment de profonde trahison et par l'impression durable que je me trouvais face à un mur impénétrable, je lui ai écrit un long courriel, assez émotif, dans lequel je lui ai renouvelé mon incompréhension qu'elle ait pu écrire un article aussi mal informé et ma certitude que des gens s'étaient servi d'elle – pour des raisons sans aucun doute politiques – pour braquer contre moi-même et ma clinique des institutions aussi puissantes que la RAMQ et le Collège des médecins. Je me suis aussi étonné qu'une jeune journaliste spécialisée en arts et spectacles s'attaque spontanément à des questions aussi complexes que celles reliées au système de santé. Je lui ai expliqué que ma vie était pratiquement détruite, que je ne pouvais plus pratiquer la médecine, que je n'avais plus de revenus professionnels et que j'avais été complètement isolé de la communauté médicale. Je soulignais également que ma santé physique et mentale s'était beaucoup détériorée à la suite des fausses allégations contenues dans son article.

Lui rappelant enfin tout le tort professionnel et personnel que son article m'avait causé – alors que je ne l'avais jamais rencontrée, jamais examinée, ni ne lui avais jamais prescrit quoi que ce soit –, je terminais sur ces deux paragraphes assez émotifs.

« Vous m'avez expliqué lors de notre entretien que vous êtes désolée de ce qui m'arrive et que vous ne souhaitiez pas me causer personnellement de tort en écrivant cet article. Vous sembliez sincère et je n'ai aucune raison d'en douter ; cependant, les faits sont les faits et depuis la parution de votre article, ma vie a complètement basculé. Je me demande s'il y a des façons de rectifier cette situation...

Je suis conscient qu'au moment où vous avez écrit cet article, vous ne pouviez pas imaginer l'ampleur catastrophique des dommages que votre article aurait pu causer. Considérant que vous êtes aujourd'hui au courant de la gravité de la situation, y a-t-il quelque chose que vous pouvez faire pour m'aider à m'en sortir ? Je suis au bout du rouleau... »

Le lendemain, je recevais d'elle cette réponse pour le moins laconique.

« Je vous remercie de votre courriel. Malheureusement, je ne crois pas être en mesure de vous aider.

Je vous prierais d'adresser toute correspondance subséquente à l'intention de Me Patrick Bourbeau, directeur, Affaires juridiques de *La Presse*, à l'adresse courriel suivante : pbourbeau@lapresse.ca. »

Mme Nicoud se lavait les mains de tous les torts qu'elle m'avait causés.

• • •

Dans les mois suivant l'article de Nicoud paru en juillet 2010, la RAMQ a ouvert pas moins de 11 enquêtes, toutes à propos de frais facturés aux patients. Plusieurs d'entre elles ont fait l'objet d'articles ou de reportages à la télévision.

L'une de ces enquêtes, en particulier, avait piqué ma curiosité. Elle concernait Plexo – anciennement Médiclub du Sanctuaire –, une clinique réputée, assez semblable à Physimed. Cette clinique, qui a pris naissance quasiment en même temps que la nôtre et comportait plusieurs services similaires aux nôtres et d'autres qui nous distinguaient l'une de l'autre. À titre d'exemple, nos deux cliniques offraient à nos clientèles corporatives respectives des bilans de santé pour cadres et dirigeants d'entreprises; tandis que Physimed était équipée d'un centre complet d'imagerie, Plexo ne faisait que de la radiographie de base. Par ailleurs, cette dernière avait son propre laboratoire d'analyses sanguines et urinaires tandis que nous avions fait le choix d'utiliser un sous-traitant pour l'exécution de ces analyses.

En septembre 2010 – un mois à peine après la parution de l'article de Nicoud –, Plexo avait fait l'objet d'un reportage de l'émission *La Facture*, à la télévision de Radio-Canada. Une journaliste s'y était présentée comme patiente pour un bilan de santé et avait filmé, en cachette, son entretien avec le médecin. Celui-ci lui disait essentiellement que si elle payait un certain montant, elle pouvait bénéficier de services «accélérés et plus complets», tandis que si elle ne payait pas, elle pourrait néanmoins avoir accès à des services de consultation, mais avec les délais du système public.

À la suite du reportage, la RAMQ a mené une enquête à la demande du ministre de la Santé. Le 29 janvier 2013, elle produisait son rapport d'enquête sur la clinique Plexo, concluant que plusieurs pratiques de cette clinique ne respectaient pas la loi. La RAMQ avait affiché le contenu de son rapport sur son site Web, aux yeux du public. Curieusement, à la même date, la RAMQ envoyait une citation à comparaître avec ordre de confidentialité à notre fournisseur de laboratoire lui ordonnant de remettre les documents qu'elle cherchait à obtenir de nous. Et à la même date, le Collège des médecins nous demandait copie du dossier de Mme Nicoud.

Lorsque la RAMQ a dévié de l'objet de son enquête en novembre 2010 pour s'intéresser aux profits de nos services de laboratoire, je me suis demandé si elle avait procédé de la même façon avec la clinique Plexo, dont les services de laboratoire étaient encore plus profitables que les nôtres, étant donné qu'elle avait son propre laboratoire sur place.

Je connaissais relativement bien la directrice médicale de Plexo, la D^{re} Chantal Turcotte, une femme charmante et un excellent médecin avec qui j'entretenais de bonnes relations professionnelles. J'ai donc communiqué avec elle pour lui demander si la RAMQ s'intéressait également à ses profits de laboratoire. Non, jamais la Régie n'avait soulevé la question du coût de revient de ses services de laboratoire.

Dans son rapport d'enquête, la RAMQ ordonnait en outre à Plexo de changer ses pratiques et d'indemniser les patients qui avaient été lésés. Mais elle allait encore plus loin, en remettant en question la pertinence de certains tests prescrits par les médecins de cette clinique, donnant à penser qu'ils n'étaient pas médicalement requis. La Régie indiquait du même souffle qu'elle avait transmis le dossier au Collège des médecins, et les gens de Plexo s'en inquiétaient beaucoup.

Soumis comme je l'étais aux mesures de harcèlement du Collège, j'étais curieux de savoir quels avaient été les aboutissements de la visite du Collège chez Plexo.

Au bout de quelques mois, j'ai donc rappelé la D^{re} Turcotte, à qui j'ai demandé comment s'était passée la visite des gens du Collège.

— Quelle visite ? s'étonne ma collègue.

— La visite du Collège à la suite du rapport d'enquête de la RAMQ.

— Il n'y a jamais eu de visite. Le Collège n'est jamais venu.

— Comment ça ?

— Nous nous attendions à ce que le Collège débarque pour vérifier si nos prescriptions de tests étaient médicalement requises, comme l'indique le rapport d'enquête de la RAMQ, mais après plusieurs mois d'attente stressante, nous ne pouvions plus soutenir la pression et nous avons pris le taureau par les cornes en appelant le Collège.

— Et qu'est-ce qu'ils ont dit ?

— Ils m'ont dit tout simplement qu'ils n'avaient pas l'intention de venir pour nous inspecter et que tout ce qui a trait au bilan de santé, à la médecine exécutive et à la santé au travail ne les intéressait pas.

Les bras m'en sont tombés.

C'est alors que j'ai compris que nous avions été ciblés.

Ce que nous comprenons des rapports publiés par la RAMQ, c'est que Physimed serait la seule des 11 cliniques qui ont fait l'objet d'enquêtes de la Régie dans la deuxième moitié de 2010 qui a été blanchie.

Par contre, c'est notre clinique – et particulièrement moi en tant que médecin – qui a été ciblée par le Collège des médecins.

Le Dr Prévost allègue à plusieurs reprises, dans ses affidavits, qu'en tant que syndic adjoint, il a non seulement le pouvoir mais aussi le devoir d'enquêter quand il est au courant d'une situation d'infraction potentielle au Code de déontologie par un des membres du Collège. Alors, comment se fait-il que le Collège n'a jamais enquêté sur Plexo? Pourquoi avons-nous été ciblés? Et par qui?

CHAPITRE 17

Coupable ! De quoi ?

L'hiver 2016 fut une période charnière dans le déroulement de la saga que je vivais depuis 2010 avec la RAMQ et ensuite le Collège des médecins.

Sur le plan disciplinaire, Me Chénier faisait des pieds et des mains pour forcer le conseil de discipline à faire cheminer notre dossier, mais il était impossible d'obtenir des dates pour une audition au mérite. Comme j'avais déjà été radié provisoirement, les gens du Collège n'étaient pas pressés.

Comme me l'a expliqué mon avocat, ça les arrangeait de me faire poireauter. J'étais déjà radié sur une base provisoire et au bout de trois ans sans pratiquer la médecine, ce sont eux qui détermineraient les conditions de mon retour à la pratique. Ils tenaient mon sort entre leurs mains.

Mon avocat a dû s'adresser à la présidente de l'Office des professions pour qu'elle intervienne afin de contraindre la partie adverse à nous donner des dates pour procéder à mon audition au mérite, laquelle fut finalement fixée aux 2, 3 et 4 mai 2016.

Tout à coup, un événement tout à fait inattendu et inusité est survenu.

Pendant que se déroulaient au conseil de discipline du Collège les procédures relatives à ma radiation immédiate provisoire, soit au début de 2015 et après, il a aussi commencé à s'en prendre à plusieurs médecins exerçant chez Physimed, ouvrant des enquêtes à droite et à gauche, dans certains cas sans explication et sans aucun motif.

En près de 30 ans d'existence de notre clinique, on peut compter sur les doigts de la main les demandes d'information du Collège des médecins découlant d'une plainte de patient.

En vertu de l'article 122 du Code des professions, le syndic de tout ordre professionnel peut entreprendre une enquête à la suite d'une information – généralement une plainte de patient – indiquant qu'un professionnel a commis une infraction. Mais il ne peut pas le faire sur un simple soupçon ou envoyer une ligne à l'eau en espérant que ça morde. Bref, il faut des motifs sérieux pour déclencher une enquête. Curieusement, toutes celles déclenchées à l'époque sur des médecins de Physimed l'ont été par le syndic adjoint Prévost, qui les a copieusement cuisinés comme lui seul sait le faire.

Tout à coup, le syndic adjoint a réclamé à plusieurs de nos médecins des copies de dossiers de patients, sans expliquer nécessairement les raisons de l'enquête qu'il disait mener. Cela a créé une sorte d'onde de choc au sein de la clinique. Nos médecins se demandaient ce qui se passait. Dans une telle situation, nous risquions aussi de perdre d'excellents médecins incapables de soutenir une telle pression. Il s'agit d'une autre technique de harcèlement bien connue qui vise à déstabiliser un individu ou une organisation, à l'attaquer là où il est le plus vulnérable.

Mais à ce moment-là, nous ne connaissions pas encore l'ampleur du stratagème. Quand le KGB débarque, il faut toujours s'attendre à tout.

•••

En janvier 2015, le Dr Prévost demande la copie d'un patient dénommé J.V., qui était venu une seule fois à notre clinique en novembre 2014. Ce nouveau patient avait pris rendez-vous quelques jours auparavant et comme il portait un nom à consonance hispanique, on lui avait affecté le Dr Y., un Cubain d'origine, très aimé de ses patients. Le Dr Y. avait échappé au régime Castro quelques années auparavant pour ensuite obtenir l'asile politique au Canada.

Quand le directeur médical de Physimed fouille dans le dossier du patient J.V., il s'aperçoit qu'il s'y trouve bien peu de choses : le patient a répondu au questionnaire d'usage, passé un bilan de santé et subi des analyses de laboratoire de base. Il va voir le Dr Y. pour lui demander de quoi il retourne.

« Je me souviens à peine de ce patient, dit-il. Il n'est venu qu'une seule fois. Je ne me rappelle aucun incident problématique avec ce patient. »

Le Dr Y. ne comprenait vraiment pas et avait peine à croire qu'une enquête avait été entreprise à propos de ce patient qui, du reste, n'avait formulé aucune plainte à son endroit. Il appelle néanmoins l'ACPM, notre assurance professionnelle, qui lui assigne un avocat.

Celui-ci ne comprend pas non plus pourquoi il y a enquête. Il arrive parfois que ce soit le patient qui fasse l'objet d'une enquête, pour des questions de fausse carte d'assurance maladie. Mais en général, c'est la Régie qui se charge de ce genre de chose.

Une rencontre a lieu ensuite entre le Dr Y. et le syndic adjoint qui lui fait passer, bien entendu, un sale quart d'heure. Qui a prescrit ces analyses ? Pourquoi ? Combien recevez-vous en ristournes pour chaque analyse de laboratoire ? Toujours les mêmes questions auxquelles nos médecins de famille ont toujours donné les mêmes réponses : il n'y a jamais eu de ristournes versées par Physimed à ses médecins.

Le Dr Y. est sorti très ébranlé de cette rencontre, mais il en a vu d'autres dans son pays d'origine, et il sait qu'il n'a rien fait de mal.

Au terme de cette visite d'inquisition, son avocat lui dit sans ambages :

« Mon pif me dit que c'est un faux patient. »

C'est une hypothèse que notre directeur médical et le Dr Y. avaient aussi évoquée auparavant. Quant à moi, malgré tout ce que le Collège des médecins m'avait fait subir jusqu'alors, je ne pouvais me résoudre à croire que mon ordre pouvait s'abaisser à de telles pratiques. Qui pourrait croire que le syndic adjoint d'un ordre professionnel, pour le simple plaisir de créer du désordre au sein d'un groupe, va se mettre ainsi à emmerder des médecins qui sont au front, des soldats qui soignent des patients sept jours sur sept ?

Je demande à Me Chénier si c'est une chose possible. « Je ne crois pas, dit-il. Ils vont parfois utiliser de faux patients quand ils ont affaire à des charlatans qui tentent de se faire passer pour des médecins, afin de les prendre en flagrant délit. Mais, selon moi, ils n'ont pas le droit de faire ça à un médecin qui est inscrit au tableau de l'ordre et qui est en règle. »

Par la suite, le syndic adjoint Prévost continue de harceler le Dr Y. à un rythme soutenu, lui réclamant des documents, des dossiers, des reçus du loyer qu'il verse à Physimed. L'avocat délégué par l'ACPM lui explique qu'il fait l'objet d'une enquête et qu'il n'a pas le choix de les remettre. Le souvenir de ses années vécues à Cuba remonte rapidement à la surface. « C'est de la folie, me dit-il. Qu'est-ce qui se passe ici ? Je croyais que c'était un pays démocratique. »

Le Dr Prévost a analysé les états de compte mensuels du Dr Y. préparés par Physimed et s'est attardé sur un montant de 35 $ que l'on retrouve à plusieurs reprises chaque mois, en demandant des explications tout en insinuant que ces montants correspondent à des ristournes remises par Physimed. C'est alors que le Dr Y. a expliqué au Collège que ces montants étaient plutôt reliés à des sommes versées aux médecins de Physimed pour remplir des formulaires pour les quelques patients cadres et exécutifs de notre division de santé au travail, chose qui est tout à fait légale. Le Dr Prévost, qui ne lâche pas le morceau, demande à voir ces formulaires. Le Dr Y. lui fait donc parvenir les copies de l'ensemble de ces documents, qui justifiaient bien les montants versés. Quelque temps plus tard, le Dr Prévost demande à obtenir copie intégrale des dossiers médicaux de ces patients. Voici donc que le Dr Prévost, lui qui n'arrête pas de fouiner et de chercher désespérément dans notre clinique une faute quelconque à nous reprocher, s'intéresse maintenant à notre division en santé au travail, plus particulièrement en ce qui a trait aux examens de santé pour cadres et dirigeants d'entreprise. Je me questionnais à savoir pourquoi il s'intéressait à cette division dont les clients principaux sont des entreprises et non pas des individus. J'avais de la difficulté à comprendre car je me souviens que dans le cas de la clinique Plexo, les gens du Collège avaient bien dit à la Dre Turcotte, la directrice de cette clinique, que les bilans de santé de cadres ne les intéressaient pas. Cependant, comme le lecteur le verra plus tard, le Dr Prévost, rusé comme il l'est, planifie tous ses coups.

•••

Environ un an plus tard, en avril 2016, je reçois un appel du service de la comptabilité de Physimed.

— Docteur Benhaim, j'ai ici un chèque du Collège des médecins et je ne sais pas trop quoi en faire.

— Comment ça, un chèque du Collège des médecins?

Au cours de ses quelque 30 années d'existence, Physimed n'avait jamais reçu le moindre chèque du Collège des médecins.

Le chèque est de 364 $. Il y a un talon avec une série de codes, mais nous ne comprenons pas du tout de quoi il retourne. Il semble par ailleurs qu'il s'agisse d'une réémission de chèque. Mais nous ne sommes en mesure d'associer le chèque à aucune facture et nous ne pouvons donc pas effectuer la conciliation bancaire. Dans ces conditions, il n'est pas question de l'encaisser. Je demande à l'employée de communiquer avec le service de comptabilité du Collège afin qu'on puisse nous éclairer sur les tenants et aboutissants de ce chèque. Mais je commençais tout de même à avoir ma petite idée là-dessus.

Au service de comptabilité du Collège, on lui explique qu'il s'agit effectivement de la réémission d'un chèque qui n'avait pas été encaissé.

— Pouvez-vous m'envoyer la facture correspondante? demande notre employée.

— Ce sera difficile, répond la représentante du Collège. Nous sommes en train de déménager. Nous sommes dans les boîtes.

— Écoutez, faites ce que vous pouvez.

Au bout d'un jour ou deux, nous recevons un courriel de la commis comptable du Collège: elle avait retrouvé la facture correspondante. C'était celle des analyses de laboratoire prescrites au patient J. V., laquelle avait d'ailleurs été payée par ledit patient. Et le tampon du syndic autorisant le remboursement y figurait. Nous avions donc la preuve que c'était un faux patient. Nous venions de prendre le syndic adjoint les culottes baissées. Au lieu de rembourser le patient, le service de comptabilité du Collège avait remboursé Physimed qui, comme je viens de l'indiquer, avait déjà été payée.

Je rencontre le Dr Y. et lui raconte toute l'histoire. Il n'en revient pas. Il est furieux. Il appelle aussitôt son avocat, qui lui dit:

«Là, ça va aller mal pour le Collège. »

L'avocat écrit alors une lettre au syndic adjoint Prévost l'informant que nous avons la preuve qu'il avait envoyé un faux patient. On ne mène pas d'enquête sur un faux patient, poursuit-il, et il lui demande de mettre immédiatement un terme à son enquête. Le syndic adjoint n'a pas daigné répondre, mais il n'y a pas eu de suite non plus pendant plusieurs mois.

Intrigué par toute cette histoire de faux patient, j'entrepris une recherche sur Google pour réaliser, à ma grande surprise, que l'utilisation de faux clients est monnaie courante dans l'industrie des services. Ainsi, plusieurs chaînes de magasins utilisent des faux clients pour avoir le pouls de leurs activités sur le terrain et ainsi trouver des stratégies pour améliorer leur efficacité et leur performance. Il existe donc toute une industrie de faux clients et il y a même des gens qui en font carrière. D'ailleurs, je suis tombé sur un blogue où des faux clients expliquent combien leur travail leur a permis de découvrir d'excellents restaurants et d'excellents hôtels qu'ils ont continué de fréquenter, cette fois comme vrais clients.

C'est un peu ce qui est arrivé à notre fameux faux patient envoyé par le syndic adjoint. En révisant son dossier médical, le Dr Y. s'est aperçu que ce faux patient est revenu consulter notre clinique d'urgence à plusieurs reprises et a même consulté un de nos spécialistes qui a dû l'hospitaliser. Et lors de son hospitalisation, il a donné le nom du Dr Y. comme étant son médecin de famille pour qu'il puisse recevoir une copie de son dossier d'hospitalisation pour faire le suivi.

Une chose est sûre, en tout cas: ce faux patient devait certainement apprécier notre clinique pour continuer de nous consulter et avoir une grande confiance dans le Dr Y. pour le désigner comme étant son médecin de famille.

Le syndic adjoint voulait s'en prendre non seulement à ma personne, mais aussi à notre clinique. Il a essayé de trouver la moindre petite faille dans la pratique de nos médecins pour faire enquête.

Mais toute cette histoire ne fut pas facile à gérer: il fallait parler en toute transparence à certains de nos médecins, afin de nous assurer qu'ils ne paniquent pas, ce qui était clairement l'objectif du Collège. Dieu merci, nos médecins sont solides et savent qu'ils pratiquent une bonne médecine.

•••

Nous nous préparions donc, durant l'hiver 2016, à l'audience au mérite du conseil de discipline du Collège pour la plainte d'entrave déposée par le syndic adjoint à mon endroit. Le procès allait se dérouler en deux étapes: d'abord, l'audition au mérite, au terme de laquelle je serais déclaré coupable ou non, et quelques mois plus tard, dans l'éventualité d'un verdict de culpabilité, l'audition pour la sanction.

L'audition au mérite ne se présentait pas très bien. D'abord, la présidente du Conseil, Me Caroline Champagne, était elle-même une ancienne syndique de la Chambre de la sécurité financière. Elle partageait sans doute avec le Dr Prévost le sentiment que le syndic d'un ordre professionnel avait tous les droits, sans avoir besoin de s'expliquer à qui que ce soit. Quant aux deux médecins qui complétaient le conseil de discipline, il s'agissait de la Dre Vania Jimenez, rattachée à l'Unité de médecine familiale du CLSC Côte-des-Neiges, et du Dr Michel Marsolais, interniste intensiviste à l'Hôpital du Sacré-Cœur de Montréal et coordonnateur du Centre de prélèvement d'organes pour la transplantation du même hôpital. Ce sont deux personnes issues du secteur public, qui ont leur propre logique à propos du système de santé et sont très peu au fait du fonctionnement d'une clinique semi-privée comme Physimed. Je ne croyais pas que je pouvais m'attendre à beaucoup de sympathie de la part d'un tel aréopage.

Je ne connaissais pas le Dr Marsolais, mais je connaissais quelque peu la Dre Jimenez, qui a toujours été reconnue comme un médecin de gauche.

Lorsque nous nous sommes présentés à l'audience le matin du 2 mai, Me Chénier m'a dit: «Vous allez raconter votre histoire. C'est un cas de harcèlement pur; il faut que vous la racontiez. On va tenter de vous interrompre, mais demeurez calme.»

L'audience a commencé par le témoignage du syndic adjoint, qui a d'abord répété le même couplet qu'il avait entonné plus tôt, lors d'un interrogatoire, et qui ne tient pas debout, à savoir que c'est la lettre de mise en demeure de Physimed aux administrateurs de la RAMQ – envoyée en décembre 2012 – qui avait motivé son enquête. Il m'accuse ensuite d'être en conflit d'intérêts, de manquer à la déontologie, d'avoir mis en place chez Physimed un stratagème en vertu duquel on multiplie les moyens diagnostics injustifiés, que j'incite ou force les médecins de ma clinique à prescrire des prises de sang non médicalement requises. Il me décrit comme une espèce de « monstre à deux têtes », qui est à la fois médecin de famille et président d'une clinique – comme si cela était incompatible ou immoral –, insinuant que pour moi, mon rôle d'homme d'affaires est plus important que mes devoirs de médecin. Et il laisse même entendre que l'article de la journaliste Nicoud, selon lequel Physimed exigeait un montant de 340 $ pour avoir accès à un médecin de famille, est vrai, alors même que la RAMQ avait rejeté cette assertion en nous blanchissant après quatre ans d'enquête. Enfin, il va même jusqu'à déclarer – ce qui est un comble – qu'en près de 15 ans de sa pratique de syndic, il n'a jamais vu un médecin déployer des moyens aussi extraordinaires pour contrer l'action d'un syndic. Sans préciser, bien évidemment, toutes les mesures de harcèlement, d'intimidation et de mesquinerie qu'il a déployées, avec ses amis du Collège, à mon endroit et à l'endroit de notre clinique.

Mais je sais aujourd'hui que mon véritable tort, c'est de m'être dressé contre une institution toute puissante devant laquelle tout le monde s'écrase, de peur d'être broyé par elle.

Je comprends que le syndic adjoint, devant le conseil de discipline, en ait mis beaucoup plus que le client en demandait. Mais comme sa requête était bien fragile – en tout cas aux yeux de n'importe quel tribunal où il n'aurait pas tant d'influence –, il avait besoin de l'habiller, de mettre de la viande autour de l'os.

Mon avocat a posé au syndic adjoint Prévost plusieurs questions pertinentes qu'il avait déjà posées sans obtenir de réponses. Quel est l'objet de l'enquête ? Quelle est l'infraction qu'il soupçonne dans le cadre de son enquête ? Qui avait prescrit les analyses de laboratoire de Mme Nicoud ? Pourquoi n'a-t-il pas communiqué avec la journaliste Nicoud, alors qu'il soutient que c'est son article qui est en cause dans cette enquête ? L'avocat du syndic adjoint a multiplié les objections à ces questions en se réfugiant constamment derrière la confidentialité de l'enquête du syndic. Mais le Dr Prévost a quand même admis que les services de laboratoire n'étaient pas couverts par la RAMQ et que ceux de Physimed étaient facturés au prix courant. Par ailleurs, le Dr Prévost a admis que les tests de laboratoire que Mme Nicoud avait subis avaient bel et bien été prescrits par le Dr X. et non pas par Physimed, comme il l'a laissé entendre dans ses documents déposés devant la Cour supérieure du Québec.

Toute la séance du lendemain 3 mai a été consacrée à mon témoignage. J'ai expliqué tout l'épisode de l'enquête de la RAMQ à propos de l'article de la journaliste Nicoud, comment des inspecteurs de la Régie avaient intimidé plusieurs médecins de la clinique, la poursuite de la RAMQ contre Physimed et ensuite contre Laboratoires CDL pour obtenir la fameuse facture, comment elle s'était désistée de sa poursuite contre Physimed et avait ensuite été déboutée en Cour supérieure dans le cas de CDL. J'ai ensuite raconté l'entrée en scène du Collège des médecins, comment le syndic en chef, le Dr François Gauthier, m'avait attiré dans un guet-apens sous un faux motif, en décembre 2011, et m'avait menacé de m'emmener en discipline parce qu'au Collège, « on n'aime pas les médecins qui font de l'argent ».

Les membres du conseil de discipline paraissaient s'ennuyer ferme pendant mon témoignage, réprimant un bâillement de temps à autre. Je pense de toute façon qu'au départ – leur langage corporel en témoignait –, ils avaient décidé que j'étais coupable, alors ils se souciaient sans doute bien peu de ce que j'allais dire. Les deux médecins ont néanmoins paru assez perturbés quand j'ai raconté comment j'avais reconstruit de A à Z l'inspection bidon de ma pratique. Je savais que je ne suscitais pas beaucoup de sympathie chez eux, mais il n'en demeure pas moins que la pensée leur a sûrement effleuré l'esprit que c'est une chose qui pourrait leur arriver.

Le moment où Me Champagne et ses deux médecins se sont vraiment réveillés, c'est quand j'ai parlé du faux patient envoyé par Prévost. « Nous avons des preuves que le Dr Prévost et le Collège des médecins nous harcèlent en envoyant des faux patients à la clinique dans le but de piéger nos médecins et dans le but de créer de fausses enquêtes pour nous nuire», ai-je témoigné.

Quand j'ai commencé à invoquer les faux patients, j'ai tout de suite vu rougir les oreilles du syndic adjoint Prévost qui, tout à coup, avait perdu de sa superbe, pris qu'il était la main dans le sac. Malgré tout, son langage corporel persistait à lancer le message qu'il niait, qu'il n'avait jamais fait une chose pareille.

Normalement, nous devons remettre tous les documents de preuve deux semaines avant l'audition. Nous n'avions pas envoyé ces documents de preuve, car nous venions à peine de les découvrir. Quand la présidente du Conseil, visiblement perturbée, a demandé à voir les preuves, c'est avec beaucoup de plaisir que nous les lui avons fournies. Non seulement le syndic adjoint avait-il envoyé un faux patient, mais en plus celui-ci avait menti en remplissant le questionnaire d'usage sur son histoire de santé. Il prétendait en effet ne pas souffrir de problèmes particuliers, alors que c'était faux.

J'ai également raconté la conversation que j'avais eue au début de 2016 avec la journaliste Anabelle Nicoud, qui était à l'origine de toute l'affaire. Il y avait longtemps que je me tracassais en me demandant qui diable l'avait envoyée à notre clinique dans le but de nous nuire. Et j'ai affirmé devant le conseil de discipline qu'elle était elle-même une fausse patiente et je commençais à avoir de forts doutes quant à l'identité de l'organisation qui l'avait dirigée chez nous. J'ai laissé entendre devant le conseil de discipline que c'est le Collège et (ou) la RAMQ qui avaient envoyé Nicoud à notre clinique.

Je suis peut-être allé trop loin, car je n'avais pas encore de preuves formelles. Mais une chose est certaine : il était logique que je pense ainsi ; tout concordait. Non seulement le fait que Nicoud n'avait pas été interrogée par la Régie et le Collège, mais aussi le fait que le président de la FMOQ, le Dr Godin, m'avait confirmé que l'ordre de s'acharner sur ma clinique venait «d'en haut». Et je savais que mon dossier était – et est toujours – politique.

Jusqu'alors, le Dr Prévost avait fait croire à tout le monde qu'il menait une vraie enquête à propos de Nicoud. Maintenant, nous étions en présence d'une suite d'enquêtes lancées au hasard pour des motifs parfois douteux sinon frivoles, dont au moins une concernait un faux patient. Cet élément – en plus de démontrer que le syndic adjoint était prêt aux manœuvres les plus basses pour me détruire ainsi que notre clinique – s'ajoutait aux autres morceaux du puzzle que je cherchais à reconstituer sur les circonstances entourant les attaques incessantes dont j'étais l'objet depuis 2010.

•••

Dans le cadre d'un processus disciplinaire sur lequel il est légitime de se poser beaucoup de questions, le syndic adjoint Prévost n'a pas eu, bien sûr, à avouer ni à répondre de sa manœuvre. Mais quelques mois plus tard, interrogé par mon avocat Me Frère pendant une audience relative à une injonction devant la Cour supérieure, il n'aura pas le choix d'admettre qu'il nous avait effectivement envoyé dans les pattes le faux patient J.V.

Nous avions donc désormais la facture, le chèque du Collège et les aveux sous serment du syndic adjoint devant la Cour supérieure à verser à notre dossier.

J'ai continué d'expliquer au conseil de discipline mon état de santé, mes consultations auprès du Programme d'aide aux médecins du Québec. J'ai tenté de raconter les choses de manière factuelle et rigoureuse, en évitant autant que possible les états d'âme qui m'habitaient depuis le début de cette histoire invraisemblable. Cependant, je n'ai pu m'empêcher de lancer un cri du cœur lorsqu'est venu le temps de parler de mon tourmenteur, le syndic adjoint Prévost. L'expression de «monstre à deux têtes», qu'il avait utilisée pour me décrire, lors de la première journée d'audience, m'était restée pesamment sur le cœur.

«Aujourd'hui, ce qui compte le plus pour moi, ai-je dit en conclusion, c'est mon intégrité, et c'est ma dignité. Je ne peux pas concevoir que mon ordre professionnel s'acharne contre moi, tant bien par le biais de l'inspection professionnelle que du service des enquêtes, qu'on me considère comme un danger public et que le Dr Prévost, devant vous, la première journée, ose dire que je suis un monstre à deux têtes. (…) Je pense que c'est assez, Madame la Présidente. J'ai le droit à ma dignité. »

Au cours de la pause suivante, le Dr Prévost s'est approché de moi pour me faire son petit numéro habituel. En me tendant la main, son sourire fendant toujours flanqué aux coins des lèvres, il m'a dit: «Vous savez, le monstre à deux têtes, ce n'était pas personnel.»

Cependant, aucune excuse de sa part. Toutes les fois qu'il venait me voir dans ces circonstances, je gelais carrément. Sa fausse sympathie était de la pure provocation et si j'avais ouvert la bouche, je ne sais pas ce qui en serait sorti. Ça n'aurait sûrement pas été très joli. Je devais me dominer pour ne pas l'envoyer paître, et peut-être même pire. J'ai finalement compris son jeu. C'était de la pure provocation, comme on le voit dans une cour d'école primaire où de petites brutes – des *bullies*, comme on les appelle dans certains milieux – intimident et tourmentent leurs proies plus faibles. Mais si je m'étais laissé aller, il aurait eu beau jeu de dire que j'étais un malade, incapable de se contrôler. J'aurais perdu toute crédibilité.

Au cours de sa plaidoirie, le procureur du syndic adjoint, Me Battah, m'a traîné encore une fois dans la boue avec un sans-gêne déconcertant, me décrivant comme une sorte de gangster, un maître des stratagèmes et un danger public qui se réfugiait derrière «une fiction corporative» pour échapper à ses devoirs déontologiques. Si je résiste autant à fournir les documents demandés par le syndic adjoint, c'est clairement parce que j'ai quelque chose à cacher. Entre mes devoirs de médecin et mes intérêts économiques, j'ai choisi de privilégier l'argent. En refusant de collaborer avec mon syndic, je risque de faire tomber en ruine tout le système disciplinaire. Si on laisse des gens comme moi décider du moment où ils vont collaborer, c'est tout l'édifice de la protection du public qui va s'effondrer.

Je voulais crier, devant tant d'impudence et de mauvaise foi!

De son côté, Me Chénier a fait valoir que pour qu'il y ait entrave, il faut que je sois en possession du document demandé et que je refuse de le remettre, et que même si tel était le cas, ce document ne concerne pas ma pratique de médecin. En ce sens, a-t-il expliqué, le libellé de la plainte d'entrave – qui me présente comme un délinquant – ne tient pas debout.

Par ailleurs, Me Chénier a soutenu qu'une analyse de laboratoire – qui est à la source de la plainte d'entrave – n'est pas un acte médical. Le seul acte médical relié à une analyse consiste à la prescrire. Et en l'occurrence, ce n'est pas le Dr Benhaim qui a demandé les analyses de la journaliste Nicoud. Il n'a même pas examiné la patiente, il n'a rien prescrit, ni rien encaissé. Du reste, la vente d'analyses de laboratoire n'est pas un acte répréhensible ; il s'agit d'une activité tout à fait légale. Il a d'ailleurs été reconnu, aussi bien par la RAMQ que par le Collège des médecins, que Physimed facturait ces tests au prix courant. En outre, il s'agit d'un service qui n'est pas encadré sur le plan de la tarification. Donc, si cette activité est légale et que les analyses sont vendues au prix courant, où est le problème ? C'est la prérogative d'une entreprise de voir à sa rentabilité en négociant les meilleurs tarifs qualité-prix avec ses fournisseurs, comme le font d'ailleurs les CLSC et les hôpitaux.

En quoi est-il pertinent pour le Collège de vouloir connaître la rentabilité d'un service non assuré ? Où est l'infraction que le syndic adjoint prétend soupçonner ? Le syndic adjoint, a fait valoir mon avocat, tente d'utiliser de façon détournée les pouvoirs qui lui sont conférés par le Code des professions pour obtenir une chose que la RAMQ n'a pas pu obtenir de façon légale. La preuve en est que le Collège a commencé à s'en prendre au Dr Benhaim seulement deux semaines après que la Régie eut été déboutée en Cour supérieure. Le syndic adjoint utilise le conseil de discipline du Collège pour exercer un droit de rétention sur le permis de pratique du Dr Benhaim afin de le forcer à remettre un document qu'il ne peut obtenir autrement. Il n'a pas le droit de faire ça.

Au terme de cette audience de trois jours, Me Chénier m'a confié, parlant de la présidente du conseil de discipline : « J'ai la nette impression qu'elle va vous trouver coupable. »

En effet, Me Champagne avait retenu plusieurs objections soulevées par l'avocat du syndic adjoint et invitait constamment Me Chénier, quand il parlait des mesures vexatoires du Dr Prévost, de s'en tenir à la question de l'entrave. Il était clair, à mes yeux, qu'elle penchait du côté du syndic adjoint.

Mon avocat a ajouté : « Mais vous avez bien fait votre travail, Docteur Benhaim. Vous avez raconté votre histoire et ça va se retrouver dans le dossier d'appel. Ils vont bien voir qu'il y a un problème. »

Mais je ne l'entendais pas de cette oreille. Comment peut-elle me reconnaître coupable ? me disais-je. Ça n'a pas de sens ! J'ai expliqué toutes les manœuvres vicieuses du Collège, l'inspection, l'enquête du syndic, preuves à l'appui. Dans mon esprit, il n'y a pas deux sortes de justice !

●●●

C'est alors qu'a débuté une période de suspense qui allait nous mener en septembre, en attente de la décision de la présidente du Conseil, Me Champagne. Ce fut donc un été parsemé de hauts et de bas, fait à la fois de minces espoirs et de grandes inquiétudes.

Le 7 septembre 2016, le conseil de discipline rendait sa décision et, comme s'y attendait Me Chénier, on me trouvait coupable d'entrave à une enquête du syndic adjoint. Même si mon avocat m'avait prévenu, je ne pouvais le croire. Je ne sais pas comment l'expliquer, mais pendant plusieurs heures j'ai été incapable de lire le jugement. Je suis resté devant l'écran de mon ordinateur, prostré et vidé. Puis je me suis finalement résolu à le faire, en cherchant à comprendre comment la juge avait interprété mon témoignage pour justifier sa décision. À ma grande déception, je me suis rendu compte qu'à aucun moment dans son jugement de 45 pages, la présidente ne fait allusion à mon témoignage quant aux multiples manœuvres de harcèlement utilisées par le Collège à mon endroit. Comme pour s'en justifier, elle précise d'ailleurs, au paragraphe 167 dudit jugement :

« Par ailleurs, comme le Tribunal des professions l'a indiqué
à maintes reprises, ce n'est ni le rôle du Conseil de discipline
ni celui du Tribunal de se prononcer sur la façon dont le syndic mène son enquête. »

Cette phrase signifie que tout ce que j'ai dit au conseil de discipline durant une journée et demie a été écarté du revers de la main. En clair, cela voulait dire que les manœuvres outrancières et scandaleuses du Collège et du syndic adjoint ne comptent pas. Je n'ai qu'à subir, sans riposter ni même dénoncer la situation. La RAMQ m'a harcelé, intimidé, m'en a fait voir de toutes les couleurs et quand elle a été déboutée en Cour supérieure, elle a appelé son cousin, le Collège des médecins pour prendre le relais et m'envoyer ses fiersà-bras. J'ai dû subir une fausse inspection, une enquête bidon qui n'était en fait qu'une partie de pêche déguisée, recevoir des faux patients à ma clinique et subir l'humiliation d'une radiation immédiate provisoire, mais sans avoir le droit de me défendre.

C'était comme de me faire dire que je n'avais pas droit à la justice. Quand j'ai lu ce jugement, je me suis senti trahi par le conseil de discipline et par mon ordre professionnel.

Le Code des professions ne peut pas tout prévoir. Comme en médecine, il faut parfois se servir de son jugement. De toute évidence, la présidente du conseil de discipline avait remisé le sien au placard. Comment s'en étonner ? Elle-même avait déjà fait carrière comme syndique.

Mais je n'étais pas au bout de mes peines.

• • •

L'annonce de ma radiation immédiate provisoire avait été limitée au site Profession Santé, qui n'était accessible que par la communauté médicale. Mais cette fois, la décision du conseil de discipline fut l'objet d'une publication dans les médias de masse. Dans *Le Journal de Montréal*, un article dévastateur fut publié, dont le titre accrocheur me présentait comme une espèce d'escroc. « Un médecin radié parce qu'il refuse de révéler une entente secrète », titrait le quotidien. Et le pire, c'est que le Dr Charles Bernard en remettait dans cet article où le président de mon ordre professionnel affirmait vouloir mettre fin aux « combines » entre des médecins et des tiers. L'article le cite à nouveau disant : « La très grande majorité des médecins sont honnêtes », insinuant clairement que je ne le suis pas. Il fallait vraiment être gonflé pour me dénigrer sur la place publique alors même que je poursuivais le Collège en Cour supérieure.

Mais l'article le plus dévastateur fut celui publié en page frontispice du quotidien *The Gazette*, sous la plume de la journaliste Charlie Fidelman.

Le texte était bourré d'erreurs, à commencer par le titre : « Doctor suspended indefinitely in extra-billing investigation[5]. » On y écrivait

5. « Un médecin radié indéfiniment dans le cadre d'une enquête sur de la surfacturation. »

notamment que le Collège enquêtait sur ma pratique médicale, que je me livrais à de la surfacturation illégale et que j'avais perdu à tout jamais mon droit de pratique, alors que j'avais seulement été déclaré coupable et que l'audition pour la sanction n'avait même pas encore été entendue.

Encore une fois, le Dr Bernard n'avait pas pu résister aux sirènes de la notoriété. Il soulignait notamment que les pratiques de facturation de Physimed prenaient les patients en otage, alors que c'est précisément le Collège qui a pris mes propres patients en otage en m'empêchant de pratiquer la médecine. Il me traitait comme un vaurien en déclarant:

«If you have nothing to hide you open the books. My interpretation? Dr. Benhaim prefers to stop practising medicine so his company can continue functioning[6].»

Quand il me prendra l'envie de faire sonder mon cœur et mes reins, je ferai sûrement appel à quelqu'un d'autre que le Dr Bernard, qui avait tout faux quant à mes préférences.

Frustré, j'ai aussitôt appelé Me Chénier pour me vider le cœur.

«Me Chénier, je ne pense pas que nous aurons besoin de nous présenter à l'audition pour sanction, car ça a l'air que le Collège a déjà décidé de ma sanction sans même que le conseil de discipline ne se réunisse. La journaliste de *The Gazette* a écrit, en gros titre, que j'avais perdu ma licence indéfiniment alors que la seule personne à qui elle s'est adressée et qu'elle cite, c'est le Dr Bernard, président du Collège. C'est clair, les dés sont pipés. Je vous parie que le Dr Prévost va certainement demander une radiation permanente et il va l'obtenir; c'est déjà écrit dans les journaux avant même que l'audition ait lieu. Ça n'a pas de sens!»

Nous avons exigé de *The Gazette* – à grands frais en honoraires d'avocats – une modification de l'article, en lui démontrant ses fautes, ce qui nous a été accordé aussitôt. Mais la deuxième version comportait encore des erreurs, de telle sorte que mes avocats ont dû intervenir à plusieurs reprises. Il y a eu ainsi des changements pen-

---

6. «Quand on n'a rien à cacher, on ouvre nos livres. Mon interprétation? Le Dr Benhaim préfère cesser de pratiquer la médecine de manière que son entreprise puisse poursuivre ses activités.»

dant plusieurs jours et chaque fois, la version électronique de l'article modifié paraissait à nouveau. Ainsi, plutôt que de paraître une seule fois, l'article est paru plusieurs jours de suite sur le site du journal, si bien que nous nous sommes carrément tirés dans le pied en réclamant des modifications. Quant à la version papier, le journal a publié un rectificatif dans un minuscule entrefilet noyé dans la page 2.

Pour détruire des réputations, les journalistes utilisent la une à grand renfort de lettres géantes. Mais pour admettre leurs erreurs, ils se servent d'entrefilets que personne ne lira.

CHAPITRE 18

Vers la sanction

Le verdict de culpabilité et sa médiatisation ont été pour moi et ma femme une source de profonde anxiété pendant plusieurs jours. Être traîné dans la boue par un syndic et son avocat en conseil de discipline, c'est une chose ; être présenté comme une sorte d'escroc dans des journaux à grande distribution, c'en est une autre, beaucoup plus douloureuse. Entre la date du verdict et celle de l'audience sur sanction – soit du début septembre au début décembre 2016 – je suis donc passé par toute une gamme d'émotions.

Quand on est harcelé ainsi à répétition, que des gens s'acharnent constamment sur vous depuis si longtemps, il y a des pics et des vallées. On chute, on n'est pas du tout bien pendant plusieurs jours, puis le moral remonte peu à peu, on s'adapte aux circonstances, on se fait une raison, on essaie de s'accrocher et de trouver un sens à ce qui se passe.

Ce qui me préoccupait beaucoup, dans les circonstances, ce sont les réactions de mes patients et, de façon générale, de l'ensemble des patients et des clients commerciaux de Physimed. Jusqu'alors, je n'avais pas voulu les mettre au fait de mes démêlés avec la RAMQ et le Collège des médecins. Je ne voulais pas les inquiéter et, surtout, j'estimais que c'était une affaire entre moi et mes harceleurs. Mais maintenant que mon verdict de culpabilité était rendu sur la place publique, je n'avais pas le choix : il était de mon devoir de les informer de la situation et de leur donner ma propre version des faits, qui correspondait bien davantage à la réalité que les articles mensongers publiés dans les journaux.

Depuis le début de mes démêlés, mes avocats m'avaient fortement déconseillé de parler aux journalistes, du moins tant que l'audience sur sanction du conseil de discipline n'aurait pas eu lieu, de peur de braquer le Collège. Ils ne voulaient pas non plus que je risque d'être cité faussement ou hors contexte dans un article. Toutefois, ils ont approuvé l'idée que je communique avec mes patients.

Le 23 septembre, à la suite de la parution de l'article du *Journal de Montréal*, j'ai donc écrit à ceux-ci une lettre qui commence ainsi.

« Chers patients,

Tout d'abord, j'espère que vous allez bien et que vous êtes en bonne santé. Vous me manquez énormément et je m'ennuie de la pratique de la médecine. Vous devez certainement vous questionner à mon sujet considérant ma longue absence depuis mars 2014.

Sachez que j'ai été injustement ciblé par la Régie de l'assurance maladie du Québec (RAMQ) et le Collège des médecins, et que Physimed et moi-même les poursuivons actuellement devant la Cour Supérieure du Québec. Sous les recommandations de mes avocats, j'ai dû garder le silence jusqu'à présent.

Considérant que mon histoire est maintenant en partie publique et que plusieurs d'entre vous ont déjà communiqué avec moi pour exprimer leur soutien, je me devais, par respect pour l'ensemble de mes patients, de partager avec vous ma version des faits. Je vous parlerai donc succinctement de l'article qui est à l'origine du litige, de l'enquête et des procédures de la RAMQ, de celles du Collège des médecins, et de la situation de Physimed. »

J'explique ensuite assez en détail la saga qui m'oppose depuis 2010 à la Régie de l'assurance maladie et au Collège des médecins ainsi que ce qui, d'après moi, est dans une large mesure à la source des manœuvres de harcèlement et d'intimidation dont je suis victime.

Et je concluais enfin sur ces paragraphes.

« Physimed et moi-même voulons mettre un terme à toute cette saga et nous espérons que notre action en dommages et intérêts devant la Cour Supérieure du Québec contre le Collège des médecins, son syndic ainsi que la RAMQ confirmeront le bien-fondé de notre position. Nous entendons donc faire valoir pleinement nos droits.

Ce conflit est extrêmement difficile à vivre et je dois vous dire qu'il m'a grandement affecté. J'aurais clairement préféré que la divergence de point de vue entre le Collège des médecins, son syndic et moi-même puisse se résoudre sans remettre en question mon droit de pratique. Tel n'a pas été le cas et je le déplore vivement. J'espère par contre que cette histoire trouvera un dénouement satisfaisant. (…)

Dr Albert Benhaim »

Une lettre similaire a été envoyée par Physimed à l'ensemble de ses patients et de ses entreprises clientes.

Le 1er octobre, quelques jours après la publication de l'article truffé de faussetés de *The Gazette*, je communiquais à nouveau par courriel avec mes patients pour rétablir les faits et concluais mon envoi sur les propos inqualifiables tenus à mon endroit par le président du Collège des médecins, le Dr Charles Bernard.

« En terminant, je déplore les allégations du président du Collège des médecins citées par la journaliste dans son article de jeudi dernier dans la *Gazette* indiquant que j'aurais choisi délibérément d'arrêter de pratiquer la médecine pour que ma clinique puisse continuer d'opérer. En d'autres mots, que j'aurais choisi de laisser tomber mes patients pour de l'argent. Cette affirmation est venue me chercher et m'a grandement bouleversé.

Chers patients, vous m'avez vu pratiquer la médecine jour après jour dans ma clinique pendant plus de 26 ans et vous avez pu témoigner de mon dévouement envers vous et ma profession. Vous êtes les seuls qui peuvent en juger.

Dʳ Albert Benhaim »

L'avalanche de réponses de mes patients m'a pris par surprise. Je savais qu'au cours des années, j'avais toujours entretenu de très belles relations avec eux; mais qu'ils se manifestent en si grand nombre et avec tant d'empathie et d'éloges fut extrêmement gratifiant. Des centaines d'entre eux m'ont appelé, sont passés à la clinique ou m'ont écrit pour me manifester leur solidarité et me prodiguer leurs encouragements.

La lecture de ces paroles d'encouragement a représenté un véritable baume sur les plaies accumulées au fil des dernières années. Celles-ci ont eu pour effet de tempérer quelque peu le verdict de culpabilité. Je n'avais pas vu certains de ces patients depuis quatre ou cinq ans et le fait qu'ils se montrent si nombreux et si sympathiques à ma cause a été une inspiration pour moi. C'est alors qu'une évidence s'est imposée à mon esprit : si des gens peuvent me juger de façon objective, ce sont eux, mes patients, et non pas la juge du conseil de discipline, une inconnue qui ne sait rien de ma pratique et prétend décréter que je suis coupable. Coupable de quoi, au juste ? Coupable d'avoir osé me dresser devant un syndic adjoint qui abuse de ses pouvoirs ? Coupable de dénoncer mon ordre professionnel qui utilise son pouvoir d'inspection à des fins non prévues par la loi ?

● ● ●

Il fallait aussi que je m'attaque à une autre tâche extrêmement importante à mes yeux. Depuis mon diagnostic de leucémie en 2009, j'avais réussi à limiter autant que possible le cercle des personnes au fait de mon état de santé. Outre ma femme et mes enfants, seuls mon conseiller financier, mon associé, mes deux avocats et – à mon corps défendant – les membres du conseil de discipline du Collège étaient au courant. Quant à ma situation professionnelle, une poignée de personnes seulement en connaissaient les tenants et aboutissants.

Maintenant que mon histoire s'étalait dans les journaux, je devais des explications aux membres de ma famille, dont j'ai toujours été très proche.

Un après-midi de septembre, j'ai donc réuni mes frères, mes belles-sœurs, ma belle-mère et son conjoint afin de les mettre au courant. Je leur ai tout dit : ma leucémie, l'article de *La Presse*, l'acharnement, le harcèlement et l'intimidation de la RAMQ et ensuite du Collège des médecins, et maintenant le verdict de culpabilité prononcé à mon encontre. Ils ont été considérablement ébranlés par l'annonce de ce que je vivais depuis tellement d'années. Il y a eu beaucoup de larmes. Ils se sont montrés très attristés par l'annonce de ma maladie et particulièrement frustrés et agressifs quant aux manœuvres mesquines de la RAMQ et du Collège.

Bien sûr, ce fut un moment extrêmement difficile, mais en même temps c'était une sorte de délivrance pour moi de pouvoir enfin parler ouvertement de ma situation. C'est comme si je partageais avec d'autres un poids que j'avais été presque seul à porter pendant trop longtemps.

À la fin de la rencontre, nous avons tous convenu d'éviter à mes parents, qui étaient âgés et fragiles, le traumatisme d'une nouvelle qui les affecterait terriblement.

•••

Au cours de l'automne, Me Frère et moi avons également mis la dernière main à mon dossier en Cour supérieure. Les interrogatoires avaient été complétés et les différents dossiers, déposés ; il restait maintenant à faire réaliser des expertises relatives aux dommages moraux, psychologiques et financiers causés par la RAMQ, le Collège des médecins et le syndic adjoint, puisque nous poursuivions ceux-ci en dommages et intérêts.

En ce qui concerne les dommages médicaux, il n'était pas question de les faire évaluer par un médecin expert du Québec qui n'oserait certainement pas venir témoigner en Cour supérieure contre son ordre professionnel. Nous nous sommes donc tournés vers un médecin de Toronto pour faire effectuer ces expertises. Quant aux dommages psychologiques, ils ont été évalués par un psychologue de Montréal qui a confirmé que j'étais victime de harcèlement et que je souffrais d'une atteinte psychologique assimilable à un syndrome post-traumatique. Nous avons ensuite fait évaluer par un expert-comptable les dommages financiers que j'ai subis personnellement en raison des gestes posés par la partie adverse. Ces experts ont fait ressortir toutes sortes de données et de statistiques provenant de la RAMQ qui m'a rémunéré pour mes services pendant tant d'années. J'ai découvert, à ma grande surprise, que parmi les 10 000 médecins de famille du Québec, je faisais partie des 74 médecins les plus performants avec le plus grand nombre de patients inscrits à sa charge.

Quelques jours à peine après que nous avons déposé les expertises devant la Cour supérieure pour faire avancer notre dossier en vue d'obtenir une date de procès, les parties adverses contre-attaquaient avec une nouvelle intervention judiciaire. Elles déposaient, cette fois-ci, une requête en injonction pour ordonner à Physimed et (ou) à moi-même de remettre les documents. Elles auraient pu le faire bien avant. Mais leur stratégie était limpide. Le Collège voulait attendre que je sois anéanti par le conseil de discipline pour me dépouiller de toute crédibilité devant un juge de la Cour supérieure. Ils avaient beau jeu de se présenter en cour pour dire au juge : « Cet individu a subi une radiation immédiate provisoire et il a été trouvé coupable par le conseil de discipline. Notre enquête est paralysée à cause de lui. Vous devez le forcer maintenant à nous remettre les documents. »

Depuis le début, le Collège manipulait en quelque sorte tout le volet disciplinaire pour arriver à ses fins. Il contrôle son propre tribunal, qui ferme des yeux complaisants sur ses basses manœuvres, et quand la décision est rendue, il présente devant une autre cour, soit la Cour supérieure du Québec, une requête en injonction, une procédure interlocutoire où – encore une fois – je n'aurai pas l'occasion de raconter mon histoire.

Et bien sûr, cette nouvelle manœuvre s'inscrivait dans la stratégie d'ensemble du harceleur institutionnel, qui consiste à détruire sa victime à petit feu. Chaque procédure, chaque requête en injonction exige du temps, de la préparation, impose un stress supplémentaire au harcelé ainsi qu'une hémorragie de chèques pour payer ses avocats. C'est ainsi que le harceleur finit par saigner à blanc sa victime.

●●●

Au cours de cet automne 2016, mes avocats et moi devions aussi nous préparer en vue de l'audience sur sanction consécutive à mon verdict de culpabilité, laquelle devait se tenir le 7 décembre. Me Chénier et Me Frère se réunissent et conviennent, après avoir étudié la jurisprudence, que les sanctions imposées à un médecin par le conseil de discipline pour entrave vont essentiellement d'une amende à une radiation de quelques mois en cas de récidive pour des faits relatifs à sa pratique médicale.

Nous nous sommes particulièrement penchés sur un cas alors relativement récent, soit celui d'une médecin de Montréal, à qui le conseil de discipline du Collège avait imposé, en janvier 2016, une radiation de cinq mois pour une entrave qui avait duré plus de quatre ans et qui concernait, contrairement à mon cas, des documents relatifs à ses propres patients. Dans son cas comme dans le mien, le plaignant était le syndic adjoint Prévost; c'est donc dire que cette jurisprudence était des plus pertinentes. En août, le Tribunal des professions avait rejeté son appel en convenant que la sentence de cinq mois de radiation était très lourde, mais qu'elle s'imposait pour des motifs d'exemplarité et de dissuasion, et parce que cette professionnelle avait déjà eu des démêlés répétitifs au cours des années avec le syndic. Donc, nous avions toutes les raisons de croire que le conseil de discipline ne m'imposerait pas une sanction trop rigoureuse – certainement pas au-delà de cinq mois – d'autant plus que je n'étais pas récidiviste et que l'entrave dont on m'avait trouvé coupable concernait un document administratif et non lié à ma pratique médicale.

Me Chénier m'a également conseillé de présenter au conseil de discipline les expertises versées à mon dossier à la Cour supérieure, qui documenteraient le harcèlement que me faisait subir le Collège. Il m'a aussi suggéré de déposer les témoignages anonymisés de mes patients et des lettres de recommandation de certaines personnes.

«Vous savez, le conseil de discipline ne vous connaît pas. Votre témoignage ne sera pas suffisant, à mon avis. Les courriels de vos patients parlent d'eux-mêmes. Ils vous ont vu travailler. Ils étaient sous vos soins. On ne peut pas avoir mieux que les centaines de courriels de votre clientèle. Ce serait également souhaitable d'avoir quelques lettres de recommandation de vos collègues de travail. Ça ne devrait pas être si difficile considérant que vous étiez si impliqué dans la communauté médicale. »

Vers qui allais-je me tourner pour obtenir ces lettres de recommandation ? Comme j'avais travaillé pendant plusieurs années auprès de l'Agence de la santé et des services sociaux de Montréal pour faire avancer le dossier de l'organisation des soins de première ligne sur l'île de Montréal, j'ai demandé à son ancien président, David Levine, de rédiger le document. Il a accepté sans hésiter.

Comme j'avais aussi siégé au Département régional de médecine générale de Montréal, j'ai aussi communiqué avec un de ses principaux anciens responsables, un médecin travailleur et compétent avec qui j'entretenais des liens de respect mutuel. Au cours d'un déjeuner, je lui avais expliqué ma situation et demandé de rédiger lui aussi une lettre de recommandation.

« Je ne veux pas de faveur, lui ai-je dit. Je veux juste que tu écrives la vérité et que tu décrives ce que tu as vu de mon implication à l'Agence. »

J'ai tout de suite vu son visage se figer. Il m'a répondu qu'il allait y réfléchir.

Mais il ne me donne pas de nouvelles, et la date limite de remise des documents au conseil de discipline approchait rapidement. Deux semaines avant l'échéance, je prends donc sur moi de me manifester en lui envoyant un message texte. Il me répond aussitôt que s'il écrit quelque chose à mon sujet, il ne veut absolument pas avoir à témoigner en cour. Je lui ai parlé au téléphone : il était manifestement très mal à l'aise et nerveux. De toute évidence, la perspective d'avouer qu'il me connaissait et d'associer son nom au mien le faisait trembler de peur. J'étais un lépreux.

Cela aussi fait partie d'une forme de terrorisme que pratique le Collège des médecins : tout le monde a peur de lui déplaire. Quand vous êtes harcelé, isolé de votre communauté professionnelle, même vos amis vous tournent le dos ; et je peux aujourd'hui les comprendre.

J'ai simplement répondu à mon ancien collègue: «Ton amitié m'est plus précieuse que cette lettre. Oublie ça.»

J'ai aussi demandé à trois médecins de Physimed de rédiger une lettre en ma faveur. Non seulement m'avaient-ils vu travailler pendant des années, mais ils avaient aussi repris certains de mes patients et étaient donc en mesure de témoigner que ceux-ci m'appréciaient.

Il fallait enfin préparer l'audience. Quelle serait notre stratégie? Allais-je témoigner ou pas? Sur quel aspect du dossier allions-nous insister? Rien n'était encore décidé. Comme Me Chénier était très occupé au tribunal durant cette période, il manquait de temps pour tenir avec moi cette réunion stratégique. Finalement, nous convenons de nous rencontrer pendant une bonne partie de la journée du 6 décembre, la veille de l'audience. Mais le jour dit, je n'ai pas de nouvelles de lui. Je l'appelle, lui laisse des messages. Au bout du compte, il me rappelle en fin d'après-midi. Je le sens un peu bizarre au téléphone.

«Docteur Benhaim, je suis vraiment désolé. Je n'ai pas eu le temps de me pencher sur votre cas, mais je m'y mets maintenant et je vous rappelle vers 20 h 30.»

Il me rappelle à l'heure convenue et dès ses premières paroles, je sens qu'il ne va pas bien du tout et qu'il est même au bord des larmes.

— Écoutez, Docteur. Aussi bien être tout à fait honnête avec vous: je suis incapable de fonctionner.

— Qu'est-ce qui vous arrive?

— Un de mes clients s'est suicidé ce matin.

— Est-ce que c'est le Dr Sirard?

Me Chénier n'ose pas me répondre. C'est un professionnel dans l'âme. Jamais il ne me parle des dossiers de ses autres clients. Comme tout le monde, j'avais appris dans les médias la nouvelle, qui m'avait consterné, plus tôt dans la journée. Ce pédiatre montréalais s'était donné la mort dans son bureau de l'hôpital, au petit matin.

— Je suis infiniment désolé, poursuit Me Chénier. Je sais que l'audience sur sanction a lieu demain.

— Je comprends très bien, Maître. Oubliez-moi. Rentrez chez vous et essayez de relaxer un peu. Je connais assez bien mon dossier. On va se débrouiller. À demain.

CHAPITRE 19

Radiation permanente : la peine capitale

Le 7 décembre, jour de l'audience sur sanction du conseil de discipline, Me Chénier était toujours profondément troublé par le suicide de son client survenu la veille. Mais il m'a quand même annoncé une bonne nouvelle : il a découvert l'existence d'une jurisprudence abondante et bien documentée qui plaide en ma faveur. Si la partie adverse, m'explique-t-il, a médiatisé le cas d'un professionnel avant qu'il soit radié et que cela l'a affecté, le temps qui s'écoule entre cette médiatisation et la sanction est considéré comme une période de radiation. Comme le Collège s'est organisé pour que la décision du conseil de discipline de remettre mon audition pour radiation immédiate provisoire soit publiée et comme mon verdict de culpabilité rendu le 7 septembre 2016 avait aussi donné lieu à des articles dans *Le Journal de Montréal* et *The Gazette*, la présidente du conseil de discipline devrait en tenir compte lorsque viendrait le temps de prononcer sa sentence.

Dès le début de la séance, mon avocat a versé au dossier les pièces additionnelles, soit la lettre de David Levine, celle des trois médecins de Physimed, les courriels de mes patients mentionnés au chapitre précédent, les articles de journaux que je viens d'évoquer ainsi que les rapports d'expertise psychologique confirmant le choc traumatique que j'ai subi à la suite des manœuvres de harcèlement et d'intimidation du syndic adjoint, du Collège et de la RAMQ.

Nous faisions face au même banc que pour l'audition au mérite, avec Me Champagne comme présidente du conseil de discipline, accompagnée des Drs Marsolais et Jimenez. La présidente du tribunal a rapidement disposé des lettres et des témoignages de mes patients en affirmant qu'il n'était pas question de mes compétences dans le cadre de cette audience, mais plutôt du chef d'entrave dont elle m'avait déclaré coupable.

Me Chénier m'appelle à la barre et me demande de raconter à nouveau mon histoire, les circonstances de mon procès au mérite, le verdict de culpabilité et la manière dont j'ai vécu ces événements. À la fin de l'interrogatoire, je me suis adressé essentiellement en ces termes à la présidente du conseil de discipline :

« Madame la Présidente, j'ai été très étonné que votre décision fasse l'objet d'une telle médiatisation. Ainsi, j'ai été sanctionné avant même que la présente audience ait lieu. Le journal *The Gazette* a dit que j'avais perdu mon permis de pratique à tout jamais. Or la seule personne que la journaliste de ce quotidien a citée dans son article est le président du Collège des médecins, le Dr Bernard, qui m'a crucifié sur la place publique. Je trouve complètement inacceptable que le président de mon ordre professionnel se comporte ainsi. »

La présidente du conseil de discipline semblait vraiment perturbée que le président de mon ordre professionnel s'adonne à ces manœuvres par lesquelles il se trouve dans les faits à ordonner au conseil de discipline de me radier de façon permanente. J'ai poursuivi ainsi :

« J'ai été surpris de votre décision. Lors de l'audience au mérite, je vous ai raconté pendant une journée et demie les manœuvres de harcèlement dont j'ai été victime de la part du syndic adjoint et du Collège. J'ai aussi été extrêmement surpris, en lisant soigneusement et de bout en bout votre décision, qu'à aucun moment vous n'ayez retenu mon témoignage sur les agissements abusifs du syndic adjoint et du Collège. Vous l'avez complètement occulté. »

De toute évidence, elle se sentait attaquée et a vraiment commencé alors à me regarder de travers, comme quelqu'un qui est outré de mon insolence. Et j'ai conclu ainsi.

« Mais j'ai finalement compris, Madame la Présidente, pour quelle raison vous avez ignoré mon témoignage. Au paragraphe 167 de votre jugement, vous écrivez que ce n'est pas la place du conseil de discipline ni du Tribunal des professions de juger des actes d'un syndic. Ainsi, vous nous avez donné raison, à savoir que le bon forum auquel nous devons nous adresser, c'est la Cour supérieure du Québec. On me torture, on me ment, on me harcèle, on m'intimide, et vous, vous avez rejeté tout cela du revers de la main. Vous avez donc confirmé que nous avons fait le bon choix en portant cette affaire devant la Cour supérieure. »

Je voyais ses narines se dilater. Elle n'a vraiment pas apprécié mon intervention. Mais j'ai dit ce que j'avais à dire, poliment mais fermement.

Elle a ensuite demandé au procureur du syndic adjoint, Me Battah, de faire ses représentations sur la sentence. Il a commencé en disant que l'entrave était la pire des choses pour un système disciplinaire qui menaçait ainsi de s'effondrer.

L'entrave, le pire délit ? En entendant Me Battah affirmer cela avec le plus grand sérieux du monde, je me suis demandé ce qu'en pensaient les victimes d'abus sexuels de la part de médecins qui s'en sont tirés avec une petite tape sur les doigts de la part du conseil de discipline, soit une radiation de quelques mois à peine.

Ce jour-là, Me Battah n'y est pas allé de main morte. Il a convenu qu'il n'existait pratiquement pas de jurisprudence pour justifier une sanction aussi radicale que la radiation permanente dans un cas comme le mien, mais qu'il fallait justement créer un précédent afin de dissuader d'éventuels délinquants. Mais il a fait bien pire, en recourant aux expertises psychologiques que nous avions déposées pour tenter de me faire passer pour un malade mental aux yeux du conseil de discipline. Ainsi, a-t-il affirmé en substance, si le Dr Benhaim a raconté toutes sortes d'histoires de harcèlement, c'est parce qu'il est malade, dépressif, insinuant même que j'étais paranoïaque. Il a même osé avancer, à mon propos :

« Vous avez cet individu devant vous qui est prêt à tout risquer, même sa santé, pour ne pas collaborer. »

Me Battah est même allé jusqu'à m'accuser de façon voilée d'avoir menti en relatant cette rencontre de décembre 2011 au cours de laquelle le syndic en chef, le Dr François Gauthier, m'avait dit : «Au Collège, on n'aime pas les médecins qui font de l'argent. On va vous emmener en discipline.» «Ceux qui connaissent le Dr Gauthier savent très bien que ce n'est pas du tout dans sa personnalité d'agir ainsi», a-t-il osé dire, alors même que cette remarque inopportune du Dr Gauthier a été faite devant témoins. Selon Me Battah, j'avais inventé cela.

J'étais complètement abasourdi ! Les expertises psychologiques confirmaient que le harcèlement du syndic adjoint m'avait causé beaucoup de tort, et la partie adverse s'en servait pour insinuer que j'étais paranoïaque et le seul artisan de mes problèmes. Il fallait vraiment être culotté !

Faisant preuve enfin d'une fausse mansuétude à mon égard, le procureur du syndic adjoint soutient qu'il est prêt à me donner une dernière chance de me racheter. Si j'accepte de m'engager dès maintenant à remettre la fameuse facture de CDL, il sera assez bon pour n'exiger qu'une radiation de 19 mois. Mais si je persiste dans mon refus, il demandera ma radiation permanente.

J'avais pourtant appris à m'attendre à tout de la part de ces gens, mais j'avais peine à croire ce que j'entendais. La peine de mort professionnelle pour un document administratif qui ne concernait même pas ma pratique médicale !

Me Battah me demande donc si je suis prêt à prendre l'engagement de remettre les documents. Je lui réponds ceci :

— J'ai fait l'objet de harcèlement et d'abus de pouvoir de la part de la RAMQ, du Collège et de la part du syndic. J'ai expliqué tantôt que le syndic doit agir de bonne foi dans l'exercice de son travail. J'allègue la mauvaise foi du syndic et j'ai porté ça à l'attention de la Cour supérieure du Québec avant même qu'il dépose sa plainte. Je crois avoir des droits parce qu'on vit dans un pays démocratique et je crois que Physimed, étant une entité morale, a également des droits. Alors je m'en remets à la décision de la Cour supérieure du Québec et j'agirai en conséquence.

— Est-ce que vous êtes prêt, a demandé la présidente, ou si vous n'êtes pas prêt à prendre cet engagement ?

— Je ne suis pas prêt à prendre cet engagement tant et aussi longtemps que la Cour supérieure ne s'est pas prononcée sur ce litige, ai-je répondu. Par ailleurs, ces documents ne sont pas des documents que je possède personnellement. Ce sont des documents qui appartiennent à Physimed.

Le procureur du syndic adjoint réclame alors officiellement ma radiation permanente.

Me Chénier était scandalisé au-delà de toute expression. Jamais il n'avait vu un tel acharnement de la part d'un syndic. Et secoué qu'il était encore par le suicide du Dr Sirard, il a fait éclater son indignation.

«Tout d'abord, Madame la Présidente, je trouve que le côté humain est parfois délaissé par les tribunaux au Québec. (...) On vient nous parler ici d'une radiation permanente et je trouve que c'est une honte de la part du Collège des médecins, c'est un esprit de dénigrement, un esprit de mépris vis-à-vis tous ceux qui sont là à soigner des patients. Quand on lit les certificats médicaux, a-t-il dit en parlant des expertises psychologiques que nous avions déposées, on voit clairement que c'est dû à tout ce harcèlement et un tel harcèlement tue des médecins. J'ai d'ailleurs un de mes clients qui s'est tué hier et depuis novembre 2013, il était harcelé par des procédures sans fin.»

Par la suite, il a évoqué ce qui, au fond, a toujours été au cœur des manœuvres du syndic adjoint: tenter de m'extorquer un document administratif, un document commercial, en me privant de mon droit de pratique, ce qui démontre toute la démesure de sa démarche.

«On ne peut pas, a expliqué Me Chénier, dire à un médecin: "Vous n'aurez pas votre droit de pratique tant et aussi longtemps que vous n'aurez pas remis le document." C'est une atteinte au droit fondamental, une atteinte contre une saisie abusive, et c'est garanti par la Charte.»

Mais le Collège se soucie comme d'une guigne de la Charte et des droits fondamentaux, comme il me l'a démontré au cours des dernières années avec ses manœuvres de harcèlement et ses procès de type soviétique.

Après la clôture de la séance, le Dr Prévost est à nouveau venu me faire son numéro de fausse empathie, en affichant son sourire en coin habituel, alors même qu'il venait de réclamer ma décapitation professionnelle.

• • •

Les journées qui ont suivi l'audition pour sanction ont été particulièrement pénibles. Il fallait attendre plusieurs mois avant d'obtenir un verdict, mais je me doutais bien que j'allais passer dans le broyeur. Je me sentais comme un boxeur coincé dans les câbles, dans un combat sans arbitre, qui se fait matraquer coup sur coup sans pouvoir riposter.

Mais j'allais me relever et continuer à me battre pour ce que je crois être juste.

• • •

L'affaire Sirard a fait les manchettes des médias pendant plusieurs jours. En consultant sur Internet sa notice nécrologique, j'ai vu que sa succession s'apprêtait à créer une fondation destinée à réhabiliter son nom et à dénoncer le harcèlement institutionnel et médiatique, et à venir en aide aux personnes qui en sont victimes. Mon instinct m'a aussitôt dicté que je devais communiquer avec l'un de ses enfants, car le Dr Sirard et moi avions au moins en commun – outre le fait d'être médecin et d'avoir le même avocat – d'avoir fait l'objet de harcèlement intense de la part du Collège des médecins et d'autres institutions. Je décide donc d'appeler Olivier Sirard, un jeune avocat criminaliste.

Lorsque je l'ai au bout du fil, je me présente et lui offre d'abord mes condoléances ; je lui explique ensuite que j'aimerais participer aux activités de la fondation que sa famille se propose de créer parce que je poursuis en dommages et intérêts le Collège des médecins et la Régie de l'assurance maladie en Cour supérieure pour harcèlement, abus de pouvoir et mauvaise foi.

« Je me suis dit que je devais vous appeler pour que nous puissions partager certaines choses ensemble. Je ne veux surtout pas vous importuner, mais j'aimerais vous rencontrer au moment qui vous conviendra. »

Il m'a tout de suite donné rendez-vous pour 18 h le jour même, dans son bureau du Vieux-Montréal. Quand je suis arrivé, il m'attendait au rez-de-chaussée de l'immeuble. J'ai tout de suite remarqué qu'il avait la main droite dans le plâtre et j'ai reconnu aussitôt que c'était le résultat d'une fracture du cinquième métacarpien – communément appelé fracture du boxeur –, sans aucun doute le résultat d'un coup de poing sur un mur ou un objet quelconque.

Il m'a accompagné jusqu'à une salle de conférence où nous avons passé trois heures difficiles, éprouvantes et émotives. J'avais en face de moi un homme brisé, meurtri, à fleur de peau. Je lui ai raconté rapidement mon histoire, afin qu'il comprenne la dynamique qui m'a poussé à vouloir le rencontrer. Il s'y est intéressé instantanément, me posant je ne sais combien de questions sur l'évolution de mon dossier et y trouvant maintes similitudes avec celui de son père.

« L'histoire de mon père a aussi commencé par une attaque dans les médias, a-t-il souligné à un certain moment. Il a subi le même type de harcèlement. »

Je lui ai ensuite montré quelques documents, notamment le texte que j'avais trouvé sur Internet et qui, le premier, m'a fait comprendre – alors que j'étais au plus bas – que je n'étais pas aussi seul que je le croyais à subir du harcèlement institutionnel. Pendant qu'il parcourait des yeux le court texte, je voyais de grosses larmes rouler sur ses joues.

« Mais, il parle de mon père ! » s'est écrié le fils Sirard après avoir lu le document.

Il a eu la même réaction que moi quand j'avais lu ce texte la première fois : j'étais convaincu que c'était mon histoire que je lisais.

Je lui ai ensuite parlé de Charles Roy, le président de l'Association des psychologues du Québec, qui milite pour l'encadrement déontologique des syndics des ordres professionnels. Je lui explique que la rencontre de cet homme m'a donné de l'oxygène, m'a fait comprendre que je n'étais pas seul et que des gens de valeur étaient conscients des problèmes de harcèlement exercés par certains syndics de différents ordres professionnels.

Le Dr Alain Sirard était ostracisé, isolé lui aussi de la communauté médicale. Au cours des mois précédents, même à l'hôpital Sainte-Justine où il travaillait, il restait souvent enfermé dans son bureau. Il était dépassé par les événements et a finalement lâché prise, comme cela aurait très bien pu m'arriver.

« J'aurais tellement aimé que mon père vous rencontre, m'a dit Olivier Sirard à un certain moment de la conversation, alors que les larmes coulaient à flots. Je suis certain qu'il aurait repris espoir en constatant qu'il n'était pas seul. Il serait encore en vie aujourd'hui. »

Il n'acceptait pas que son père, un homme compétent et intègre, se soit enlevé la vie de cette manière.

Un peu plus tard, je lui ai demandé qui était le syndic du Collège des médecins affecté à son dossier.

« C'est le Dr Louis Prévost », m'a-t-il dit après avoir vérifié.

Le Dr Sirard et moi n'avions pas seulement le même avocat. C'est aussi le même syndic qui s'acharnait sur nous. J'ai soudainement eu un flashback de l'audition sur sanction que j'avais subi quelques jours auparavant, donc le lendemain du décès. Je me rappelais que mon avocat était profondément affecté par la mort du Dr Sirard tandis que le Dr Prévost était en grande forme, avec son sourire moqueur toujours plaqué au coin des lèvres.

Avant que l'on se laisse, Olivier Sirard m'a dit :

« Je veux la justice. Cette fondation, j'en fais une mission de vie. »

Nous nous sommes donné l'accolade pendant de longues minutes, tous les deux en larmes.

Je commençais à paniquer : jusqu'où le Dr Prévost était-il prêt à aller ?

• • •

Le dimanche 18 décembre, je suis allé au salon funéraire pour rendre un dernier hommage au Dr Sirard et témoigner ma sympathie aux membres de sa famille. Je n'y ai vu que des visages défaits, marqués par une profonde douleur. Ses quatre enfants étaient dans un état lamentable, en particulier sa fille, dont le visage était rougi par les larmes. Elle était cassée, perdue, inconsolable. Et c'est à ce moment que j'ai eu une sorte de révélation.

J'observais une vidéo – comme on en voit communément dans ces circonstances – qui tournait en boucle, montrant des photos et des vidéoclips du médecin à diverses étapes et circonstances de sa vie. Beaucoup d'entre elles le montraient en compagnie de ses enfants, à jouer avec eux, à s'éclabousser dans une piscine, à pratiquer des sports. Je voyais un père investi dans sa famille et je n'ai pu m'empêcher, alors, de songer moi-même à mes propres enfants. Il vient un moment où le harcèlement à répétition vous plonge dans une détresse telle que vous ne pensez plus à rien d'autre qu'à en finir, malgré tout l'amour que vous éprouvez pour votre famille. Je pouvais comprendre. Et à ce moment précis, dans ce salon funéraire où la tristesse ambiante était presque insoutenable, j'avoue m'être vraiment posé la question : « Et si toi aussi, tu te rendais là ? »

Les conclusions fatales de l'affaire Sirard, cette visite au salon funéraire, le visage affligé de ses proches ont renforcé plus que jamais ma conviction que les actions que j'avais entamées plus ou moins par instinct avaient leur raison d'être. Ils m'ont confirmé dans ma résolution d'écrire ce livre que vous tenez entre vos mains. Il faut que les gens sachent à quels abus certains syndics d'ordres professionnels se livrent. Il faut que les gens sachent que le harcèlement institutionnel et l'abus de pouvoir de certaines personnes en position d'autorité ne sont pas des concepts fumeux, mais des faits qui sont profondément ancrés dans la réalité de nombreuses victimes.

Le harcèlement moral existe. Il est temps d'ouvrir les yeux.

Au cours de l'année 2017, l'affaire Weinstein a secoué le monde entier et provoqué une prise de conscience sans précédent quant au caractère hideux et aux conséquences terribles du harcèlement sexuel. Il fallait ouvrir l'abcès pour provoquer cette prise de conscience. Un cheminement semblable doit se faire à propos du harcèlement moral, que ce soit dans le domaine professionnel ou ailleurs. Car les deux font des victimes.

Dans l'affaire Weinstein, les victimes, qui étaient pour la plupart des actrices fortunées et de renommée internationale, ont toutes préféré se cacher et ne rien dire par peur de représailles. Les professionnels victimes du traitement abusif de certains syndics se cachent également dans le silence, car ils sont terrifiés à l'idée de parler.

Le ministre de la Justice répétait sans cesse à M. Charles Roy, qui dénonce depuis plusieurs années l'absence de surveillance des syndics : « Où sont vos victimes ? »

Je peux comprendre aujourd'hui pourquoi les victimes se cachent et n'osent pas parler et pourquoi certaines d'entre elles finissent par lâcher prise et se suicider.

Va-t-on continuer de tolérer ça?

CHAPITRE 20

Une petite victoire

La tragédie du Dr Sirard m'avait vraiment perturbé. J'ai appris, par la suite, qu'un autre médecin faisant l'objet d'une enquête du Dr Prévost s'était lui aussi enlevé la vie quelque temps auparavant. Combien y en avait-il qui n'étaient plus là pour raconter leur histoire ?

J'avais l'impression d'être engagé dans un tunnel sans fin. Le conseil de discipline du Collège des médecins m'avait lynché et une radiation permanente me pendait au bout du nez. Mes démêlés avec la RAMQ et ensuite avec le Collège m'avaient déjà coûté une fortune en frais juridiques. Nous ne voyions pas le jour où ma poursuite en Cour supérieure allait finalement être entendue. Tout ce stress minait ma santé à petit feu, affectait ma famille au quotidien et inquiétait mon associé et mes avocats.

Depuis le début de cette saga, en 2010, nous avons toujours tenté d'être conciliants, d'abord avec la RAMQ et ensuite avec le Collège. Durant une bonne partie des années 2015 et 2016, Me Frère avait tenté à quelques reprises de négocier une entente à l'amiable avec mes tourmenteurs, question d'en finir avec ce cauchemar. Mais il s'était heurté à un mur. Nous avions quand même convenu d'une nouvelle tentative et contre toute attente, les gens du Collège avaient accepté de discuter.

La rencontre a eu lieu à la mi-janvier 2017. Je m'y suis présenté en compagnie de mon associé Gilles Racine et de Me Frère. En face de nous, il y avait l'avocat du Collège, Me Synnott, le responsable du contentieux du Collège, Me Gauvin, le syndic adjoint Prévost et un représentant de l'assurance du Collège.

Alors même que Me Frère dressait, sur un ton calme et conciliant, la liste des paramètres d'un éventuel règlement, l'avocat de la partie adverse l'a interrompu pour affirmer que non seulement j'allais devoir renoncer à toute réclamation monétaire, mais qu'en plus il faudrait que je verse de l'argent au Collège en guise de compensation pour dommages.

J'étais profondément dégoûté. La rencontre n'a pas duré 10 minutes. Une vraie farce.

Je me suis senti tout à fait humilié par notre tentative désespérée de vouloir régler pour tourner la page, une fois pour toutes, et nous débarrasser de ce cauchemar. Nos harceleurs avaient beau jeu. Pourquoi ne pas continuer de presser le citron, ça fonctionne !

●●●

Le 15 février 2017, dans une salle du palais de justice de Montréal, le Tribunal des professions entendait notre appel de la décision du conseil de discipline concernant ma radiation immédiate provisoire prononcée en octobre 2015. Les trois juges de la Cour du Québec qui devaient se prononcer sur l'affaire n'avaient pas à refaire le procès, mais plutôt à déterminer si la sanction prononcée par le conseil de discipline était justifiée.

Cela a pris près d'un an et demi pour que notre contestation de ce jugement soit entendue. En appeler d'une décision du conseil de discipline n'est pas chose facile, loin de là. C'est un processus long et ardu qui nécessite énormément de temps, de préparation et d'efforts.

Me Chénier a dû rédiger et déposer à l'avance un mémoire d'une quarantaine de pages faisant état de nos réfutations concernant les erreurs de fait et les erreurs de droit que nous avions relevées lors de l'étude approfondie de la décision de Me Samson d'accorder ma radiation immédiate provisoire. Pour ce faire, il a dû obtenir les transcriptions des deux jours d'audition qui ont eu lieu afin de les éplucher, mot par mot, pour cibler les discordances entre ce qui avait été dit durant les auditions et ce que Me Samson avait rapporté dans sa décision. De plus, il a fallu appuyer tous nos points de vue par de la jurisprudence et des documents de loi. Tout un travail !

Une audition devant le Tribunal des professions est beaucoup plus impressionnante qu'une audition devant le conseil de discipline du Collège. Tout d'abord, vous vous trouvez dans le palais de justice de Montréal, dans une vraie salle de cour et non pas dans une salle d'hôtel transformée en salle de cour. Par ailleurs, trois juges d'expérience siègent au banc. Contrairement à ce que j'ai pu témoigner des auditions auxquelles j'ai participé au conseil de discipline, ces trois juges étaient très bien préparés, ayant lu l'ensemble de la documentation figurant dans le dossier de la Cour disciplinaire concernant ma cause.

Dans le couloir du palais de justice, Me Chénier me dit :

« Vous vous souvenez de notre audition en vertu de l'article 54.1 du Code civil ? Eh bien, c'est ici qu'elle va nous servir. Grâce à cette audition, nous avons pu introduire dans le dossier de la Cour disciplinaire votre document de poursuite devant la Cour supérieure contre la RAMQ, le Collège ainsi que son syndic adjoint. Ainsi, les trois juges à qui nous allons nous adresser aujourd'hui vont être saisis de tout le harcèlement, l'abus de pouvoir et la mauvaise foi de la part de vos adversaires, que vous avez dénoncés dans votre poursuite. »

En début de séance, le juge en chef met en garde les avocats des deux parties de ne pas dévier de l'objectif de la séance d'aujourd'hui.

« Nous sommes ici pour valider la décision qui a été prise par le conseil de discipline le 25 octobre 2015 concernant le Dr Benhaim. Nous ne voulons pas discuter ici si oui ou non le Dr Benhaim est coupable d'entrave. Notre travail consiste à évaluer si le Dr Benhaim méritait une radiation immédiate provisoire dans le cas d'une plainte d'entrave, en considérant les faits, la loi et la décision prise par le conseil de discipline. Est-ce bien clair ? Si vous déviez de cela, nous allons tout de suite vous en empêcher et mettre fin à votre plaidoyer. C'est bien compris ? »

J'étais seul, assis en arrière, comme un spectateur qui regarde une pièce de théâtre, excepté que le sujet principal traité dans cette pièce, c'était moi, mon avenir et ma vie. C'est une drôle de sensation de voir des gens que vous ne connaissez pas parler de vous et décider de votre avenir. Vous êtes entièrement à leur merci. J'avais le goût de crier.

Me Chénier, qui s'exprimait en premier, a plaidé pendant une heure, faisant valoir le caractère extrême de la sanction prononcée contre moi par le conseil de discipline. Aucun des juges ne l'a interrompu ni n'a posé de questions à l'issue de son intervention. Je ne savais trop comment interpréter ce mutisme.

Quant à l'avocat du syndic, Me Battah, il a bien sûr entonné son refrain habituel – qui jusqu'alors avait marché à merveille – sur mon refus de collaborer et le fait que selon lui, je mettais en péril la protection du public. Mais quand il a dit à quel point le Collège des médecins était offusqué de l'ampleur des manœuvres que j'avais mises en place en le poursuivant devant la Cour supérieure, l'un des juges l'a interrompu. Et voici l'essentiel de leurs échanges.

— Essayez-vous de dire, Me Battah, que le Dr Benhaim n'a pas droit à la justice? N'a-t-il pas le droit de se défendre en s'adressant à la Cour supérieure du Québec?

— Heu... Ce n'est pas tout à fait ce que je dis. Mais vous savez, il se dresse contre son ordre professionnel, une institution très prestigieuse vouée à la protection du public. Et il ose nous accuser d'abus de pouvoir, de mauvaise foi...

— Me Battah, les allégations du Dr Benhaim dans sa poursuite déposée devant la Cour supérieure concernant l'inspection professionnelle du Collège des médecins sont assez préoccupantes, vous ne trouvez pas?

— Mais, Votre Seigneurie, le Dr Benhaim a commis une entrave qui perdure.

— Essayez-vous de dire que toute entrave mérite automatiquement une radiation immédiate provisoire? Ne pensez-vous pas qu'il faut exercer un certain jugement discrétionnaire avant de prononcer une radiation immédiate provisoire?

J'ai ressenti cet échange comme une bouffée d'oxygène. C'est à peine si j'en croyais mes oreilles, après tout l'aplaventrisme dont j'avais été témoin de la part du conseil de discipline envers le syndic adjoint. Donc, les juges du Tribunal des professions avaient lu notre requête déposée en Cour supérieure. Ils étaient au courant des manœuvres du Collège et paraissaient sensibles à notre point de vue.

Mais M\e Battah persistait. L'enquête de son client, disait-il, est paralysée et celui-ci est fondé à utiliser les moyens légaux à sa disposition pour contraindre le Dr Benhaim à remettre le document. C'est alors qu'un des juges a pris tout le monde par surprise en évoquant un article du Code des professions que personne ne semblait connaître.

« Dans le cadre de votre plaidoyer lors de l'audition sur sanction, a-t-il dit à M\e Battah, vous pouvez demander au président du conseil de discipline d'ordonner au Dr Benhaim de remettre les documents en vertu de l'article 156 du Code des professions. »

Tout le monde est resté bouche bée, incluant mon avocat, qui n'était pas au courant de cette disposition, et M\e Battah non plus, puisque l'audition pour ma sanction avait eu lieu quelques semaines auparavant et qu'il ne l'avait pas invoquée.

À la sortie de l'audience, M\e Chénier et moi avons pris un moment pour discuter de la situation. Il était satisfait de l'attitude des juges, qui de toute évidence n'étaient pas antipathiques à ma cause. Mais l'affaire de l'article 156 nous chicotait quand même un peu. Je lui ai demandé si M\e Battah pouvait demander à la présidente du conseil de discipline de me forcer à remettre le document en vertu de cet article.

« Théoriquement, il pourrait le faire, mais elle ne pourra jamais l'accepter sauf si elle décide de rouvrir l'audience pour que les deux parties puissent plaider leur cause en vertu de l'article 156, parce que vous avez le droit de vous défendre et de faire prévaloir votre point. »

Nous avons donc quitté le palais de justice satisfaits, mais un peu inquiets des prochains événements qui nous pendaient au bout du nez.

Quant à moi, au fur et à mesure que les jours avançaient, je me demandais ce qui allait sortir en premier : la décision sur ma sanction ou la demande de Battah de rouvrir l'audience pour sanction.

•••

Le 3 mars 2017, je recevais un courriel de Me Chénier me transmettant la décision sur sanction du conseil de discipline. Son message commençait par « J'ai le regret de vous informer... » Je n'avais pas besoin d'en lire davantage : j'étais radié en permanence du Collège des médecins. Je suis resté prostré devant mon écran d'ordinateur pendant de longues minutes. J'avais donné ma vie à la médecine et voilà que le Collège me condamnait à la peine de mort professionnelle pour une facture concernant une fausse patiente que je n'avais jamais vue et qui avait écrit un article truffé de mensonges.

Je suis resté dans un état végétatif pendant quelques heures. Je ne voulais voir personne ni parler à qui que ce soit. Je suis rentré chez moi anéanti. Plus tard en soirée, le téléphone sonne. C'était mon associé, à qui j'avais donné à lire la décision.

« Albert, il faut que tu lises ça. Ça n'a pas de sens. Il faut absolument faire appel ! »

Ce fut une lecture assez pénible, tant la position unilatérale de la présidente Champagne en faveur du syndic adjoint y suintait à chaque page. Les arguments de Me Chénier avaient à peu près tous été écartés du revers de la main et, bien sûr, il n'y avait aucune mention de notre poursuite en Cour supérieure ainsi que du harcèlement, de l'intimidation et de l'abus de pouvoir dont j'étais l'objet.

Entre autres énormités, elle écrivait au paragraphe 29 : « La sanction disciplinaire vise à atteindre, en premier lieu, la protection du public. » Il est donc clair qu'elle me considérait comme un danger public constant, puisqu'elle me radiait de façon permanente.

Y a-t-il quelqu'un qui pense sérieusement que j'ai déjà été un danger pour mes patients ?

Au paragraphe 32, elle écrivait en outre cette phrase qui contredisait la logique même de sa décision : « Toutefois, jamais la sanction ne doit punir le professionnel. Son objectif est de corriger un comportement fautif. » Ah bon ?

Au paragraphe 46 de sa décision, Me Champagne explique : « Rappelons en outre que, de toute manière, le Conseil n'a aucun pouvoir de surveillance ou de contrôle sur l'exercice par le syndic de ses pouvoirs d'enquête. » De quoi tourner le fer dans la plaie.

Elle continue son raisonnement au paragraphe 68 : « (…) Dans les faits, le Dr Benhaim n'accepte pas de se soumettre aux règles déontologiques et n'assume pas les conséquences de son défaut de les respecter. » Aucune mention de notre action devant la Cour supérieure du Québec, ni du harcèlement vécu par les actions du Collège des médecins et de son syndic adjoint. C'est tout comme si mon témoignage ne comptait pas.

Elle ajoute, par ailleurs, au paragraphe 71 : « Le Dr Benhaim n'a pas d'antécédents disciplinaires. Toutefois, en l'espèce, ce facteur ne pèse pas lourd. » D'accord. Pour un agresseur sexuel, l'absence d'antécédents disciplinaires aurait pour effet d'adoucir sa peine. Mais pour un médecin dont l'entreprise refuse de remettre un document administratif qui n'a rien à voir avec sa pratique médicale, c'est la peine capitale.

Le paragraphe 80 de la décision de Me Champagne est renversant : « Le Conseil est d'avis que le Dr Benhaim ne peut se soustraire de l'application de la loi au moyen d'un stratagème visant à retarder la remise au syndic adjoint des documents demandés. Son excuse préméditée est abusive et dénote de la mauvaise foi. » Voilà que c'est moi qui suis de mauvaise foi, maintenant !

La présidente du conseil de discipline a même osé me blâmer pour la médiatisation des décisions disciplinaires, car « le Dr Benhaim envoie également des courriels de masse à ses patients à la suite de la parution d'articles dans *Le Journal de Montréal* et *The Gazette*. » Qu'elle ait affirmé cela était d'assez mauvais goût, quand on sait que le Dr Bernard, président du Collège, n'a pas hésité une seconde, lui, à me lyncher sur la place publique.

Mais Me Champagne nous réservait une petite surprise à la fin de sa décision. (Mais était-ce vraiment une surprise ?) Elle écrivait en effet : « (…) Le Conseil croit opportun de prononcer une ordonnance additionnelle pour obliger le Dr Benhaim à fournir les documents demandés par le syndic adjoint. En vertu de l'article 156 d.1 du Code des professions, le Conseil peut en effet imposer comme sanction l'obligation de communiquer des documents. »

J'appelle aussitôt Me Chénier.

— Comment se fait-il qu'elle invoque l'article 156, alors que la partie adverse n'en a même pas fait la demande officielle ?

— C'est sans doute l'opération du Saint-Esprit, me répond mon avocat, goguenard.

Mais ce qui était encore beaucoup plus renversant de la part de la présidente du conseil de discipline, c'est le fait qu'elle exigeait que nous remettions les documents dans les cinq jours. Et le compte à rebours était déjà engagé. La raison était simple : le seul moyen de suspendre l'exécution de l'ordonnance était d'en appeler de la décision. Or, nous avions normalement 30 jours pour faire appel. En fixant son exigence à cinq jours, Me Champagne était de toute évidence convaincue que mes avocats n'auraient pas le temps de formuler l'appel avant ce délai extrêmement court. Mais c'était compter sans la diligence de Me Frère – qui entre-temps avait pris la relève de Me Chénier – et de son équipe du cabinet Lavery. «Ne vous en faites pas, Docteur Benhaim, m'assura Me Frère, nous allons tout faire pour entrer dans les délais.

J'étais grandement soulagé. Quand vous êtes victime de harcèlement, c'est tous ces petits détails qui vous tuent à petit feu. Vos facultés d'adaptation sont constamment sollicitées par de nouveaux événements négatifs et pressants qui se succèdent l'un après l'autre. N'étant pas habitué au rouage disciplinaire, j'étais toujours sur le qui-vive.

L'appel fut interjeté dans les délais imposés par la présidente du conseil de discipline.

•••

Depuis le début de toute cette saga, mes avocats m'avaient fortement déconseillé de m'exprimer sur la place publique au sujet de mes démêlés avec la RAMQ et le Collège, au moins jusqu'à ce que le conseil de discipline du Collège des médecins rende sa décision sur la sanction. Mais cette étape étant désormais franchie, il était peut-être temps de parler aux journalistes. Je décidai donc d'en discuter avec un conseiller en relations publiques, François Taschereau, un homme d'une grande sagesse et d'une vaste expérience.

«Albert, me dit-il, il est temps que ta version des événements soit connue du grand public. En ne disant rien aux médias pendant que le Dr Bernard s'en donne à cœur joie pour te détruire, tu donnes l'impression de vouloir cacher quelque chose. Il est temps de raconter ton histoire. C'est le bon moment. »

Il m'a d'abord organisé une entrevue avec une journaliste spécialisée dans le domaine de la santé, Élisabeth Fleury, du quotidien *Le Soleil* de Québec. Le 20 mars 2017, elle publiait un article assez honnête et équilibré intitulé « Bras de fer entre un docteur et le Collège des médecins ». Elle y mentionnait notamment que « le médecin promet de se battre jusqu'au bout pour mettre fin au "harcèlement institutionnel vindicatif et inusité dont il se dit victime" ».

François m'a également obtenu une interview en direct avec l'ex-politicien Mario Dumont dans le cadre de l'émission *Dumont en direct* sur le réseau de télévision LCN. En un peu moins de sept minutes, j'ai eu la chance d'expliquer, autant que le temps me le permettait, la situation que je vivais[7].

Ces deux interventions n'allaient pas tout régler, certes. Il me restait encore beaucoup à dire et à faire. Mais elles m'ont permis de remettre les pendules à l'heure jusqu'à un certain point. Elles m'ont permis de faire un peu contrepoids aux mensonges éhontés propagés par le Collège des médecins et son président.

●●●

Mais il fallait aussi continuer d'agir sur le front juridique.

Contrairement à toutes les autres sanctions imposées par le conseil de discipline, lorsqu'une radiation permanente est prononcée, elle est exécutoire immédiatement, même si on en appelle. Il est toutefois possible d'obtenir du Tribunal des professions une ordonnance de surseoir à son exécution.

C'est ainsi que le 1er mai 2017, Me Frère et moi nous sommes retrouvés au Palais de Justice de Montréal pour l'audition de notre demande de sursis, sous la présidence de la juge Linda Despots du Tribunal des professions. Mon avocat a notamment plaidé que mes patients ne seraient nullement en danger si je pratiquais à nouveau la médecine parce que la faute dont le conseil de discipline m'avait reconnu coupable ne concernait ni ma pratique ni mes patients.

---

7. Une vidéo de cette entrevue existe sur You Tube et je vous invite à la visionner à l'adresse suivante : https://youtu.be/Wk3GtK7PyLo.

De son côté, bien sûr, Me Battah y est allé, comme à son habitude, de son petit numéro sur la soi-disant gravité de mon délit. Il a également soutenu que les décisions de Me Champagne sur la culpabilité et la sanction étaient exemplaires et devraient être maintenues sans accorder de sursis, faisant valoir que je ne respectais pas mon ordre professionnel et que je me moquais éperdument des demandes du syndic, en plus de me reprocher de m'être adressé à la Cour supérieure pour trancher le débat qui m'oppose à mon ordre professionnel.

Encore une fois, j'étais assis seul, au fond de la salle, en regardant ce spectacle répugnant tout en me sentant impuissant et vulnérable. Pour être honnête, j'en avais marre d'écouter tous ces discours si dégradants à mon égard.

La juge Despots a été plutôt discrète tout au long de l'audition, sauf pour lancer à un certain moment à l'avocat du syndic adjoint :

« Me Battah, est-ce que vous comprenez que pour un professionnel, une radiation permanente équivaut à la peine capitale ? »

Cette remarque fut comme un baume sur mes plaies, une goutte d'espoir dans l'océan de déconvenue où je nageais depuis sept ans. Enfin, quelqu'un qui comprenait.

Après l'audition, le Dr Prévost, comme d'habitude, est venu me faire son petit numéro en me souhaitant de passer un bel été, lui qui venait de faire en sorte que je ne puisse jamais reprendre la pratique de la médecine.

Le 24 mai 2017, la juge Despots rendait sa décision. Elle ordonnait au Collège des médecins de surseoir à l'exécution de ma radiation permanente jusqu'à ce que soit rendue la décision sur l'appel. Elle écrivait notamment au paragraphe 48, réitérant ce qu'elle avait dit à l'audition : « À première vue, il est pour le moins surprenant qu'un conseil de discipline impose une sanction de radiation permanente, qui en droit disciplinaire est l'équivalent de la peine capitale, à un professionnel sans aucun antécédent disciplinaire et qui pratique depuis 30 ans. » Elle ajoutait, au paragraphe 50 : « Toutefois, le fait de prononcer une radiation permanente laisse percevoir une tentative de coercition qui ne cadre pas avec les principes de détermination d'une sanction. »

Au paragraphe 55, elle mentionnait en outre : « Il faut également noter que le refus du professionnel est subordonné au recours qu'il a intenté devant la Cour supérieure. » Contrairement à Me Champagne, qui n'a accordé aucune importance à notre recours devant la Cour supérieure, la juge Despots, qui ne m'a même pas entendu témoigner, en a bien pris note dans son raisonnement pour formuler son jugement.

La juge Despots est allée encore plus loin, dans les paragraphes 56, 57 et 58, en laissant entendre que la radiation permanente décrétée par le conseil de discipline était une vengeance à mon endroit pour avoir eu recours à la Cour supérieure pour faire valoir mes droits. « Le syndic insiste pour dire que ce recours est voué à l'échec, que les arguments plaidés par le professionnel sont sans fondement. (…) Il suffit de constater que ce recours est pendant devant la Cour supérieure et qu'en l'absence de déclaration par l'autorité compétente qu'il s'agit d'un recours futile ou dilatoire, le professionnel est en droit de faire valoir ses droits. Or, il semble que la conséquence de l'exercice de ses droits lui vaut de se voir imposer une radiation permanente. »

Finalement, la juge mentionne dans sa décision que même la radiation immédiate provisoire prononcée en octobre 2015 était un autre moyen de coercition et blâme également Me Samson pour ne pas avoir considéré l'exercice de mes droits auprès de la Cour supérieure.

La juge Despots me donnait ainsi la possibilité de retourner au travail et de reprendre la pratique de la médecine. Imaginez l'absurdité : la juge Champagne, qui siège dans la cour interne du Collège, me radie de façon permanente parce que je serais, entre autres, un danger public, tandis que la juge Despots me dit, en quelques mots, dans sa décision : « Oubliez ça, vous pouvez retourner au travail et soigner vos patients. »

Avez-vous une idée de l'intensité des émotions que vous éprouvez lorsque vous vivez des épreuves aussi contradictoires ?

C'est un peu comme si vous étiez dans un avion et que des malabars vous saisissaient par les bras, ouvraient la porte de l'avion en plein vol et vous jetaient dans le vide, parce que vous êtes un indésirable. Et tout d'un coup, venu de nulle part, un ange apparaît, alors que vous êtes en chute libre, pour vous tendre un parachute.

Cette petite victoire m'a beaucoup réconforté. Ce n'était pas la première. La RAMQ avait perdu en Cour supérieure en juin 2013 et j'avais réussi à faire annuler mon examen d'entrevue orale structurée (EOS) par le comité d'inspection professionnelle du Collège en janvier 2014. Depuis ce temps-là, donc depuis plus de trois ans, c'était échec après échec devant le conseil de discipline du Collège. Cependant, j'avais encore devant moi un long chemin judiciaire à parcourir avant de pouvoir espérer justice; je me sentais mentalement et physiquement incapable de reprendre l'exercice de la médecine. Et même si je reprenais la pratique, je savais que le Collège m'attendrait au tournant avec l'inspection professionnelle. Car même si mon EOS avait été annulée, une inspection en cabinet me pendait au bout du nez. Je savais par ailleurs de quel bois le Collège se chauffe quand il s'agit de l'inspection professionnelle, son objectif étant de me déclarer incompétent.

Depuis le début de mes démêlés avec la Régie et le Collège, mon parcours a été jalonné de grandes défaites et de petites victoires qui m'ont aidé à garder la tête hors de l'eau. Ce que je constatais par ailleurs avec un espoir modéré, c'est qu'une fois sorti du tribunal fantoche contrôlé par le Collège des médecins, mon point de vue était entendu. Mais je ne m'emballais pas pour autant. Je savais que j'avais encore un long chemin à parcourir avant d'obtenir justice.

●●●

Le lendemain de la réception de la décision, je recevais un courriel du Collège des médecins après trois ans de silence. On m'invitait à effectuer le renouvellement de ma cotisation, comme pour me souhaiter la bienvenue. Après avoir détruit ma pratique, on me demandait de l'argent!

Sur les recommandations de mon avocat Me Chénier, j'ai donc communiqué avec le directeur des services juridiques du Collège, Me Gauvin, pour m'enquérir des conditions de mon éventuel retour à la pratique.

— Les conditions de retour à la pratique dans votre cas sont relativement simples, me dit Me Gauvin. Il faudrait remplir un formulaire de réinscription, payer votre cotisation, fournir une preuve d'assurances médico-légales, donc toutes sortes de petites étapes administratives à suivre.

— C'est tout ? Est-ce qu'il y a autre chose ?

— Laissez-moi y penser... Ah oui, il faudrait également que vous complétiez des stages.

— Des stages ? Que voulez-vous dire ?

— Considérant que vous avez été radié pour une période de plus de deux ans, vous devez compléter avec succès des stages avant qu'on puisse envisager de vous laisser pratiquer de nouveau.

— Pourriez-vous m'expliquer quels types de stages et leurs durées ?

— Désolé, ces stages ne me sont pas trop familiers. Je vous demanderais d'appeler le Dr Goulet, qui est responsable de ce programme au Collège.

Me Chénier avait donc bien raison. Tout était prémédité et planifié. Le Collège avait prévu avec minutie toutes les possibilités pour bloquer ma route en cas de retour à la pratique, et ce, en toute légalité. C'est, entre autres, une des raisons pour laquelle le syndic adjoint tenait tant à ma radiation immédiate provisoire, pour me faire poireauter, tout en étant radié, afin de s'assurer que je dépasse la période critique pour m'imposer des stages obligatoires.

Me revoilà donc en contact avec le Dr Goulet, M. Intégrité lui-même, qui, quelques années auparavant, m'avait convoqué à des entrevues orales structurées (EOS) dans le cadre d'une inspection professionnelle fabriquée de toutes pièces. Il dit très bien se souvenir de moi et m'explique le processus menant à mon retour éventuel à la pratique de la médecine.

— Effectivement, me dit-il, vous allez devoir compléter des stages d'une durée variable de plusieurs semaines à plusieurs mois. Vous allez devoir répondre à un maître de stage que nous allons vous assigner et qui va vous superviser. Bien sûr, vous allez devoir payer pour ces stages. Une fois complétés avec succès, on verra à vous retourner à la pratique.

— Est-ce qu'il y a autre chose à prévoir ?

— Une fois de retour à la pratique, vous serez placé sur une sorte de programme de surveillance et on viendra vous inspecter quelque temps après pour s'assurer que vous pratiquez correctement la médecine.

Ce retour à la pratique était décidément un attrape-nigaud. Les gens du Collège voulaient ma peau coûte que coûte. Il n'y avait aucune issue : ils tenaient mon sort entre leurs mains.

Soudainement, il m'est venu une idée. Il y avait longtemps que je brûlais d'envie de poser la question au Dr Goulet. Comment se faisait-il que celui qui avait annulé mon EOS le 20 novembre 2013 – en invoquant sa grande intégrité – avait changé d'avis pour me convoquer cinq jours plus tard à une nouvelle EOS ?

— Vous savez, Docteur Goulet, j'ai vécu énormément de stress au cours des dernières années. J'ai encore beaucoup de difficulté à comprendre ce qui s'est passé. Pourriez-vous m'aider, s'il vous plaît ?

Tout à coup, comme n'importe quel membre en règle du club des harceleurs, il devient amnésique, lui qui se souvenait très bien de moi au début de notre conversation.

— Écoutez, Docteur, ça fait longtemps déjà, toute cette histoire. Je ne m'en souviens pas. Je n'ai pas votre dossier à portée de main.

— Quand pourriez-vous me revenir avec l'information, s'il vous plaît ?

— Je vous appelle d'ici la fin de semaine, me répond-il.

Quelques jours plus tard, je recevais un courriel du Dr Goulet.

« Bonjour Docteur Benhaim,

Pour faire suite à notre conversation du début de semaine et en réponse à votre question sur votre EOS en médecine de famille, sachez que toutes les décisions ont été prises par le comité d'inspection professionnelle. Je ne suis pas membre du comité d'inspection professionnelle et je ne participe pas aux délibérations. Je ne peux donc pas vous renseigner quant aux décisions.

Merci. »

Encore une fois, M. Intégrité se lavait les mains de mes malheurs.

Le Dr Billard, secrétaire du comité d'inspection professionnelle, a déclaré sous serment – et nous avons la transcription de cette déclaration – que c'était lui qui avait pris la décision de m'envoyer en EOS après en avoir discuté avec le Dr Gervais et plus tard avec le Dr Goulet lui-même. Voilà que le Dr Goulet m'écrit que c'est le comité d'inspection professionnelle qui aurait pris toutes ces décisions. Il me laisse croire qu'il n'a rien à voir avec tout ça, car il ne fait pas partie du comité.

Rien de tout cela ne tient la route.

La juge Despots a ordonné au Collège de me laisser reprendre mon droit de pratique, mais je sais qu'il y a loin de la coupe aux lèvres.

Mon seul espoir d'obtenir justice se trouve à la Cour supérieure du Québec. Et même si je gagne devant ce tribunal, mes avocats m'ont prévenu que nos adversaires en appelleront sans doute de la décision et seront prêts à aller jusqu'en Cour suprême, ce qui entraînerait un autre 7 à 10 ans de batailles et d'enfer. Je ne sais pas si j'aurai la force mentale nécessaire pour tenir le coup et je ne sais pas si ma santé suivra.

C'est pour cela que j'ai décidé d'écrire ce livre. Il faut mettre un terme au fléau de l'intimidation des syndics d'ordres professionnels, à cette injustice qui a déjà fait trop de victimes. Nous vivons dans un pays magnifique, avec des valeurs solides fondées sur la liberté et la démocratie. Le harcèlement moral et institutionnel auquel se livrent certaines institutions publiques n'a pas sa place dans une telle société.

Épilogue

La saga qui m'oppose à deux puissantes institutions du monde québécois de la santé a débuté en 2010 et elle est loin d'être terminée. Encore aujourd'hui, le Collège des médecins poursuit ses manœuvres de harcèlement et d'intimidation, non plus directement à mon endroit – ayant épuisé tous ses recours contre ma personne – mais en s'en prenant à certains médecins de notre clinique, ouvrant plusieurs enquêtes pour des motifs obscurs.

De mon côté, je n'ai pas encore fini de reconstituer le puzzle qui me permettrait d'appréhender complètement la situation et de découvrir la source de cet acharnement dont je suis victime depuis plus de huit ans. Bien des questions demeurent sans réponse. Qui a envoyé Nicoud chez Physimed ? Et pourquoi ?

Comment se fait-il que le mandat d'enquête était déjà sur le bureau de l'enquêtrice de la RAMQ, tôt le matin du vendredi 30 juillet 2010, le jour même de la parution de l'article de Nicoud, en pleines vacances estivales, lorsque toutes les institutions publiques tournent au ralenti ?

Comment se fait-il que la RAMQ – qui, dès le départ, a convenu que les allégations de la journaliste étaient fausses – a détourné son enquête pour s'attarder à la rentabilité de nos services de laboratoire, qui ne relèvent pas de sa compétence ?

Pourquoi le Collège des médecins a-t-il pris la relève de la RAMQ, près de trois ans après la parution de l'article de Nicoud, pour me réclamer les mêmes documents ? Pourquoi la Régie et le Collège n'ont-ils jamais voulu interroger l'auteure de l'article par lequel tout a commencé ?

Et surtout, pourquoi le Collège s'entête-t-il à vouloir à tout prix mettre la main sur un document commercial qui ne concerne ni ma pratique ni mes patients ?

Au cours des dernières années, plusieurs personnes bien intentionnées m'ont dit : « Albert, pourquoi ne remets-tu pas cette damnée facture et qu'on n'en parle plus ? »

Seulement voilà, je ne pense pas que la remise de la facture va mettre un terme à ce cauchemar. Au contraire, mes adversaires m'ont prouvé que je ne pouvais pas leur faire confiance.

Que démontrera cette facture, le jour éventuel où elle sera rendue publique ? D'abord, que les services de laboratoire de Physimed sont bien rentables. Nous ne l'avons jamais nié. C'est écrit en toutes lettres dans notre poursuite déposée en février 2014 devant la Cour supérieure :

« Les analyses en laboratoire sont pour Physimed une des sources de revenus qui lui permettent de continuer à offrir, de façon rentable, des services au public (…) ; cette rentabilité, tout comme certaines des activités qu'elle exerce et qui sont déficitaires, constitue pour Physimed des données commerciales confidentielles. »

Par ailleurs, les patients de Physimed ont toujours eu le choix de passer les tests chez nous ou ailleurs, sans que cela ait quoi que ce soit à voir avec un quelconque privilège d'accessibilité. De fait, environ 60 % de nos patients choisissent de faire effectuer leurs analyses chez nous alors que les autres vont ailleurs. Toutes ces preuves ont déjà été fournies à la RAMQ qui a conclu son enquête, en août 2014, en nous blanchissant.

Enfin, Physimed facture les analyses de laboratoire au taux du marché, ce qui a été validé tant par la RAMQ que par le Collège des médecins.

Comme toute entreprise soucieuse de sa rentabilité et de sa survie, Physimed a toujours agi de façon responsable pour négocier avec ses fournisseurs le meilleur ratio qualité-prix, comme le font de leur côté tous les établissements du secteur public

Or, considérant que ces tests de laboratoire sont facturés au prix courant et qu'il a été démontré que les patients de Physimed ne sont pas contraints de les faire chez nous, en quoi la rentabilité de ces services concerne la RAMQ et le Collège?

• • •

Pas besoin d'être grand clerc pour comprendre que le fond de mes démêlés avec le Collège des médecins est politique. Ma conviction inébranlable est que le Collège, la RAMQ et de vastes pans du système de santé québécois ont été noyautés par des idéologues de gauche à courte vue, possiblement alimentés encore une fois par un compétiteur, qui ont juré la perte des cliniques privées et semi-privées. Ces idéologues, dont un grand nombre sont regroupés au sein de l'association Médecins québécois pour un régime public (MQRP), colportent un peu partout que les cliniques médicales font de l'argent sur le dos des patients. De toute évidence, ces médecins n'ont jamais été propriétaires d'une clinique médicale et ne comprennent rien à la gestion des finances d'une clinique.

Le Collège des médecins a clairement adhéré à cette vision manichéenne voulant que la médecine publique soit pure, et la médecine privée, corrompue. Il a en effet apporté des amendements majeurs à son Code de déontologie en interdisant aux médecins «d'obtenir un avantage financier par l'ordonnance d'appareils, d'examens ou de médicaments, à l'exception de ses honoraires, directement, indirectement ou par l'entremise d'une entreprise qu'il contrôle ou à laquelle il participe» (article 73). Donc, le Collège s'en prend directement aux médecins entrepreneurs comme moi, qui ne peuvent plus exercer la médecine dans leurs propres cliniques, car chaque fois qu'ils prescrivent un test ou un traitement disponible sur place, ils contreviennent au nouveau code. En appliquant de telles mesures, le Collège des médecins vient de retirer tout incitatif aux médecins de développer leurs propres milieux de travail, de créer de nouveaux concepts de clinique et d'innover dans la livraison des soins de santé à la population.

•••

En 2007, le rapport Chicoine[8] avait sonné l'alarme sur l'état précaire du financement des cliniques. Il dénonçait le fait que sans les revenus de frais connexes – tels que laboratoire, physiothérapie, psychologie, etc. – les cliniques médicales ne pouvaient survivre et étaient vouées à disparaître. Ce rapport – issu d'un comité dont le Collège des médecins faisait partie – recommandait que le Ministère agisse rapidement pour réviser à la hausse le soutien financier aux cliniques et ainsi préserver leur avenir. Le Ministère a plutôt choisi de le tabletter, pour des raisons de toute évidence politiques.

Pourtant, le rapport avait bien illustré l'importance primordiale du travail des cliniques médicales dans l'organisation des soins de santé au Québec. Actuellement, plus de 80 % des consultations en médecine familiale et plus de 30 % des consultations en médecine spécialisée au Québec sont rendues dans ces milieux réputés pour leur productivité et leur efficacité.

C'est peu après la publication du rapport Chicoine, en octobre 2008, que fut créé le regroupement Médecins québécois pour le régime public, qui milite ardemment en faveur de la gratuité complète des services médicaux pour l'ensemble de la population. En fait, ce groupe réclame non seulement la gratuité des services médicaux, des médicaments et des soins à domicile, mais également de toute une panoplie de services tels que l'éducation primaire, secondaire et universitaire et les services de garde. Quand on leur demande qui va payer pour tout cela, c'est toujours la même réponse inspirée de la pensée magique : le gouvernement, bien sûr !

Le regroupement MQRP – dont les membres proviennent essentiellement des établissements publics et académiques, où toute notion de gestion financière de cliniques leur est inconnue – réclame la fermeture des cliniques et encourage le grand public à se plaindre

8. M. Jean-Pierre Chicoine présidait le Comité de travail sur les frais accessoires, mis sur pied par le ministre de la Santé de l'époque, le Dr Philippe Couillard, pour se pencher notamment sur les coûts de fonctionnement des cliniques.

de celles-ci, quels que soient les articles ou services facturés, que ce soit justifié ou pas. Par les bons soins de cette organisation, les médecins propriétaires de cliniques médicales passent, dans les médias, pour des exploiteurs et des profiteurs du système.

Plusieurs débats en médecine sont polarisés. Certains sont pour l'avortement, d'autres sont contre ; certains sont pour l'euthanasie, d'autres sont contre ; certains sont pour le régime privé, d'autres sont pour le régime public, et ainsi de suite. Quant à moi, je considère que ces débats sont sans issue. Qui a tort ? Qui a raison ? On ne le saura probablement jamais. L'essentiel, à mes yeux, c'est que le monde se respecte, peu importe les convictions.

Devrait-on tolérer qu'un camp puisse anéantir l'autre tout simplement parce que les croyances et les convictions diffèrent ? Devrait-on tolérer qu'un camp puisse écraser l'autre en abusant de ses pouvoirs pour les utiliser à des fins non prévues par la loi et en créant un climat d'oppression ? Est-ce cela qu'on appelle un pays démocratique ?

Dans son article publié en 2010, la journaliste Nicoud citait la présidente du MQRP, la D^{re} Marie-Claude Goulet, alors que ce regroupement venait tout juste de naître et que la communauté médicale ne le connaissait pratiquement pas. La présidente de MQRP – un médecin travaillant en établissement public – avait déclaré à Nicoud : « Les gens sont prêts à payer pour voir un médecin de famille. C'est normal (en faisant allusion à la pénurie de médecins). Le problème, c'est que certaines personnes (en parlant de nous) en profitent pour faire de l'argent. » Je ne connais pas la D^{re} Goulet. Je ne l'ai jamais rencontrée, je ne lui ai jamais adressé la parole et elle ose nous dénigrer sur la place publique. Il faut vraiment être culotté pour avancer une chose pareille sans nous connaître, sans connaître notre organisation et sans comprendre notre réalité ! Le Collège des médecins véhicule essentiellement le même message. Son président, le Dr Bernard, entretient la confusion quant à la notion de profit qui se dégagerait des cliniques. Drapé dans le manteau de la pureté, il répète sur toutes les tribunes que « la médecine n'est pas un commerce ». Seulement, voilà : les cliniques médicales sont des commerces légalement constitués, qu'il le veuille ou non, et absolument nécessaires. Si leurs gestionnaires ne s'assurent pas de leur rentabilité, elles feront faillite et cesseront d'exister, éliminant des milliers d'emplois dans la foulée et, surtout, privant quelques millions de citoyens de services de santé efficaces et auxquels ils sont attachés. Est-ce cela que le Dr Bernard désire, comme le MQRP? Est-ce cela que la population souhaite?

Le Collège, tout comme le regroupement MQRP, entretient délibérément dans les médias la confusion entre la rémunération des médecins et le financement des cliniques. Oui, les médecins sont bien payés au Québec (bien que leur rémunération ait traîné loin derrière celle de leurs collègues canadiens pendant bien des années), mais ils sont loin d'être des enfants gâtés! Les médecins que je connais, dans la très grande majorité, sont des gens diligents et dévoués, qui ont étudié pendant de longues années, qui ont fait des sacrifices personnels et qui travaillent très fort, avec de lourdes responsabilités. Par contre, en ce qui a trait aux revenus des cliniques médicales, c'est loin d'être le cas. Leurs entrées de fonds sont minimes et leur rentabilité ne tient qu'à un fil pour beaucoup d'entre elles.

Les médecins qui pratiquent dans des établissements publics dans lesquels tout est fourni, clés en main, n'ont pas à se soucier d'embaucher, de former et de gérer des réceptionnistes, des secrétaires, des infirmières, des archivistes, des informaticiens, etc. Quand ils se présentent au travail, les salles d'examen sont prêtes, les fournitures médicales sont en place et le soutien administratif et infirmier est directement disponible. Lorsqu'ils retournent chez eux le soir, ces médecins n'ont aucun souci de gestion et peuvent dormir sur leurs deux oreilles. Par contre, les propriétaires de cliniques médicales doivent non seulement travailler dur pour organiser tout cela (sans être rémunérés), mais ils doivent aussi voir au financement de toute l'organisation en s'assurant surtout de ne pas être déficitaires, car contrairement aux établissements publics, le ministère n'est pas là pour éponger leurs dettes.

Les profits d'une entreprise se résument à la différence entre ses revenus et ses dépenses. Certains services ou produits peuvent être vendus avec profit, certains sans profit, tandis que d'autres peuvent être offerts à perte (ce que, dans le jargon commercial usuel, on appelle des *lost leaders*). À titre d'exemple, notre clinique est ouverte tous les soirs, tous les week-ends et tous les jours fériés. C'est à perte que nous maintenons ces heures d'ouverture étendues, afin de donner un meilleur service à notre clientèle. Ce faisant, nous comptons sur la fidélité de celle-ci pour compenser par d'autres services plus rentables. Ainsi, c'est l'ensemble de ces transactions qui génère, au bout du compte, des profits ou des déficits pour une entreprise. Les cliniques médicales n'échappent pas à cette règle commerciale élémentaire.

Néanmoins, depuis quelque temps, certaines organisations – dont le ministère, la RAMQ, le Collège et, bien sûr, le MQRP – montrent du doigt les profits des cliniques en ciblant, article par article, et, service par service, soi-disant «profitables» sans toutefois les mettre en contexte avec les autres articles ou services déficitaires offerts dans ces cliniques.

C'est grâce à leurs supposés profits – comme ceux découlant de notre service de laboratoire, par exemple – que les médecins propriétaires de cliniques médicales réinvestissent année après année et parviennent à financer, tant bien que mal, leurs infrastructures et leurs immobilisations. Ces profits oxygènent leurs situations financières et leur permettent de se développer, de grandir, d'engager du personnel, d'acheter de nouveaux équipements, de rénover leur parc technologique et de s'informatiser adéquatement, tout cela pour assurer un meilleur service à leur clientèle. C'est ainsi que nous avons fait croître notre clinique, qui est passée d'une superficie de 8 000 pieds carrés à plus de 50 000 pieds carrés. C'est ainsi que Physimed compte aujourd'hui une centaine d'employés, une cinquantaine de médecins, une trentaine de radiologues, un service d'imagerie complet incluant échographie, tomodensitométrie (CT scan) et IRM, pour ne nommer que ceux-là. Ces seuls équipements d'imagerie ont coûté plus de 7 millions de dollars, avec un contrat d'entretien annuel de plus de 300 000 $. Nous avons bâti tout cela sans la moindre subvention, en réinvestissant année après année une grande partie de nos profits.

Et par quoi seront remplacées ces cliniques? Par les CLSC? Est-ce que les Québécois s'interrogent parfois sur leur degré d'efficacité et de productivité?

Une chose est sûre : les coûts de notre système de santé continueront d'augmenter plus rapidement que les revenus du gouvernement, en particulier dans un contexte de vieillissement de la population et, donc, d'un accroissement inévitable des maladies chroniques. Dans ces conditions, les Québécois – qui figurent déjà parmi les contribuables les plus taxés en Amérique du Nord – n'auront d'autres choix que de se tourner vers le privé. Encore faudra-t-il que les décideurs aient le courage politique de l'admettre !

D'ailleurs, le recours au privé est déjà une habitude bien ancrée chez ceux-là mêmes qui s'attaquent sans vergogne à nos cliniques et aux médecins entrepreneurs comme moi. Les gens du Collège des médecins, en particulier, ne pratiquent pas toujours ce qu'ils prêchent quand il est question de leur propre santé, pas plus que les avocats qui les défendent. Ainsi, certains d'entre eux ont passé pendant des années leurs bilans de santé au privé. D'autres subissent des chirurgies au privé. Pas question pour eux de poireauter dans une file d'attente ! « Faites ce que je dis, mais ne faites pas ce que je fais. » Voilà la morale de ces gens.

La réalité – quand on a l'honnêteté minimale d'évacuer les considérations idéologiques du débat –, c'est que les services de santé publics et privés peuvent parfaitement coexister en toute harmonie dans une société.

•••

C'est une chose que d'adhérer à une idéologie prônant la gratuité complète des soins de santé et l'élimination du privé dans le système de santé. On a le droit de penser cela. Mais c'en est une autre de profiter d'un poste d'autorité pour utiliser ses pouvoirs à des fins non prévues par la loi pour atteindre ses objectifs. Dans mon cas, certaines personnes mal intentionnées se sont servies de l'inspection professionnelle et du service des enquêtes du Collège des médecins pour me détruire. Elles veulent m'utiliser comme bouc émissaire pour arriver à leurs fins. Elles agissent toujours dans les limites de la légalité, en manipulant le comité d'inspection professionnelle et le conseil de discipline animé par des procès à la soviétique, c'est-à-dire qu'on accuse d'abord le médecin, et on fabrique ensuite les preuves pour se justifier.

Dans le cadre du procès que j'ai subi en conseil de discipline du Collège, il est intéressant de noter que le Collège n'a rien laissé au hasard. Outre la présidente Me Champagne – elle-même une ancienne syndique –, les médecins qui y siégeaient provenaient tous deux du secteur public. Du Dr Pierre Marsolais, je sais peu de choses, à part le fait qu'il fait œuvre estimable en faveur de la transplantation d'organes. Par contre, j'en ai appris bien davantage sur la Dre Vania Jimenez, qui partage les mêmes convictions que le MQRP.

En 2007, Dre Jimenez avait été parmi les signataires – essentiellement des personnalités de gauche bien connues – d'un texte incendiaire paru dans la rubrique « Libre opinion » du quotidien *Le Devoir*. Le texte, intitulé « Le privé en santé : une incantation illusoire » s'en prenait avec force à la présence du secteur privé dans le domaine des soins de santé, affirmant notamment que « les pratiques médicales en cliniques privées sont davantage orientées vers le profit, surtout quand les médecins en sont actionnaires » et que le privé dégrade le système public. En fait, ce texte avait lui-même toutes les apparences d'une incantation aux accents presque religieux dont la conclusion était : hors du public, point de salut.

On comprendra donc que lorsque je me suis retrouvé devant la Dre Jimenez en conseil de discipline, j'étais déjà condamné d'avance. Elle n'a pas hésité une seule seconde à s'en prendre au médecin entrepreneur, au méchant capitaliste que j'étais à ses yeux. J'ai malheureusement découvert le pot aux roses sur la Dre Jimenez bien plus tard, après que le conseil de discipline eut prononcé mon arrêt de mort professionnelle.

●●●

Dans certains milieux au Québec, on perçoit la réussite comme un bien mal acquis. J'ai beaucoup de difficulté avec cette façon de voir les choses.

Mes parents étaient issus de familles très pauvres et n'ont pas eu la chance de s'instruire. Cependant, ils ont travaillé d'arrache-pied pour améliorer leur sort et celui de leurs cinq fils. Ils nous ont enseigné une éthique de travail sans pareille, qui se résume essentiellement à cette maxime: «On n'a rien sans rien.» C'est ainsi que dans ma vie, j'ai toujours aspiré à faire mieux, à développer, à optimiser, à innover. Je n'ai jamais hésité à me retrousser les manches pour y arriver, que ce soit à l'école, à l'université, dans l'exercice de ma profession ou dans la conception de notre clinique.

Pendant des années, j'ai travaillé près d'une centaine d'heures par semaine, parfois sept jours sur sept, pour être capable de bâtir ce que nous avons construit aujourd'hui, et nous l'avons fait à partir de zéro, sans aide ni subvention. Je l'ai fait avec plaisir parce que j'aime ce que je fais et que ma profession me passionne. Je n'ai pas volé mon succès. Et lorsque les dirigeants de l'Agence de santé et des services sociaux de Montréal m'ont sollicité pour les aider à optimiser la livraison des soins sur l'île de Montréal, je m'y suis plongé corps et âme pendant une douzaine d'années, tout en continuant d'exercer ma profession à temps plein et à présider notre clinique. J'ai travaillé très fort pour aider ma communauté et rendre à la société autant que possible de ce qu'elle m'avait donné.

À mon avis, on devrait encourager davantage l'entrepreneuriat au Québec, y compris dans le domaine de la santé. C'est ce qui nous permettrait en tant que société de nous développer, d'innover et de nous dépasser pour assurer notre avenir. Pourquoi devrions-nous être fiers de Jean Coutu, un symbole de réussite et un fleuron de l'entrepreneuriat québécois, et ne pas l'être de médecins innovateurs dans le domaine de la livraison des soins de santé à la population?

•••

J'espère qu'un jour, je finirai par obtenir justice devant les tribunaux supérieurs. Mais au fond, ça ne servira pas à grand-chose.

Un avocat réputé de mes amis me disait il y a déjà quelques mois: «Albert, à mon avis, tu vas gagner, mais au bout du compte, tu vas perdre.»

Puis il m'a raconté l'histoire de Frank Roncarelli, dont les plus âgés de mes lecteurs se souviennent peut-être.

Roncarelli était un restaurateur prospère de Montréal qui était membre des Témoins de Jéhovah, à une époque où le Québec francophone était uniformément catholique. Peu après la fin de la Deuxième Guerre mondiale, les membres de la secte entreprennent de distribuer des pamphlets particulièrement hostiles à l'Église catholique. Dans la foulée, des centaines de Témoins de Jéhovah sont arrêtés et jetés en prison par la police entre 1944 et 1946. Chaque fois, Roncarelli verse les montants nécessaires à leur libération sous caution. Mais en décembre 1946, sur ordre du premier ministre Maurice Duplessis et bien sûr pour le punir, la Commission des liqueurs (ancêtre de la SAQ) retire à Roncarelli le permis de vente d'alcool de son restaurant de la rue Crescent, qu'il sera forcé de fermer. Celui-ci poursuit alors personnellement Maurice Duplessis en dommages et intérêts. L'affaire se terminera en janvier 1959, lorsque la Cour suprême du Canada jugera que Duplessis a abusé de ses pouvoirs et le condamnera à verser personnellement à Roncarelli près de 50 000 $ en dommages et intérêts.

Mais après 13 ans de batailles judiciaires, Roncarelli était ruiné.

Il y a beaucoup de similitudes entre son affaire et la mienne. Ainsi, le Collège des médecins m'a radié non pas parce que j'ai mal exercé la médecine, mais pour une autre raison, probablement politique. Et pour ce faire, comme Duplessis dans le cas de Roncarelli, il a abusé de ses pouvoirs.

Mon ami avocat poursuivait ainsi :

— Personne n'est au-dessus des lois et de la justice, même pas le premier ministre du Québec, peu importe le motif, qu'il soit religieux, politique ou autre. C'est pour ça que tu vas gagner. Ni le Collège des médecins ni la RAMQ n'a le droit d'abuser de ses pouvoirs. Au bout du compte, un tribunal va bien le reconnaître. Mais tu vas perdre.

— Qu'est-ce que tu veux bien dire ?

— Tu vas perdre parce que la bataille que tu mènes est déséquilibrée. Tu te bas contre une grosse machine de fonctionnaires. Leur stratégie est toujours la même : te faire traîner pendant des années dans un dédale judiciaire pour que finalement tu lâches prise. C'est du temps que tu n'as pas. Aujourd'hui, avec ta condition de santé, chaque année compte. Au lieu de jouir du temps qui te reste, tu te bas contre des gens qui n'en valent pas la peine. Même si tu gagnais devant une cour, tu ne pourras jamais être dédommagé pour ce que tu auras perdu de plus précieux, qui est le temps – ton temps. Tout le stress que tu as subi, toute la détresse que ta femme a vécue, tu ne pourras jamais être dédommagé pour ça. Par ailleurs, Roncarelli a essayé de maintenir son restaurant sans licence, mais il n'était plus profitable et il perdait de l'argent, comme toi d'ailleurs, tu n'as plus de revenus professionnels et ta clinique en a souffert depuis déjà quelques années. Au Québec et même au Canada, les compensations monétaires pour les dommages moraux sont minimes, je dirais même ridicules, en comparaison de chez nos voisins américains. C'est même un incitatif pour des harceleurs de continuer à s'en prendre à leurs cibles parce que tout ce qu'ils risquent, c'est une petite tape sur les doigts. C'est injuste ! C'est pour ça que je te dis que tu vas perdre.

Ces paroles de sagesse ont résonné plusieurs fois dans mon esprit.

Est-ce que je crois que c'est l'ensemble du Collège des médecins qui est malintentionné ? Bien sûr que non. Je suis encore assez lucide pour reconnaître le bien-fondé de cette institution. Je connais plusieurs personnes qui y travaillent, de près ou de loin, qui sont d'excellentes personnes, intègres, avec de belles valeurs. Cependant, certains abusent clairement de leurs pouvoirs. Il faut les surveiller et s'assurer qu'ils sont tenus de rendre compte de leurs actions.

Je me bats aujourd'hui contre l'establishment. C'est un combat que je n'ai pas choisi. On est venu me chercher. On me dit que personne n'est arrivé à résister au rouleau compresseur de l'establishment. Plusieurs ont lâché prise, certains sont devenus dépressifs et d'autres se sont suicidés.

Dans l'affaire Sirard, les articles de journaux ont rapporté qu'après trois ans d'enquête, le Collège des médecins a fermé le dossier, considérant qu'il s'était suicidé. Ainsi, du revers de la main, on passe à autre chose. Quelle sera la prochaine cible ? Quelle sera la prochaine victime ?

Pensez-vous que quelqu'un du Collège va allumer et se poser la question de savoir pourquoi il s'est suicidé ? J'en doute fort. J'ai lu sa lettre d'adieu de 10 pages qu'il a laissée avant de s'enlever la vie. Il dénonce clairement le harcèlement institutionnel, dont celui du

Collège des médecins et, sans faire le procès du Dr Sirard, je peux très bien m'identifier à l'individu et comprendre son geste. Moi aussi, j'y ai pensé. Quand la souffrance perdure et dépasse les limites, on veut y mettre fin. Cela fait partie des techniques des harceleurs de vous amener, petit à petit, au point de rupture où finalement, vous vous autodétruisez. Ils auront ainsi beau jeu de dire plus tard : « Vous voyez, ce médecin était malade, dépressif, instable sur le plan psychiatrique... », comme Me Battah a essayé de me dépeindre devant le conseil de discipline lors de mon audition sur sanction.

J'ai compris leur tactique. Grâce aux gens qui m'entourent, je suis encore debout et je vais continuer de me battre, non seulement pour moi, mais également pour les autres victimes qui souffrent en silence.

Va-t-on continuer de tolérer cela, sans rien dire, sans broncher, par peur de représailles ?

Vous êtes peut-être un médecin, un ingénieur, un comptable, un architecte, un psychologue, un dentiste, une infirmière, un avocat, peu importe ; dites-vous bien une chose : demain, ça sera peut-être votre tour, si ce n'est pas déjà arrivé...

J'ai aussi découvert que le harcèlement moral dépasse le cadre du milieu professionnel. Ainsi, sans être un professionnel qui se rapporte à son ordre, vous pouvez tout simplement être un employé d'une entreprise qui se fait harceler par son chef d'équipe, son directeur ou même son employeur. Quand l'acharnement dépasse les bornes, qu'on vous accuse de méfaits sans raison, qu'on souhaite se débarrasser de vous après 30 ans d'ancienneté avec un parcours irréprochable et qu'on détruise votre réputation de façon vicieuse au point où vous ne pourrez plus vous replacer et trouver un emploi, que faites-vous ? Allez-vous vous laisser faire ou allez-vous vous défendre ?

Voilà des questions auxquelles il n'est pas facile de répondre, surtout quand on se fait harceler par des gens en position d'autorité qui brandissent un badge devant vous, se croyant tout permis, bénéficiant d'une immunité quasi complète et sans aucune obligation de rendre compte.

La D^{re} Marie-France Hirigoyen, psychiatre française de renommée internationale pour ses travaux sur le harcèlement moral, a pavé la voie à l'avancement du droit juridique en France et en Europe, faisant en sorte que le harcèlement moral ne relève plus du Code civil mais bien du Code criminel. Ce qui veut dire que si quelqu'un est coupable d'avoir utilisé du harcèlement moral contre une personne, cet individu est passible de prison et non pas d'une simple tape sur les doigts. Le harcèlement moral est donc reconnu comme un crime et quelqu'un qui est accusé d'avoir exercé du harcèlement moral contre quelqu'un d'autre peut être passible d'une peine de deux ans de prison. Nos juristes devraient se pencher sur cette question et peut-être s'inspirer des travaux de nos cousins français. À mon avis, cela découragerait certains abuseurs de profiter de leur position d'autorité pour écraser des gens autour d'eux.

Quant à moi, j'ai pris la décision de parler. Plus question de me réfugier dans le silence. J'ai écrit mon histoire en toute candeur et en toute transparence. Je sais qu'elle ébranlera bien des gens qui, comme moi, sont révoltés par l'injustice et l'abus de pouvoir de la part de gens sans scrupules. Mais je sais aussi qu'avec les récentes décisions du Tribunal des professions et la publication de ce livre, mes adversaires redoubleront d'ardeur pour me harceler, m'intimider, et me discréditer sur la place publique.

Cela ne me fait plus peur. Ayant déjà accepté l'idée de ma finalité avec mon diagnostic de leucémie, je suis en paix avec moi-même. J'ai mené une belle vie, extrêmement active et productive. J'ai pratiqué un métier fort gratifiant car j'ai eu l'occasion d'aider beaucoup de monde durant ma carrière. J'adorais ce que je faisais. J'en étais passionné. J'ai eu la chance d'aimer profondément certaines personnes et j'ai également eu la chance d'être aimé. Je souhaite que mon séjour sur terre se prolonge le plus longtemps possible, mais de façon harmonieuse et sereine plutôt que dans la détresse qui a été la mienne et celle de ma famille au cours des dernières années.

Est-ce trop demander ?

Lexique des organismes cités dans cet ouvrage

Association canadienne de protection médicale (ACPM): L'ACPM est un organisme sans but lucratif qui offre aux médecins qui y adhèrent une protection en matière de responsabilité médicale.

Association des médecins omnipraticiens de Montréal: L'Association des médecins omnipraticiens de Montréal (AMOM) est le tout premier regroupement de médecins généralistes du Québec. Fondée en 1961, elle représente actuellement plus de 1800 médecins. L'AMOM est affiliée à la Fédération des médecins omnipraticiens du Québec (FMOQ).

Collège des médecins du Québec (CMQ): Le Collège des médecins est l'ordre professionnel des médecins du Québec. À ce titre, il évalue et contrôle l'exercice professionnel des médecins, reçoit et traite les plaintes du public et prend position dans les débats publics relatifs à la santé.

Conseil de discipline du Collège des médecins du Québec: Constitué au sein de chaque ordre professionnel en vertu du Code des professions, le conseil de discipline entend toute plainte formulée contre un professionnel.

Cour supérieure du Québec : La Cour supérieure est le tribunal de droit commun qui a juridiction sur l'ensemble du territoire du Québec. Elle est saisie notamment des affaires civiles et commerciales dont l'enjeu est de 70 000 $ ou plus, des litiges en matière administrative et en matière familiale de même qu'en matière de faillite, des procès devant jury en matière pénale et des appels en matière de poursuites sommaires.

Département régional de médecine générale de Montréal (DRMG) : Composé de tous les médecins omnipraticiens d'une région donnée recevant une rémunération de la RAMQ, le DRMG est chargé de formuler des recommandations relatives à l'organisation des soins médicaux généraux.

Fédération des médecins omnipraticiens du Québec (FMOQ) : La FMOQ est le syndicat professionnel représentant l'ensemble des médecins omnipraticiens du Québec. Comptant plus de 9 500 membres, elle négocie auprès des instances gouvernementales les conditions d'exercice des médecins omnipraticiens.

Laboratoires CDL : Fondée en 1993 par M. Laurent Amram, Laboratoires CDL fournit des analyses de laboratoire à quelque 1 000 clients, soit médecins, cliniques médicales et entreprises du secteur pharmacologique.

Médecins québécois pour le régime public (MQRP) : Le MQRP est un regroupement de médecins voués au maintien du caractère universel du système québécois de soins de santé. À ce titre, il prône la disparition des cliniques médicales privées et semi-privées.

Physimed : Physimed est un centre médical semi-privé fondé en 1988 par deux associés, soit le Dr Albert Benhaim et M. Gilles Racine. Il dessert actuellement quelque 300 000 patients.

Programme d'aide aux médecins du Québec (PAMQ) : Créé en 1990, le PAMQ a pour mission de venir en aide aux médecins, résidents et étudiants en médecine qui éprouvent des difficultés personnelles.

Régie de l'assurance maladie du Québec (RAMQ) : La RAMQ administre les régimes publics d'assurance maladie et d'assurance médicaments et rémunère les professionnels de la santé.

Tribunal des professions : Créé en 1973, le Tribunal des professions est une instance d'appel saisie des décisions de conseils de discipline d'ordres professionnels relatives au droit d'exercice d'une profession. Il est composé de 11 juges de la Cour du Québec.

Index des personnes dont le nom apparaît plus d'une fois dans cet ouvrage

Amram, Laurent: Fondateur et président de Laboratoires CDL.

Asselin, Dr Marc-André: Président (en 2010) de l'Association des médecins omnipraticiens de Montréal.

Battah, Me Anthony: Procureur du Dr Louis Prévost, syndic adjoint du Collège des médecins, devant le conseil de discipline du Collège des médecins, qui a pris la relève de M^e Jo Ann Zaor.

Beaulieu, Me Richard: Avocat du cabinet McCarthy Tétrault.

Belzile, Me Pierre: Directeur des services juridiques de la Fédération des médecins omnipraticiens du Québec.

Bernard, Dr Charles: Président du Collège des médecins du Québec.

Billard, Dr Marc: Secrétaire du comité d'inspection professionnelle du Collège des médecins.

Champagne, Me Caroline: Présidente du conseil de discipline du Collège des médecins qui a radié le Dr Albert Benhaim de façon permanente.

Chénier, Me Robert-Jean: Spécialiste du droit médical, procureur du Dr Albert Benhaim – en tant que médecin – devant le conseil de discipline du Collège des médecins.

Collier, David: Juge de la Cour supérieure du Québec qui, en juillet 2013, a débouté la RAMQ dans sa tentative de forcer Laboratoires CDL à remettre la facture transmise à Physimed pour les analyses de laboratoire d'Anabelle Nicoud.

Cummings, D^{re} Suzanne: Médecin-conseil au Programme d'aide aux médecins du Québec.

Fortin, Dr Jean-Claude: Syndic adjoint du Collège des médecins au moment des faits relatés (2011).

Frère, Me Philippe: Avocat du cabinet Lavery, procureur de Physimed et du Dr Benhaim en tant que président de Physimed.

Gagné, Nathalie: Directrice des enquêtes à la Régie de l'assurance maladie du Québec.

Gauthier, Dr François: Syndic et directeur de la Direction des enquêtes du Collège des médecins jusqu'en 2014.

Gauvin, Me Christian: Directeur des services juridiques du Collège des médecins.

Gervais, Dr Yves: Inspecteur du comité d'inspection professionnelle, Collège des médecins.

Giroux, Dr Marc: Président directeur général de la RAMQ de 2008 à 2013.

Godin, Dr Louis: Président de la Fédération des médecins omnipraticiens du Québec.

Goulet, Dr François: Directeur adjoint de l'amélioration de l'exercice au Collège des médecins au moment des faits relatés.

Jacques, Dr André: Médecin, conseiller principal du président du Collège des médecins au moment des faits relatés.

Jimenez, D^{re} Vania: Médecin, membre du conseil de discipline qui a radié à vie le Dr Albert Benhaim.

Larouche, Me Christiane: Avocate des services juridiques de la Fédération des médecins omnipraticiens du Québec.

Levine, David: Président de l'Agence de la santé et des Services sociaux de Montréal de 2002 à 2012.

Marsolais, Dr Pierre: Membre du conseil de discipline qui a radié à vie le Dr Albert Benhaim.

Nicoud, Anabelle: Journaliste, auteure d'un article paru le 30 juillet 2010 dans le quotidien *La Presse* et affirmant faussement qu'il fallait payer 340 $ pour avoir un médecin de famille chez Physimed.

Prévost, Dr Louis: Syndic adjoint du Collège des médecins.

Primeau, Me Ginette: Première procureure du Dr Albert Benhaim durant l'enquête de la RAMQ sur l'article d'Anabelle Nicoud.

Racine, Gilles: Cofondateur et actionnaire de Physimed avec le Dr Albert Benhaim.

Robert, Dr Yves: Secrétaire général du Collège des médecins.

Roy, Charles: Président de l'Association des psychologues du Québec, il a abondamment dénoncé le harcèlement moral et institutionnel de la part des syndics d'ordres professionnels.

Roy, D^{re} Hélène: RAMQ.

Samson, Me François: Président du conseil de discipline du Collège des médecins lors de la requête en radiation immédiate provisoire.

Sansfaçon, Stéphane: Juge de la Cour supérieure du Québec.

Shamy, D^{re} April: Médecin, hémato-oncologue qui soigne le Dr Albert Benhaim.

Sirard, Dr Alain: Médecin pédiatre, qui a fait l'objet d'une enquête – notamment du Collège des médecins –, qui s'est enlevé la vie le 6 décembre 2016.

Synnott, Me Bernard: Avocat, représentant la compagnie d'assurance du Collège des médecins dans la poursuite du Dr Albert Benhaim et de Physimed devant la Cour supérieure.

Tessier, Julie: Enquêtrice de la Régie de l'assurance maladie du Québec, qui a mené une enquête sur Physimed à la suite de la parution de l'article d'Anabelle Nicoud en juillet 2010.

Turcotte, D^{re} Chantal: Directrice médicale de la clinique médicale Plexo.

Vachon, Dr Michel: Président de l'Association des médecins omnipraticiens de Montréal au moment des faits relatés.

Zaor, M^e Jo Ann: Avocate, représentante du syndic adjoint Louis Prévost devant le conseil de discipline du Collège des médecins au moment des faits relatés.

Remerciements

Ce livre est l'aboutissement d'un parcours long et difficile qui, du reste, n'est pas encore terminé. Cet ouvrage n'aurait pas pu voir le jour sans le soutien et la collaboration d'un certain nombre de personnes à qui je souhaite exprimer ici ma reconnaissance.

Je veux d'abord remercier ma conjointe Gail, qui a partagé avec moi chacune des étapes de la saga qui est racontée dans ces pages. Sans son amour, son amitié et son soutien inconditionnel, je ne crois pas que j'aurais eu la force de poursuivre mon combat.

Ma plus vive reconnaissance va aussi à mon associé Gilles Racine et à sa conjointe, qui m'ont accompagné tout au long du trajet et ne m'ont jamais ménagé leur disponibilité, leur amitié et leur solidarité dans tous ces moments difficiles.

Merci à mes fils Alex, Greg et Mark, dont la présence à mes côtés continue d'être une source continuelle de joie, de fierté et de motivation.

Je n'oublierai jamais les membres de ma famille et de ma belle-famille ainsi que mes amis pour leur appui sans réserve et leur capacité à me distraire du cauchemar que je vis depuis tant d'années.

Je veux aussi exprimer mes remerciements à mes avocats Me Ginette Primeau, Me Philippe Frère et Me Robert-Jean Chénier pour leur écoute attentive, leur disponibilité et leurs conseils judicieux.

Merci aux professionnels de la santé qui au fil des ans m'ont prodigué leurs soins avec empathie et efficacité, en particulier la Dre April Shamy, le Dr Richard Charbonneau et M. Gus Appignanesi.

Je ne saurais trop souligner le soutien bienveillant que m'a accordé la D^re Suzanne Cummings, du Programme d'aide aux médecins du Québec.

Je remercie également certains membres de la FMOQ qui m'ont apporté leur aide.

À mes collègues médecins et au personnel de Physimed, qui continuent de croire en moi, je veux dire toute ma gratitude pour leur dévouement et leurs mots d'encouragement.

Merci à mon consultant en communication, François Taschereau, pour son aide et la sagesse de ses conseils.

À mes patients qui continuent de me manifester leur affection, leur confiance et leur solidarité, je veux exprimer ma profonde reconnaissance et leur dire qu'ils me manquent terriblement.

Merci aux membres de la famille du Dr Alain Sirard qui, sans le savoir, m'ont convaincu de raconter mon histoire.

Mes remerciements vont aussi à Charles Marsan et Charles Roy, qui m'ont ouvert les yeux sur le phénomène du harcèlement moral et institutionnel, alors que j'étais sur le point de sombrer.

Merci à l'équipe des Éditions de l'Homme, en particulier à la directrice générale Judith Landry, qui a accepté de publier ce livre, et à l'éditrice, Liette Mercier, qui en a concrétisé la mise en œuvre avec persévérance, dynamisme et efficacité.

Merci enfin à Serge Rivest pour sa patience, sa clarté d'esprit et sa si belle plume.

Table des matières

Tous les profits découlant de la vente de ce livre seront consacrés à la sensibilisation du public au phénomène destructeur du harcèlement moral et institutionnel.

Si ce livre vous a interpellé, que vous avez-vous-même été victime ou témoin de harcèlement moral et institutionnel, vous pouvez visiter le site Web www.HarcelementMoralEtInstitutionnel.com ainsi que la page Facebook fb.me/DocAlbertMD, sur laquelle nous vous invitons à publier vos commentaires et à partager votre expérience.